de Bibli

1000
DINGEN DOEN
met kinderen
IN NEDERLAND

Jeroen van der Spek

KOSMOS

Kosmos Uitgevers, Utrecht/Antwerpen

KOSMOS

www.kosmosuitgevers.nl

Tekst: © 2013 Jeroen van der Spek en Kosmos Uitgevers, Utrecht/Antwerpen
Alle rechten voorbehouden.
Vormgeving binnenwerk: Garage BNO, Kampen
Omslagontwerp: Annelies Dollekamp (Zilverster media)

ISBN 978 90 215 5269 9
NUR 500

Hoewel de grootst mogelijke zorg is besteed aan de samenstelling van deze gids
kan de uitgever geen aansprakelijkheid aanvaarden voor schade die het gevolg is
van fouten, nalatigheid of verandering in details in deze uitgave, en voor de ge-
volgen van het afgaan op de verstrekte informatie. Wij zijn onze lezers dankbaar
wanneer zij eventueel geconstateerde fouten willen melden. Uw opmerkingen
kunt u – zonder postzegel – zenden aan:

Kosmos Uitgevers
t.a.v. redactie Reizen en Vrije tijd
Antwoordnummer 8111
3500 VV Utrecht

INHOUDSOPGAVE

GRONINGEN

001   **JE EIGEN SPONGEBOB** *Stripmuseum Groningen*

De avonturen van Kuifje, de rampen van Donald Duck en de verslavende meligheid van DirkJan: het Nederlands Stripmuseum Groningen hangt er vol mee. Je dwaalt door een doolhof met hoogtepunten uit Nederlandse strips, bezoekt de 'levende' huiskamer van Jan, Jans en de kinderen en ziet stap voor stap hoe een stripstrook tot stand komt.

Teken je eigen SpongeBob SquarePants in de Nickelodeon-hoek of leer hoe je een echt stripgezicht moet tekenen. Misschien hangt jouw stripfiguur over tien jaar wel bij de ingang.
Westerhaven 71 Groningen
050 – 317 84 70
www.stripmuseumgroningen.nl

002   **HEKSENTHEETJES** *De theefabriek*

In het theemuseum maak je een verrassende ontdekkingsreis door de wereld van de thee. Je ziet hoe thee wordt verbouwd, ontdekt wat er precies gebeurt in een theefabriek en komt erachter hoe de thee in de theezakjes terechtkomt. In de theeschen-

kerij kun je kiezen uit de meest uitgebreide theekaart ter wereld, van Heksenthee tot Schotse Mist. In een sfeervolle kerk in Noordwest-Groningen.
Hoofdstraat 15-25 Houwerzijl
0595 – 57 20 53 | www.theefabriek.nl

003   **SCHELPENGROT** *Borg Nienoord*

Borg Nienoord, een van de mooiste landhuizen van Groningen, heeft heel wat meegemaakt. De laatste eigenaar reed met koets en al het water in en verdronk. Ook de eerste eigenaar, Wigbold van Ewsum, kwam ongelukkig aan zijn einde. Maar het slechtste lot trof het kindermeisje dat in de schatkamer een kist vol goud en zilver openmaakte. Als straf voor haar nieuwsgierigheid moest ze de wanden van de schatkamer met schelpen bekleden. Toen de klus eindelijk klaar was, was ze een oude vrouw geworden. Het resultaat van haar werk – de schelpengrot – is nog altijd in de borg te zien.
Nienoord 20 Leek | 0594 – 51 22 30
www.familieparknienoord.nl/landgoed/de-borg

004 ZWEMKASTEEL *Familiepark Nienoord*

Dieren aaien bij de kinderboerderij, een ritje maken met de model- spoortrein of klauteren in een van de grootste apenkooien van Noord- Nederland: in Familiepark Nienoord kunnen jij en je ouders alle kanten op. Bekijk het landgoed vanuit de helikopterbaan, plons in het water van het subtropisch zwemkasteel en geniet na op het terras naast Station Nienoord, het hart van Nederlands kleinste spoorwegbedrijf.

Nienoord 20 Leek | 0594 – 51 22 30
www.familieparknienoord.nl

005 ZEEHONDEN VRIJLATEN *Lauwersoog Water Events*

Zeehonden kijken bij de Zeehondencrèche Lenie 't Hart is natuurlijk leuk. Maar het is nog mooier als je ziet hoe de dieren weer worden vrijgelaten (in elk geval voor de zee- hond!). Bij Lauwersoog Water Events verge- zel je de herstelde zeehonden op de terug- reis naar hun natuurlijke leefomgeving. Je ziet hoe de zeehonden met een redding-

boot naar de zandbank worden gebracht. Vanaf het achterdek blijf je zwaaien tot ze alleen nog maar stipjes in de verte zijn...

Strandweg 5 Lauwersoog
0519 – 34 91 33
www.beleefwadenwater.nl/vaartochten/
zeehonden-vrijlaten

006 ZWARE JONGENS *'t Pannekoekschip*

't Pannekoekschip is een opvallende ver- schijning in Groningen. De tweemaster is een van de grootste klippers die in Neder- land zijn gebouwd. Maar de belangrijkste reden om aan boord te stappen vind je binnen. Daar kun je genieten van meer dan

honderd soorten ambachtelijk gebakken pannenkoeken, van Pannenkoek Zware Jongens tot de Kannibaal.

Schuitendiep 1017 Groningen
050 – 312 00 45 | www.pannekoekschip.nl

007 PEERD IS DOOD *Het Peerd van Ome Loeks*

'Het Peerd van Ome Loeks' is wereldberoemd in Groningen. Het beeldje op het stationsplein herinnert aan de Groninger Lucas van Hemmen ('Ome Loeks' voor vrienden). Deze beroemde cafébaas won met zijn renpaard Appelon alles wat er te winnen viel. Tot zijn paard op een kwade dag stalknecht Barelt Visser aanviel. Loeks probeerde het dier met een hooivork in een hoek van de stal te drijven. Helaas liep Appelon daarbij zoveel verwondingen op, dat het dier een paar dagen later in elkaar zakte. Sindsdien zingen kinderen in Groningen (op de melodie van 'Daar wordt aan de deur geklopt') plagerig: 'Peerd van Ome Loeks is dood, Loeks is dood, Loeks is dood...'

008 DE SCHUINSTE TOREN VAN NEDERLAND *Walfridustoren*

Geen Nederlandse kerktoren staat zo scheef als de Walfridustoren in het Groninger Bedum (de geboorteplaats van Arjen Robben). De 'Schaive Toren' blijkt zelfs schever te staan dan de wereldberoemde toren van Pisa. Gek genoeg zou de Walfridus gemakkelijk weer recht gezet kunnen worden. Maar dan komen er geen toeristen meer en kun jij geen leuke foto's meer maken. Lekker zo laten staan dus.

009 SNORREKRIEBELS *Eya Popeya StiPP*

Theatermaakster Freya Noest wil kinderen en grote mensen laten nadenken over natuur en milieu. In de zomermaanden organiseert ze daarom theaterbostochten zoals de Snorrekriebel Theater Familie Bostocht: een reizend poppentheater langs de geheime dierenholletjes van hermelijn, mol, haas of vos. **www.np-lauwersmeer.nl, kijk bij 'activiteitenoverzicht'**

010 JUNIOR AUDIO TOUR *Menkemaborg*

Hoe zag het leven in een Gronings landhuis er driehonderd jaar geleden uit? Je hoort het tijdens de junior audiotour door de Menkemaborg. Gerhard en Susanna, de kinderen van de oorspronkelijke bewoners, nemen je mee op een tocht door het vroegere zomerhuis. Je reist terug naar het jaar 1775, neemt een kijkje in de herenkamer, de damessalon en de grote zaal en hoort bijzondere verhalen en goed bewaarde geheimen. Misschien ontdek je wel waarop het wapen van de familie Alberda staat...

Menkemaweg 2 Uithuizen
0595 – 43 19 70 | www.menkemaborg.nl

011 KUNSTKOT *Leven op gevoel*

Schilderen op de muren. Snoepjes roosteren boven een vuurtje of je uitleven op het drumstel. Doe & Speelparadijs Kunstkot is de 'alles mag'-plek van Veendam. In de droomwereld van kunstenaarsechtpaar Jeroen en Wanda Boerstra kun je elke week langskomen voor creatieve activiteiten en workshops. Of gewoon een middagje chillen. Perfecte plek voor kinderfeestjes.

Dr. Bosstraat 71 Veendam
06 – 14 78 87 82 | www.levenopgevoel.nl

012 GEWOON BLIJVEN STAAN *Break Out Grunopark*

Waterskiën moeilijk? Niet als je je laat voorttrekken aan de kabel van waterskibaan Break Out Grunopark. Je glijdt met een snelheid van zo'n dertig kilometer per uur over het water en hoeft eigenlijk niets anders te doen dan blijven staan. Als je een beetje gevoel voor evenwicht hebt, heb je de techniek binnen een uur onder de knie...

Hoofdweg 163 Harkstede | 050 – 541 17 06
www.breakout-grunopark.nl

013 ONTBIJTEN MET TAARTJES *De Koningin van Pieterburen*

De zoon van prins Hendrik logeerde er, net als koningin Rosanna uit Zweden. De Koningin van Pieterburen is een koninklijke slaapplek, waar je gelukkig ook zonder gouden baljurk naar binnen mag. Sterker nog: de gasten vormen een raar mengelmoesje van prinsessen, wadlopers en bezoekers van de zeehondencrèche. Logisch, want het ontbijt met taartjes wil natuurlijk niemand missen...

Hoofdstraat 63 Pieterburen
0595 – 52 84 91 / 06 – 23 16 15 97
www.koninginvanpieterburen.nl

014 BUNGELBANK *'t Blôde Fuottenpaad*

Zonder schoenen door bossen of weilanden lopen is meestal geen lolletje. Tenzij je over 't Blôde Fuottenpaad loopt. Dat pad is speciaal aangelegd om te voelen hoe het is om op blote voeten door de natuur te banjeren. Je dompelt je voeten onder in een modderbad, waagt je over de 'soeierdroaden' of laat je benen lekker bungelen op de bungelbank. Jammer dat je na afloop je schoenen weer aan moet.

Start: 9865 TC Opende
www.blotevoetenpad.nl

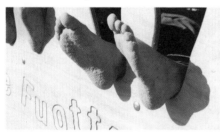

015 SLANG OM JE NEK *DoeZoo Leens*

Een stinkdier aaien, een slang om je nek voelen of een vogelspin op je hand houden. Bij DoeZoo ontdek je de natuur door te horen, te zien, te voelen of te ruiken. Je duikt in de kriebelwereld van insecten, maar ontmoet ook insecteneters zoals penseelapen, leguanen en neusberen. Een dierenpark dat je zintuigen op scherp zet.

Wierde 17 Leens
0595 – 57 26 59 | www.doezoo.nl

016 TERUG NAAR 1742 *Vesting Bourtange*

Tijdreizigers opgelet! Een bezoek aan het vestingstadje Bourtange voert je 270 jaar terug in de tijd. Je maakt kennis met de vroegere soldatenbarakken, bezoekt het kruitmagazijn en tuurt langs de loop van een oud kanon of de vijand in aantocht is.

In de zomermaanden kun je zelfs een legertje met spiesdragers tegen het lijf lopen. Of verrast worden door een inslaande kanonskogel...

W. Lodewijkstraat 33 Bourtange
0599 – 35 46 00 | www.bourtange.nl

017 MUZEEAQUARIUM DELFZIJL *Van hondshaai tot hunebed*

Een zeeaquarium met kathaaien, lipvissen en zeenaalden. Een enorm hunebed, een nagebouwde druipsteengrot en een tentoonstelling over het scheepvaartverleden van Delfzijl. Het muzeeaquarium Delfzijl is

een spannende mengelmoes van attracties. Op het uiterste randje van Groningen, in een bunker uit de Tweede Wereldoorlog.
Zeebadweg 7a Delfzijl
0596 – 63 22 77 | www.muzeeaquarium.nl

018 BOMENHOROSCOOP *Hortus Haren*

Amerikaanse mammoetbomen bewonderen, rondlopen door het Verborgen Rijk van Ming of ontdekken wie je bent in de Keltische bomenhoroscoop. Een wandeling door de tuinen van de Hortus Haren voert je van de ene naar de andere verrassing. Ga op zoek naar de grootste waterleliesoort

ter wereld, stap door de tijdstunnel en beklim de smalle bergpaden van de rotstuin. Op woensdag- en zondagmiddag is er een speciaal kinderprogramma in het Paraplutheater.
Kerklaan 34 Haren | 050 – 537 00 53
www.hortusharen.nl

019 GEEN PAPA'S EN MAMA'S *Vestingmuseum Oudeschans*

Leuk idee van het Kindermuseum van Vestingmuseum Oudeschans. Laat kinderen zelf bedenken wat ze in een museum willen zien. De kinderen mochten foto's opsturen van 'dingen' die ze graag aan anderen wilden laten zien (waaronder veel lievelings-

dieren, maar ook papa's en mama's!). Het museum gaat de komende tijd de leukste ideeën uitvoeren in een speciaal museum voor en door kinderen.
Hoofdweg 161 Bellingwolde | 0597 – 53 15 09
www.museumdeoudewolden.nl

020 ART TREK *Groninger Museum*

Een wereldberoemd museum of een bela-chelijk gebouw waar alles schots en scheef staat: het Groninger Museum heeft even-veel fans als 'tegenstanders'. Als je er voor het eerst bent, moet je in elk geval een keer om het bouwwerk (dat door drie verschil-lende architecten is bedacht) heen lopen.

Nog niet duizelig? Dan kun je meedoen aan een uitgebreid kinderprogramma, met ac-tiviteiten zoals de Art Trek, een verrassende ontdekkingstocht door het museum.
Museumeiland 1 Groningen | 050 – 366 65 55
www.groningermuseum.nl

021 DUIK IN HET MAÏSBAD *Bloemenboerderij*

Zelf je bosje bloemen bij elkaar plukken, verdwalen in een maïsdoolhof die zo groot is als vier voetbalvelden of proberen om voor-uit te komen op een vierpersoonsstep. Bij de Bloemenboerderij in Saaxumhuizen vind je 'boerenattracties' in alle soorten en maten.

Speel een partijtje klompjesgolf, neem een duik in het maïsbad, en vergeet na afloop niet je Maïsdiploma mee naar huis te nemen.
Dikemaweg 10 Saaxumhuizen
0595 – 42 35 77
www.bloemenboerderij.com

022 DE WERELD IN HET KLEIN *Alida's poppenhuismuseum*

Minibankstellen, minigordijnen, mini-kamerplanten en miniservies. In Alida's poppenhuismuseum vind je een complete wereld in het klein. En een indrukwekkende verzameling van zo'n 140 poppenhuizen,

badkamers, keukentjes en winkeltjes. Vanaf 1880 tot nu.
Beneden Oosterdiep 280 Veendam
0598 – 61 95 69
www.alidaspoppenhuismuseum.nl

023 · SCHATSUPPEN *SUP Experience*

Is het een surfplank? Een roeiboot? Nee, het is een Stand Up Paddle (SUP). Je staat op een groot golfsurfboard en beweegt je jezelf met één peddel over het water. Bij SUP Experience kun je tochten maken op het Paterswoldse en het Hoornse Meer, of door de Groningse grachten. Kies je voor het Piet Piraat feestje, dan word je vanaf een boot gedropt en ga je sup'pend schatzoeken.
06 – 83 98 20 56 | www.supexperience.nl

024 · RATTENKELDERS EN BOOMTOPPEN *Wonderwereld*

Eieren zoeken in de Drakengrot, afdalen in de Rattenkelder of een spannende wandeling maken tussen de toppen van het Boompad: tijdens een bezoek aan Wonderwereld beleef je de merkwaardigste avonturen. Je staat oog in oog met de kleinste aapjes ter wereld en ontmoet sprookjesfiguren zoals Greurt de Groninger reus, tante Beppie de heks en Zwammer het paddenstoelenmannetje. Met een beetje geluk vind je misschien het magische kristal wel....
Ruiten A Kanaal Noord 1 Ter Apel
0599 – 58 79 90 | www.wonderwereld.nl

025 · D'OLLE GRIEZE *Martinitoren beklimmen*

Als je door het centrum van Groningen loopt, kun je de Martinitoren niet missen. 'D'Olle Grieze' is al meer dan 500 jaar de blikvanger van de stad. De derde toren van Nederland (alleen de Utrechtse Dom en de Nieuwe Kerk in Delft zijn hoger) is maar liefst 97 meter hoog. Van achter de wijzerplaten van de klok heb je een prachtig uitzicht over de stad.
Martinikerkhof 1 Groningen
0900 – 202 30 50
www.groningen.nl/toerisme

026 HET GEHEIM VAN ABRAHAM *Abrahams Mosterdmakerij*

Altijd al willen weten waar Abraham de mosterd haalt? Tijdens een rondleiding door Abrahams Mosterdmakerij zie je hoe mosterdzaad, azijn en suiker worden verwerkt tot de beroemde Groninger mosterd. Na afloop kun je in het restaurant gerechten proeven waarin mosterd is verwerkt: van brood met mosterdstip tot ribroast met honing-mosterdsaus

Molenstraat 5 Eenrum | 0595 – 49 16 00
www.abrahamsmosterdmakerij.nl

027 MANNEN TEGEN VROUWEN *Urinoir Rem Koolhaas*

Een halfuur omfietsen om tegen een kunstwerk te plassen? In Groningen vindt niemand dat raar. Fotograaf Erwin Olaf en architect Rem Koolhaas ontwierpen het mooiste openbare toilet van Nederland, aan de Kleine der Aa. De foto's op de wanden laten zien hoe mannen en vrouwen altijd en eeuwig met elkaar in strijd zijn. Gewapend met bokshandschoenen, speelgoedpistolen en een deegroller gaan ze elkaar te lijf. Eigenlijk best vermoeiend, als je erover nadenkt...

Kleine der Aa Groningen

028 SPORTEN IN HET DONKER *Black- and speedminton*

Mocht je nog nooit van speedminton hebben gehoord: je bent niet de enige. In het eerste Speedminton In- en Outdoor Centrum van Nederland kun je je uitleven op deze nieuwe racketsport, een kruising tussen tennis, squash en badminton. Behoefte aan meer spektakel? Dan kun je ook kiezen voor een potje blackminton (speedminton in het donker). Blacklightkanonnen, een muziekgestuurde led-show en fluorescerende schmink zorgen ervoor dat je shuttle en tegenstander blijft zien.

Hoofdweg 156 Midwolda | 0597 – 55 40 55
www.blauwestadhoeve.nl

029 WINTER- ÉN ZOMERSLAAP *Overnachten in een berenhol*

De bewoners van het Groninger dorpje Vriescheloo hebben al lang geen beren meer gezien. Toch is camping Buitengewoon Groenhoff druk bezig met het uitgraven van vijftien berenholen. De tweepersoonsholen liggen aan de rand van een prachtig meertje, maar zijn gelukkig ook geschikt voor luxedieren. Elk 'hol' beschikt over lekkere bedden, verlichting en verwarming. Laat die winterslaap maar komen!
Dorpsstraat 31 Vriescheloo
0597 – 53 25 50 / 06 – 50 50 09 02
www.buitengewoongroenhoff.nl, klik op 'berenhotel'

030 SPROKKELPAD *Fraeylemaborg*

Borgen zijn de fraaie buitenhuizen van de jonkheren uit vorige eeuwen. De mooiste van allemaal is Fraeylema, een fraai kasteeltje met een park in Engelse landschapsstijl en een voormalig 'schathuis'. Ben je tussen de acht en twaalf? Dan kun je gratis een speurtocht maken door alle kamers. Of de omgeving verkennen van het Sprokkelpad, een ontdekkingstocht met vragen waarbij je een sleutel en verrekijker hard nodig hebt.
Hoofdweg 30 Slochteren | 0598 – 42 15 68
www.fraeylemaborg.nl

031 ONBEKENDE PLEKJES *Kano-avontuur*

Bij het noordelijkste puntje van Nederland denk je misschien niet aan een kano-avontuur. Toch hoef je niet naar de Dordogne om een paar dagen over het water te kunnen peddelen. Kano-avontuur biedt je de mogelijkheid om per kano de Groninger Maren te verkennen. Je peddelt over kronkelige watertjes, vaart door een middeleeuws stadje en legt onderweg aan bij verschillende minicampings. Zo ontdek je plekjes waar anderen niet kunnen komen.
Middendijk 2 Noordpolderzijl
06 – 29 37 77 63 | www.kano-avontuur.nl

032 ROZEN EN KALKOENEN *Kinderboerderij Wijnschoten*

Voor een kinderboerderij hoef je in Nederland nooit ver te fietsen. Maar in Winschoten vind je een bijzondere combinatie: bij de kinderboerderij ligt niet alleen een leuke speeltuin, maar ook een van de grootste rozentuinen van Nederland. Maak kennis met de Nubische geitjes, de lama's en het kuifhoen, maar houd ook de kalkoenen in de gaten die op je rugzak afsnellen: ze zijn net zo gek op je eten als jij.

Bovenburen 96 Winschoten
http://kinderboerderijwinschoten.blogspot.com

033 VOLLEMAANWANDELING *Nationaal Park Lauwersmeer*

Water en een weids landschap, velden met orchideeën en enorm veel vogels. Nationaal Park Lauwersmeer is een van de mooiste natuurgebieden van Noord-Nederland. Het activiteitencentrum organiseert het hele jaar door kinderactiviteiten. Wandel door het bos naar een observatietoren, loop het Kabouterpad of maak een Vollemaanwandeling: een unieke kans om de nachtelijke bewoners in actie te zien.

De Rug 1 Lauwersoog
www.np-lauwersmeer.nl

034 BOSSABALL *Sportcentrum Kardinge*

Ronddobberen in het subtropisch zwemparadijs, achter een stuiterend squashballetje aanjagen of een aanval doen op het baanrecord van schaatser Jan Smeekens. In Kardinge, het grootste multifunctionele sportcentrum van Noord-Nederland, zet je je spieren gegarandeerd aan het werk. In de zomermaanden kun je je uitleven op bossaball. Deze sport – een kruising tussen voetbal, volleybal en trampolinespringen – wordt gespeeld op een enorm opblaasbaar speelveld. Ook spectaculair om naar te kijken...

Kardingerplein 1 Groningen
050 – 367 67 67 | www.kardinge.nl

035 ZWEEDSE DEERNE *Sara's pannenkoekenhuis*

Kijken je ouders snel de andere kant op als jij het woord 'pannenkoekenhuis' laat vallen? Dan zijn ze nog niet in Sara's Pannenkoekenhuis geweest. Het sfeervolle restaurant, naast de mosterdmakerij van buurman Abraham, bevindt zich in een prachtig, 150 jaar oud pand. Houd je van zoet en veel? Dan is de Zweedse deerne (een pannenkoek met appel, rozijnen, kaneel, vanille-ijs en slagroom) een verleiding die je niet kunt weerstaan.

Molenstraat 1 Eenrum | 0595 – 49 14 54
www.saraspannenkoekenhuis.nl

036 NOORDPUNT VAN NEDERLAND *Poort Kaap Noord*

Zo koud en donker als de echte Noordkaap is het gelukkig niet, maar ook Groningen heeft een noordkaap. Met een mooi herkenningspunt: Poort Kaap Noord. Deze tweeenhalve meter hoge poort geeft aan dat je het allernoordelijkste stukje van Nederland hebt bereikt (zelfs de Waddeneilanden liggen zuidelijker). Vanaf de dijk heb je een fraai uitzicht over het wad en het Duitse eiland Borkum.

Emmapolderdijk (aan het einde van de Eemspolderweg, Uithuizermeeden)

037 LOPEN OVER HET WAD
Wadloopcentrum

Nergens kun je zo mooi de verschillen tussen eb en vloed zien als op het wad. Het ene moment kun je nog over de zeebodem naar de overkant lopen, een halfuur later heeft een eindeloze zee het zand overspoeld en ben je blij dat je toch maar niet aan je wandeling bent begonnen. Stichting Wadloopcentrum Pieterburen wijst je de weg over de mooiste én veiligste routes.

Haven 20 Lauwersoog
0595 – 52 83 00
www.wadlopen.com

038 HOUTEN SCHOOLTAS *Openluchtmuseum Het Hoogeland*

Een tukje doen in de bedstee, naar school gaan met een houten schooltas en steltlopen op het antieke dorpsplein. Een bezoek aan Openluchtmuseum Het Hoogeland brengt je terug naar het jaar 1900. De twintig gebouwen van het museum laten zien hoe mensen een eeuw geleden werkten, woonden en leefden. Je neemt een kijkje in Bie Koboa (een dorpskroeg van rond 1850), gluurt binnen in de woning van de koster en bezoekt de woonwagen van een rondtrekkende handelaar. Voor kinderen tussen zes en twaalf jaar is er een speurtocht over het museumterrein.

Schoolstraat 4 Warffum
0595 – 42 22 33 | www.hethoogeland.com

039 KLIMBANAAN *Klimcentrum Bjoeks*

De Apenrots (de bijnaam voor het hoofd-kantoor van de Gasunie) kenden ze al, maar sinds 1996 heeft Groningen ook een klimbanaan. De tegenhanger van de Martinitoren staat even buiten 'Stad' en hoort bij Klimcentrum Bjoeks. Op de knalgele buitenklimwand kun je acht verschillende routes klimmen. Voor ervaren klimmers en geveltoeristen.

Bieskemaar 3 Groningen | 050 – 549 12 30
www.bjoeks.nl

040 SPOT EN FLITS *'t Swieneparredies*

'Het varken moet weer onder de mensen,' zegt Violette Sanders. Ze vindt het vrese-lijk dat miljoenen varkens in Nederland een verborgen bestaan leiden. Daarom heeft ze haar boerderij verbouwd tot een bezoekerscentrum waar je alles over var-kens te weten komt. Je leert hoe het er op een varkenshouderij aan toe gaat, maakt kennis met het roze vleesvarken en het bekende Vietnamese hangbuikzwijn. En natuurlijk ontmoet je Spot, een bijzonder dwergvarken uit Nieuw-Zeeland, en Flits, een wild zwijn dat graag weggegooide steentjes terugbrengt.

Pastorieweg 8 Nieuw Scheemda
0598 – 44 62 62 | www.swieneparredies.nl

041 BUKKEN! *Ga je Gang in Groningen*

In Groningen waren ze vroeger gek op gangetjes. Ooit moeten er zo'n 100 door de stad hebben gelopen. Daarvan zijn er nu nog 55 over. De wandeling Ga je Gang in Groningen leidt je door de spannend-ste tunnels, steegjes en passages van het Groninger centrum. Typisch geval van sluip door, kruip door.

http://toerisme.groningen.nl, kijk op 'web-shop'

042 BOEKENNOSTALGIE *Kinderboekenmuseum*

Molens en chique villa's, een prachtig oud dorpscafé en een enorme hoeveelheid kanowater: het Groningse dorp Winsum heeft over attracties niets te klagen. Ook niet als het slecht weer is. Dan duik je gewoon in de schatkamer van de Stichting Kinderboek Cultuurbezit, een plek waar je meer dan 30.000 oude kinderboeken kunt lezen én lenen. Dikke kans dat je (groot) ouders hier een paar oude kinderboeken terugvinden...

Hoofdstraat W-4 Winsum | 0595 - 44 36 63
www.kinderboekcultuurbezit.nl

043 DUITS WAD *Dagje Borkum*

Even voorbij de Eemshaven begint een gebied dat veel Nederlanders nauwelijks kennen: de Duitse wadden. Van eind maart tot begin november kun je er dagelijks op en neer varen naar het dichtstbijzijnde Waddeneiland, Borkum. Daar kun je een blik werpen op de oude vissershuisjes bij de oude vuurtoren of met een stoomtrein door het polder- en duinlandschap tuffen. Loop je 's zomers over de zes kilometer lange slenterboulevard, dan zie je misschien het Kuurorkest spelen.

Borkumkade 1 Eemshaven | 0596 – 51 60 84
www.borkumlijn.nl

044 GEBOUWENGEKTE *Architectuur in Groningen*

Groningers zeggen graag dat ze zo 'nuchter' zijn. Maar als je een tijdje door de stad fietst of loopt, krijg je een heel andere indruk. De Martinistad staat vol met gekke, bijzondere en opvallende bouwwerken. Zoals een kantoor in de vorm van een apenrots, een museum dat eruitziet alsof de architecten nog vóór de bouw ruzie hebben gekregen en een openbaar toilet in de vorm van een kunstwerk. De architectuurwandeling Groningen voert je langs de vreemdste gebouwen.
http://toerisme.groningen.nl, kijk bij 'webshop'

045 SANTELLI *Jeugdcircus*

Circus moet meer zijn dan een aaneenschakeling van kunstjes. Dat is het uitgangspunt van Santelli, een van de oudste jeugdcircussen in Nederland. Dé plaats om aan je jongleerkunst of eenwielertechniek te werken.

Of met je vader of moeder aan een act te bouwen tijdens de Ouder Kind Acrobatiek. **Professor Enno Dirk Wiersmastraat 3a Groningen | 050 – 313 95 75 www.jeugdcircus.nl**

046 VERDWENEN EILAND *Steppen langs het wad*

Bij het wad denk je algauw aan varen of wadlopen, maar bij Recreatieboerderij De Waddenhoeve kun je het gebied ook per step verkennen. Je stept door een uitgestorven stukje Noordpolder naar de Wad-

dendijk. Hier heb je een mooi uitzicht over het Groninger wad en het bijna verdwenen eiland Rottumeroog. **Middendijk 2 Noordpolderzijl 06 – 29 37 77 63 | www.waddenhoeve.com**

047 KINGSIZE BEDSTEE *Kleinste hotel ter wereld*

De bedstee is XL en ook voor je koffers is meer dan genoeg plek. Toch is Grand Hotel de Kromme Raake het kleinste hotel ter wereld. Wachten op andere hotelgasten is er niet bij. Bij de voordeur hangt slechts één sleutel: die van kamer 1. Gelukkig is de ka-

mer van alle gemakken voorzien. En mocht je je pyjama vergeten zijn: er hangen twee lange nachthemden met slaapmutsen klaar. **Molenstraat 5 Eenrum | 0595 – 49 16 00 www.hoteldekrommeraake.nl**

048   BBQ DONUT *Borgerswoldhoeve*

Wakeboarden bij waterskicentrum Blue Bay Veendam, een ijsje eten op het terras van het theehuis of dieren knuffelen op de kinderboerderij. Recreatiegebied Borgerswold is de perfecte plaats voor een actief dagje uit. Of voor een vaartocht in een van de twee barbecueboten. In deze BBQ-donuts zit je met z'n negenen om een gasbarbecue. Terwijl je over het water dobbert, sissen de vleesspiesen op het rooster. En als het barbecueën te lang duurt, neem je gewoon even een frisse duik...

Flora 2 Veendam | 0598 – 62 51 90
www.borgerswoldhoeve.nl

049   DEMONSTRATIE GLASBLAZEN *Old Ambt Glasblazerij & Glasgalerie*

Wil je weten hoe glas wordt geblazen? Dan moet je een keer naar een demonstratie in Old Ambt Glasstudio gaan. Je ziet hoe de glasblazer gloeiend heet glas uit de smeltoven haalt. Met zijn blaaspijp tovert hij nieuwe vormen en kleuren tevoorschijn: van vaas tot kunstvoorwerp en van reuzendruppel tot drinkglas.

Hamdijk 21 Nieuweschans
0597 – 65 52 13
www.oldambtglas.nl

050   VAREND MUSEUM *Kunst onder de bruggen*

De onderkant van een brug is niet de meest logische plaats voor een kunstwerk. Maar onder een aantal Groninger bruggen in het Verbindingskanaal zijn kunstwerken verstopt die je alleen ziet als je er met een boot onderdoor vaart. Zoals een oud havengezicht in Groningen. Of een reeks Delfts blauwe tegeltje met kinderspelen, die er heel oud-Hollands uitzien, maar door de kunstenaar zijn verzonnen. Bij kanoverhuur 't Peddeltje kun je een kano, waterfiets of fluisterboot huren.

Onder de Herebrug | 050 – 313 06 61
www.tpeddeltje.nl

10 X INDOORATTRACTIES EN SPEELTUINEN

Het regent en je wil naar de speeltuin. Geen probleem. In Nederland schieten de indoorspeeltuinen als paddenstoelen uit de grond, dus je hoeft nooit ver te rijden om overdekt te kunnen spelen. Begraaf jezelf in een zee van ballen, beklim loodrechte touwladders en suis door een tunnel weer omlaag.

051 PRETFABRIEK WOERDEN

Glijbanen, klimdoolhoven en een glowgolfbaan zorgen ervoor dat je in deze fabriek pret hebt voor tien.
Oostzee 8 Woerden | 0348 – 20 00 20 | www.pretfabriekwoerden.nl

052 KIDS ZOO

Klauteren, klimmen en spelend leren in een binnenspeeltuin die ook aan de ouders heeft gedacht.
Pletterij 3 Noordwijkerhout | 0252 – 37 26 26 | www.kidszoo.nl

053 DIPPIEDOE CUIJK

Ga op avontuur in de spookgangen, scheur rond in het autokonvooi en beleef een vrije val in de dropzone.
Korte Beijerd 2 Cuijk | 0485 – 31 86 78 | www.dippiedoe-cuijk.nl

054 SPEELCIRCUS BAMBINI VLISSINGEN

Deze indoorspeeltuin staat helemaal in het teken van het circus. Van snoezelhoek tot freefallglijbaan.
Baskensburgplein 2 Vlissingen | 0118 – 41 54 00 | www.speelcircusbambini.nl

055 BENGELTJES SPEELDORP

De grootste indoorspeeltuin van Nederland. In de honderd jaar oude hallen van de vroegere machinefabriek Dikkers.

Esrein 21 Hengelo | 074 – 250 89 13 | www.bengeltjes.nl

056 HAASJE OVER KIDS-INDOOR

Deze grote binnenspeeltuin in boerderijstijl is onderdeel van 't Haasje recreatiepark.

Vijf Eikenweg 45 Dorst | 0161 – 41 16 26 | www.haasjeover.com

057 KIDS CASTLE

Grote speelhal met veel uitdagende attracties en een speeltoestel waar ook ouders zich weer even kind kunnen voelen.

Veldweg 22 Hedel | 073 – 599 57 50 | www.kids-castle.nl

058 CHIMPIE CHAMP AALSMEER

Avontuurlijke speeljungle voor kinderen van een tot twaalf jaar.

Oosteinderweg 247c Aalsmeer | 0297 – 36 12 23 | www.chimpiechamp.nl

059 SUPERFUN

Indoorspeelparadijs, waar je ook kan klimmen, bowlen, spacegolfen en lasergamen.

Middelhoefseweg 10 Amersfoort | 033 – 495 18 31 | www.superfun.nl

060 BALLORIG EMMEN

Spring op de megatrampoline, klauter op de reusachtige klimrekken of bedwing de klimmuur.

Oosterbracht 11 Emmen | 0591 – 56 44 26 | www.ballorig.nl/emmen

061 STOOMTREINSENSATIE *S.T.A.R.*

Puffende locomotieven, rammelende rijtuigen en enorme stoomwolken. Een rit met de Spoorwegmaatschappij Stadskanaal-Ter Apel-Rijksgrens (S.T.A.R.) neemt je mee naar de tijd dat de stoomtrein het toppunt van modern was. Je boemelt over de langste museumlijn van Nederland. Na afloop kun je in het museum de meest uiteenlopende trein- en spoorattributen bekijken, van conducteurspet tot kniptang en van seinlamp tot machinistenstoel.

Stationsstraat 3 Stadskanaal
0599 – 65 18 90 | www.stadskanaalrail.nl

062 WATERDOOP *Een tewaterlating bekijken*

Als je van spektakel houdt, moet je de website van de vvv Hoogezand-Sappemeer goed in de gaten houden. Daar kun je lezen wanneer er weer een groot schip te water wordt gelaten – een waterballet dat je in elk geval één keer moet hebben meegemaakt. Nadat een bekende Nederlander de boot met een fles champagne heeft gedoopt, wordt het schip op zijn zijkant naar beneden geschoven, om als een zwangere walvis in het water te storten. Neem een fototoestel mee, maar blijf weg van de kaderand. Er is al eens een Mercedes door de golven meegesleurd...

www.vvvhoogezand-sappemeer.nl

063 VERTEDEREND *Zeehondencrèche Pieterburen*

Zeehondencrèche Lenie 't Hart is hét opvangadres voor zeehonden die niet meer op eigen kracht 'naar huis' kunnen zwemmen. Nederlands bekendste zeehondenziekenhuis vangt er elk jaar zo'n tweehonderd op. In de crèche kun je zien hoe de dieren worden verzorgd en een kijkje nemen in de keuken, de apotheek en de binnen- en buitenbaden. Knuffelen mag niet, foto's maken wel.

Hoofdstraat 94a Pieterburen
0595 – 52 65 26
www.zeehondencreche.nl

064 BULDERENDE KANONNEN *Zoutkamp*

Het is moeilijk voor te stellen als je langs de prachtige houten vissershuisjes loopt, maar de inwoners van Groningen waren vroeger bang voor hun 'buurman', het dorpje Zoutkamp. Net als de Spanjaarden. Hun bezettingsmacht werd in 1589 in de pan gehakt door een Hollands leger onder leiding van Willem Lodewijk. Die veldslag wordt geregeld (maar helaas niet elk jaar!) nagespeeld, met alles erop en eraan: soldaten in zestiende-eeuws kostuum, bulderende kanonnen, rennende soldaten en barse generaals...
www.slagomzoutkamp.nl

065 PUUR NATUUR *Lutjewadtocht*

De Lutjewadtocht leidt je naar een van de stilste stukjes van het wad. Je begint met een vaartocht vanuit Lauwersoog naar de zeehonden. Daarna wandel je over een afgelegen zandplaat, waar bijna geen schepen komen. Een spannende ontdekkingstocht door ongerepte natuur.
Haven 20 Lauwersoog | 0595 – 52 83 00
www.wadlopen.com

066 HUTSPOT ZOEKEN *Jumping Henk's Westernpark*

Heb je alle klimtoestellen uit de speeltuin zo langzamerhand wel gezien? Ben je uitgekeken op de klimbomen in de buurt? Bij Jumping Henk's Westernpark kun je je grenzen verleggen. Bouw een vlot en leef je uit tijdens een middagje klimmen en abseilen. Of spoor de ingrediënten op van een stamppot die op mysterieuze wijze uit de keuken is verdwenen...
Jonkersvaart 10 Jonkersvaart
0594 – 64 39 59 / 06 – 54 29 14 18
www.westernpark.nl

FRIESLAND

067 KRAANVOGELS SPOTTEN *Fochteloërveen*

Het Fochteloërveen, een van de laatste hoogveengebieden van Europa, is net zo groot als de stad Utrecht. En een en al groen. De enige uitzondering is een enorme uitkijktoren in de vorm van een zeven. De vreemde knik in de toren zorgt ervoor dat je broedende kraanvogels in het veen kunt spotten zonder last te hebben van de zon. In Madurodam staat overigens een miniversie. **Bewegwijzerd vanaf de parkeerplaats in het verlengde van de Meester Lokstraat in Ravenswoud | www.natuurmonumenten.nl**

068 KLEURIG LEVENSWERK *Ruurd Wiersma Hûs*

Het begon met een ontplofte kachel. Die veroorzaakte zo'n enorme ravage dat zondagsschilder Ruurd Wiersma zijn hele huis opnieuw moest schilderen. En toen hij eenmaal bezig was, kon hij niet meer stoppen. Zo ontstond het Ruurd Wiersma Hûs: een bontgekleurd woonhuis waarin bijna alles beschilderd is, van de muren tot het plafond, van de kolenkit tot het bed en van zijn schoenen tot de klok. **Mounewei 6/7 Burdaard | 0519 – 33 23 34 www.ruurdwiersma.nl**

069 OUDERWETS SNOEPEN *'t Dropwinkeltsje*

Vergeet alle Marsen, M&M's, winegums en lolly's. In het Dropwinkeltsje vind je snoep uit de tijd dat je grootouders nog geeneens konden fietsen. Van zelfgemaakt salmiakpoeder en ulevellen tot dropsoorten zoals Amsterdamse paaltjes en Thaise torpedo's. Het interieur ziet eruit alsof er sinds 1930 geen meubelstuk meer is verschoven en de toonbank is ouderwets hoog – sommige kinderen kunnen er maar net overheen kijken. **Scharnestraat 1 Sneek | 06 – 55 72 14 74 www.dropwinkeltsje.nl**

070 SCHATZOEKEN PER KANO! *It Honk*

Schatzoeken doe je meestal niet per kano! Maar bij It Honk combineer je een prachtige kanotocht met de zoektocht naar een schat. Je peddelt over een van de mooiste delen van de Elfstedentochtroute, en vervult opdrachten die je steeds dichter bij de vindplaats brengen. Een gps-ontvanger wijst je de weg door de weilanden en over het water. **Ida van Tiarastrjitte 2 Kimswerd 0517 – 64 11 77 | www.ithonk.nl**

071 SCHAATSEN EN SCHAVEN *Doe- en Kijk-centrum Nooitgedagt*

In het eerste echte fabrieksgebouw van Jan Jarigs Nooitgedagt vind je Doe- en Kijk-centrum Nooitgedagt. Het centrum laat zien hoe Jans een-mansbedrijfje uitgroeide tot een beroemde schaats- en speelgoedfa-briek. Je reist terug naar de tijd dat half Nederland op houten schaatsen over het ijs gleed en bewondert gereedschappen en houten vracht-autootjes. Vergeet niet om een blik te werpen op de fraaie emaillen reclameborden.
Eegracht 11 IJlst | 0515 – 53 21 67
www.nooitgedagt-ijlst.nl

072 MYSTERY-MUMMIES *De mummies van Wieuwerd*

Bij mummies denk je algauw aan Egypte, maar ook in het Friese Wieuwerd kwamen er in 1765 elf boven water. Geleerden vragen zich al meer dan een eeuw af waarom de mummies zo goed bewaard zijn gebleven.

Zijn het aardstralen? Een mysterieuze tocht-stroom? Alleen de mummies weten het. Maar die liggen onbewogen in de grafkelder van de Nederlands-hervormde kerk.
Terp 31 Wieuwerd

073 OP ZOEK NAAR DE SLOTHEER *Het geheim van Elfbergen*

Tijdens een nachtwandeling vinden twee kinderen vreemde voorwerpen in het bos. Als ze de volgende dag op onderzoek uit-gaan, worden ze betrapt door de boswach-ter. En dan horen ze een vreemd verhaal over een slot dat hier ooit stond. Nieuws-gierig geworden? De avonturenroute Het

geheim van Elfbergen zuigt je mee in het verhaal over geheimzinnige 'ierdmantsjes' en een slotheer die door zijn eigen hebbe-righeid aan zijn einde kwam. Met een schat-kaart ga je op zoek naar de geheime code...
De Brink 4 Oudemirdum | 0514 – 57 17 77
www.marenklif.nl

074 GEURWAND *Drents-Friese Wold*

Het Drents-Friese Wold is een van de grootste natuurgebieden van ons land. En een gebied waar voor kinderen veel te doen is. Zoals het seizoenspad lopen, natte voeten halen op de hangbrug of bijen bekijken in de nectarkroeg. Snuif de geuren op bij de geurwand in het bezoekerscentrum, bouw de stoerste hut van het bos of 'doe' het kabouterpad, een tocht met puntmuts en knapzak voor kinderen van drie tot zes jaar. **Terwisscha 6a Appelscha | 0516 – 46 40 20 www.np-drentsfriesewold.nl**

075 MEET & GREET *Aqua Zoo Friesland*

Rode brulapen spotten op het apeneiland, waggelen tussen de Humboldt-pinguïns of ontdekken hoe groot je bent pal naast een reuzenkangoeroe: in Aqua Zoo Friesland zie je de dieren van heel dichtbij. Maak een spannende Zoo Quest langs de bewoners van het park, laat je schminken als je lievelingsdier of beleef een Meet & Greet in een van de doorloopgebieden, waar je zelf in het leefgebied van de dieren te gast bent. **De Groene Ster 2 Leeuwarden 0511 – 43 12 14 | www.frieslandzoo.nl**

076 HINDERLAGEN *Outdoor Lasergame*

Klinken de Death Match ('wedstrijd van de dood') en Destroy the Captain ('vernietig de kapitein') je misschien wat gewelddadig in de oren? Dat kan kloppen, want bij Gotcha Outdoor Lasergame (onder andere in Appelscha) moet je je tegenstander zo snel mogelijk uitschakelen. Dat klinkt erger dan het is, want het spel is al geschikt voor kinderen vanaf acht jaar. Je sluipt in teams door de bossen, probeert zo veel mogelijk tegenstanders in een hinderlaag te lokken, om hen daarna op een voltreffer te trakteren. Een typisch geval van *gotcha*, dus. **0900 – 12 34 682 / 06 – 22 71 22 55 www.gotcha.nu**

077 SUPERTOKKEL OF POWERFAN? *KlimAvontuur Appelscha*

Met handen en voeten een hoogteparcours afleggen, je hoofd breken over een onmogelijke overbruggingsopdracht en afsluiten met een razendsnelle afdaling van tachtig meter: bij KlimAvontuur Appelscha gaat je klimmersbloed vanzelf sneller stromen. Test je klimvermogen op een van de klimroutes, daal af van een van de abseilpunten en leef je uit op de powerfan. Ook voor bezoekers met hoogtevrees.
De Roggeberg 1 Appelscha | 0516 – 43 11 05 / 0516 – 43 33 09 | www.klimavontuur.nl

078 VERJAARDAGSBOOM *De Heksenhoeve*

Margarita, de heks van Appelscha, is gek op kinderen (en niet om soep van te koken). In haar tuin leer je alles over heksenzaken zoals wichelroede lopen, de zintuigencirkel en de magische kinderblokhut. Zoek je verjaardagsboom in de doolhof, ontdek hoe kruiden- middeltjes worden gemaakt of ga op avontuur met een speurtocht-opdrachtenlijst. Als er dertien of meer bezoekers zijn, kun je meedoen aan het grote wensenritueel.
Drentseweg 46 Appelscha | 0516 – 43 33 65 www.heksehoeve.nl

079 HOLWONINGEN *De Spitkeet*

Is je zakgeld alweer op of kun je nooit kopen wat je wil? Dan moet je voor de grap een keer gaan kijken in het themapark De Spitkeet. Daar zie je hoe arm de arbeiders waren die ruim honderd jaar geleden op de heide in Friesland en Groningen werkten. Je kijkt binnen in plaggenhutten die in één dag werden gebouwd en ziet de holwoningen die turfstekers in een dijkje uitgroeven. En natuurlijk maak je kennis met de broodwinning uit die tijd: het steken van turf.
De Dunen 3 Harkema | 0512 – 84 04 31 www.despitkeet.nl

080 HUTTEN BOUWEN *Spijkerdorp*

Spijkerdorp is een speeltuin en een bouwplaats ineen. In de speeltuin kun je je onder meer uitleven op steltlopen, loopski's, een kabelbaan en een grote glijbaan. Maar het avontuur begint pas echt als je een 'bouwvergunning' hebt gekregen voor een hut. Gewapend met spijkers, hamer en zaag begin je aan je bouwwerk. Nu maar eens kijken of je handen de hut kunnen maken die je in gedachten hebt...
Tjaarda 444 Drachten | 00512 – 52 24 88 www.spijkerdorp.nl

081   ZWERVEND MUSEUM *Aldfears Erf Route*

Aldfears Erf Route is een zwervend museum waarbij je onderweg van alles tegenkomt: drie bijzondere dorpen, maar ook een stropershut, een grutterswinkel en een drankorgel. Doe een deftige ontdekking op Landgoed Allingastate, bouw een vlot op de speelboerderij of neem een kijkje in de Woord & Beeldkerk. Een museumroute zónder stof.

Meerweg 4 Allingawier | 0515 – 23 16 31
www.aldfaerserf.nl

082   NAT BEZOEK *Rondvaart naar de zeehondenbank*

De gewone en grijze zeehond voelen zich prima thuis in de Waddenzee. Tussen de eilanden leven er ruim vierduizend. Tijdens een rondvaart naar de zeehondenbank zie je de dieren in hun natuurlijke omgeving. In tweeënhalf uur vaar je heen en weer naar een van hun belangrijkste leefgebieden. Onderweg kom je van alles te weten over de Waddenzee, het eiland Griend en natuurlijk de zeehonden.

Harlingerstraatweg 24 Midlum
0517 – 41 68 56
www.partyvaart-harlingen.nl

083   VERKOELING *Zomerschaatsen*

Zomer. De barbecuegeur kringelt door het land en de terrassen zitten vol. Maar in schaatstempel Thialf kun je gewoon van half juni tot half juli over het ijs zwieren. Voor alle schaatsfanatiekelingen die geen halfjaar kunnen wachten én voor iedereen die 's zomers dringend behoefte heeft aan verkoeling.

Pim Mulierlaan 1 Heerenveen
0900 – 202 00 26 | www.thialf.nl

084   **RECYCLEGOLF** *Aktiviteitenboerderij Fjouwerhusterpleats*

De koeien staan rustig te grazen bij Aktiviteitenboerderij Fjouwerhusterpleats. Maar voor de bezoekers wordt het een drukke dag. Durf je op zoek te gaan naar de uitgang van de maïsdoolhof? Of kies je voor een potje recyclegolf op een midgetgolfbaan die is gemaakt van afgedankte spullen? Misschien wil je wel mee met een rondleiding langs de stallen, om te zien hoe de boer rekening houdt met het comfort van de koeien. De koeien liggen op speciale matrassen die zijn gemaakt van gerecyclede schoenen. Ligt toch wat lekkerder dan zo'n hobbelig grasveld...

Vierhuisterweg 29 Rohel | 06 – 30 33 93 66
www.aktiviteitenboerderij.nl

085   **SPEELTUINPRETPARK** *Sybrandy's Speelpark*

Het is moeilijk voor te stellen, maar Sybrandy's Ontspanningspark werd vijftig jaar geleden opgezet als vogelpark en fazanterie. Inmiddels is Sybrandy's uitgegroeid tot hét speeltuinpretpark van Friesland. Attracties als de Sky-Ride (een monorail met auto's die op vijf meter hoogte voorbij zweven), spookhuis Villa Kalkenstein en de Nautic-Jet (een schans waar kleine boten van worden afgeschoten) zorgen voor dagvullend vermaak, met hier en daar een portie kippenvel.

Jan Schotanuswei 71 Oudemirdum
0514 – 57 12 24 | www.sybrandys.nl

086   **NET ALS ASTERIX** *Tukje in een wijnvat*

Slapen in een wijnvat: het klinkt als een scène uit *Asterix en de Helvetiërs*, maar het kan echt (en het is nog leuk ook). Bij hotel-restaurant-serre De Vrouwe van Stavoren kun je overnachten in vier originele Zwitserse wijnvaten van vijftienduizend liter. Dat klinkt erger dan het is: de fusten zijn omgebouwd tot mooie hotelkamers met een zitje met tv. En de wijngeur is gelukkig uit het hout getrokken.

Havenweg 1 Stavoren | 0514 – 68 12 02
www.hotel-vrouwevanstavoren.nl

087 KAMELEON TERHERNE *Op bezoek bij de familie Klinkhamer*

Ben je een fan van de Kameleonboeken? Dan moet je naar het Friese Terherne. In het dorp is de complete wereld van Sietse en Hielke Klinkhamer tot leven gewekt. Bij de Kameleonboerderij vind je zelfs het gemeentehuis en het politiebureau van het dorp Lenten. Spring met een polsstok naar de overkant op het avontureneiland, maak een rondomvaart op een van de boerenpramen of help veldwachter Zwart bij het oplossen van zijn problemen. De oplossing kun je in het eigen postkantoor op de post doen...

Koaïlân 2 Terherne | 0566 – 68 99 10
www.kameleonterherne.nl

088 JARENVIJFTIGSHOWROOM *Opel Oldtimer AutoMuseum*

Zij aan zij staan ze te glimmen. Opels die oud genoeg zijn om als oldtimer door het leven te gaan, maar ook 'bakken' waarin je (groot)ouders de weg nog onveilig maakten. Eigenaar Meindert van Wijk (die deze uit de hand gelopen hobby begon) heeft ze allemaal prachtig opgepoetst en er informatieborden bij geplaatst. Het lijkt net of je door een showroom uit de jaren vijftig loopt.

Bregeleane 1 Tijnje
0513 – 57 14 01 / 57 11 19
www.opelmuseum.nl

089 VLIEGTUIG IN ZICHT! *De Luchtwachttoren*

De Luchtwachttoren is een vreemd overblijfsel uit de tijd dat er nog geen radar bestond en er maar één manier was om laagvliegende vliegtuigen aan te zien komen: uitkijken vanaf een hoog punt. Best lelijk om te zien, maar spectaculair om te bezichtigen én te beklimmen.

Huningspaed, ten zuidwesten van
Oudemirdum | 0514 – 57 15 03
www.luchtwachttoren.nl

090 BEVROREN TEEN *Schaatsmuseum*

Thialf, de Elfstedentocht, Rintje Ritsma en Sven Kramer. Wie schaatsen zegt, zegt Friesland. In het eerste Friese schaatsmuseum kun je zien hoe schaatsen uitgroeide tot dé wintersport van Nederland. In het museum vind je niet alleen de grootste schaatscollectie ter wereld, maar ook Elfstedenkruisjes, portretten van winnaars van de Tocht der Tochten én een afgevroren teen.

Kleine Weide 1-3 Hindeloopen
0514 – 521 683 | www.schaatsmuseum.nl

091 EISES BEDSTEE *Eise Eisinga Planetarium*

De Friese sterrenkundige Eise Eisinga was ongelofelijk slim. Op zijn vijftiende had hij zijn eerste dikke wiskundeboek al geschreven. Maar zijn grote meesterwerk maakte hij toen hij dertig was. Eisinga zette een model in elkaar dat precies laat zien hoe de planeten in het zonnestelsel bewegen. Zijn model maakte meteen duidelijk dat een populaire theorie uit die tijd (veel wetenschappers dachten dat er in 1774 verschillende planeten op elkaar zouden botsen en de wereld zou vergaan) flauwekul was. Te bewonderen in het Eise Eisinga Planetarium, net als de bedstee van de astronoom.

Eise Eisingastraat 3 Franeker | 0517 – 39 30 70
www.planetarium-friesland.nl

092 OFF THE ROAD *De SeedyksterToer*

Het Friese Wad is een van de mooiste natuurgebieden van Nederland. En de leukste manier om het gebied te verkennen is de SeedyksterToer. Een overdekte toerwagen, die door een tractor wordt voortgetrokken, brengt je naar plaatsen waar je anders niet kan komen. Je tuft over smalle dijkjes, ploegt door de modder en beklimt een bunker uit de Tweede Wereldoorlog. Vanaf de uitkijktoren in een voormalige groenvoersilo heb je een indrukwekkend uitzicht over het Friese Wad.

Zeedijk 8 Marrum | 0518 – 41 14 34 /
06 – 22 51 01 17 | www.seedykstertoer.nl

093 OP ZOEK NAAR ET *De Veenquest*

Natuurgebied De Alde Feanen zit met een probleempje. Er is een buitenaards wezen neergestort en de plaatselijke krant *De Veenbode* zoekt een vrijwilliger die het wezen wil opsporen. Lijkt dat je wat? Dan kun je deelnemen aan de Veenquest, een spannende ontdekkingsreis door De Alde Feanen. Je krijgt een Personal Digital Assistent (een soort handcomputertje dat je onderweg opdrachten geeft), en gaat op zoek naar planten en dieren in het gebied. Nu dat buitenaardse wezen nog...

Koaidyk 8a Earnewâld | 0511 – 53 96 18
www.np-aldefeanen.nl/documents/
wat_kan_ik_doen/educatieve-paden-jeugd.
xml?lang=nl

094   KWAKENDE KIKKERS *De Kikkersprong*

Ben je gek op kikkers? Dan mag je de Kikkersprong niet missen. In de tuin vind je niet alleen tientallen kikkerbeelden, maar ook levende exemplaren: in het kroos, half verscholen onder waterlelies of tussen de struiken van de Strûn tûn. Neem een kijkje in het Kikkerhokje, leer hoe je een kikker moet vouwen en ga strûnnen over de spannende paden. Wie weet springt er wel een kikker op je schouder...

Schwartzenbergloane 3 Broeksterwald
www.dekikkersprong.nl | 0511 – 42 52 40

095   IT GEAT ON *Elfsteden-klompgolf*

Ligt er geen ijs, heb je geen schaatstalent of vind je de Elfstedentocht net iets te lang? Dan kun je de Elfstedentocht ook golfen. In de achtertuin van café-, recreatie- en zalencentrum It Honk vind je een klompgolfbaan met elf holes met afbeeldingen van bekende plekjes uit de Elfstedentocht. Zoals de Waterpoort in Sneek en de finish van de tocht der tochten: de Bonkefeart.

Dorpsstraat 48 Exnorra | 0515 – 57 32 40
www.ithonk.nl

096   VLIEGEND TAPIJT *Adfunturepark*

Een bezoek aan Adfunturepark is meer dan een middagje klimmen. In dit spectaculaire klimpark maak je een reis door verloren beschavingen uit het Verre Oosten, Mexico en het Caraïbisch gebied. Waag je over het Arabesque Trail, een familieparcours met een vliegend tapijt en twee tokkelbanen. Of bedwing de snowboardbrug en de spectaculaire netswing van de Himalaya Trail. Nog energie en moed over? Dan wacht je nog een heftige uitdaging: een sprong van de bungeejumpbrug...

Hogedijken 20 Dokkum | 0519 – 22 13 44
www.adfunturepark.nl

097 KOEBEHA *Het koeienmuseum*

Een beha voor een koe, een complete set badkamerspullen in koeienprint en een doosje melktanden. In het koeienmuseum vind je (bijna) alles over koeien: van zwart-wit gevlekte stropdassen tot Delfts blauwe suikerpotten in koevorm. In de wei en de ligboxenstal staan zelfs échte melkvee-koeien.

Hoitebuorren 6 Nijemirdum | 0514 – 57 13 90
www.koeienmuseum.nl

098 BOOMHUT MET BALKON *Het Kleine Paradijs*

Als je bij het woord 'boomhut' een schots en scheef gevaarte voor je ziet, moet je snel eens naar Het Kleine Paradijs in Easterein. Daar staan twee boomhutten zoals boomhutten bedoeld zijn: luchtkastelen die zelfs de handigste vader groen van jaloezie laten worden. Met een tweepersoonsbed, een elektrische kachel en een balkon op het zuiden. Ben je boomhut-moe of heb je last van hoogtevrees? Dan kun je ook kiezen voor een overnachting in een sfeervolle Pipowagen, een nomadentent of een schrijvershut.

Meilahuzen 9 Easterein | 0515 – 33 11 36
www.hetkleineparadijs.nl

099 LUCHTSPIEGELING *Landhuis Uniastate*

Raar verschijnsel, even ten zuiden van Leeuwarden. Het ene moment tuf je nog nietsvermoedend door de weilanden. Dan doemt, schijnbaar uit het niets, een huis op zonder muren en dak. Het lijkt een luchtspiegeling, maar het staat er echt: een stalen skelet in de vorm van een oud herenhuis. Het gebouw, dat regelrecht uit een sprookjesboek lijkt te zijn weggeflitst, is een remake van de Uniastate, een statig landhuis dat hier tot 1878 stond. De toren ziet er als een decorstuk uit, maar je kan echt over de wenteltrappen omhoog klimmen voor een geweldig uitzicht over terp, weiland en water.

Tsjerkepaad 3 Bears | 058 – 251 92 63
www.uniastatebears.nl

100 MARSKRAMERS EN KANONNEN *Luistertochten*

In het Friese Gaasterland kun je prachtig wandelen en fietsen. Maar met een luistertocht komt het gebied pas echt tot leven. Met behulp van een mp3-speler ontdek je het mysterieuze verhaal van de Grote Rodger en het Mirnser Klif. Je wimpelt een Duitse marskramer af in de herberg en reist terug naar 1580, als het vestingstadje Sloten door Spaanse kanonnen wordt belegerd. Al-gauw vliegen de kanonskogels om je oren...
Heerenwal 48 Sloten | 0514 – 53 15 41
www.museumsloten.nl

101 KAATSKONINGEN *Het Kaatsmuseum*

Kaatsen is dé sport van Friesland. Het duurt even voor je als niet-Fries de spelregels doorhebt, maar na een bezoek aan het kaatsmuseum kent het spel geen geheimen meer. Je ontdekt hoe een kaatswant eruitziet en maakt kennis met de bekendste 'koningen' (de winnaars van de grote kaats-wedstrijden). Na afloop kun je op het veldje naast het museum uitproberen of je aanleg hebt voor een robbertje *keatsen*.
Voorstraat 2 (boven het pand van de Friesland Bank) Franeker | 0517 – 39 39 10 / 058 – 257 25 90 | www.knkb.nl/pageid=198/ Kaatsmuseum.html

102 GEEN VOETBALPLAATJES *De Grutterswinkel*

De Grutterswinkel is een begrip in Leeuwarden. Een bezoek aan de oudste kruidenier van de stad (sinds 1900!) voert je terug naar de tijd dat winkeljuffrouwen in een smetteloos wit schort achter de toonbank stonden. De cacao wordt nog altijd op een weegschaaltje afgewogen, bij het afrekenen springt de kassa nog steeds luid rinkelend open en klanten krijgen hun Sunlight-huishoudzeep net als vroeger in papieren wikkels mee naar huis. En nee, ze hebben geen voetbalplaatjes.
Nieuwesteeg 5 Leeuwarden | 058 – 215 34 27
www.museum-de-grutterswinkel.nl

103 KLAARWAKKER *Attractiepark Duinen Zathe*

Het klinkt ouderwets, maar dat is het niet. In attractiepark Duinen Zathe geniet je van een compleet dagje uit zonder uren in de rij te staan of je ouders kwijt te raken. Bezoek het Vulkaaneiland of de Supernova, maak een ritje op de Watersteps of laat jezelf in de diepte storten met reuzenrups The Big Apple. Na een bezoek aan de gewelven van het spookhuis ben je gegarandeerd klaarwakker.

Noorder Es 1 Appelscha | 0516 – 43 03 95 / 0516 – 43 16 58 | www.duinenzathe.nl

104 TOVERBEELDEN *Museum Stedhûs Sleat*

De toverlantaarn is de voorloper van de film- en diaprojector, maar ook van de slideshow op je tablet of computer. Op de zolder van Museum Sloten vind je een aantal fraaie exemplaren van het apparaat, dat eeuwen geleden werd bedacht om doorzichtige plaatjes op een muur te projecteren. Je kan zelfs je eigen toverlantaarnplaatje maken.

Heerenwal 48 Sloten | 0514 – 53 15 41 www.museumsloten.nl

105 TAARTJES MAKEN *Zoet!*

Het leukste wat je met een taart kunt doen, is natuurlijk 'm opeten. Maar het op één na leukste is 'm zelf maken. Bij Zoet, de lekkerste winkel van Friesland, leef je je uit op het vullen, bekleden en versieren van taarten. Leer hoe je een prinsessen-, piraten- of dierentaartje maakt, of ontwerp samen met je vader of moeder je eigen verjaardagstaart. Als dat niet zoet wordt...

Schoolstraat 7-b Burgum | 0511 – 46 95 05 www.zoetmettaart.nl

106 WARMWATERPLEZIER *Bosbad Appelscha*

Het overdekte zwembad te lawaaiig en de bosvijver te koud? Dan ga je naar bosbad Appelscha, een verwarmd openluchtbad midden in het bos. Glijbanen, duikplanken en een waterspeeltuin zorgen voor eindeloos waterplezier.

Laco Schapendrift 49 Appelscha 0516 – 43 13 36 www.laco.eu/appelscha-bosbad-appelscha. html

107 PIRAMIDEAVONTUUR *Aeolus*

Een glazen piramide met een technogolf-
baan en een levensgroot MIG-straalvlieg-
tuig. Vijf vuurtorens van een Waddeneiland,
waaronder een Brandaris die is omgetoverd
tot klimwand. Bij ontdekkingscentrum Ae-
olus gaan avonturen en experimenten hand

in hand. Leef je uit op de Bungeetrampoline,
speel het altijd-raak-biljart en vergeet de dag-
en nachtglobe in de top van de piramide
niet.
Hearewei 24a Sexbierum | 0517 – 59 11 44
www.aeolusfriesland.nl

108 OOIEVAARS SPOTTEN *Ooievaarsdorp De Graverij*

De ooievaar is net zo oer-Hollands als de
koe of de Barneveldse kip. Toch had het weinig gescheeld of de vogel met zijn rode snavel was in ons land uitgestorven. Gelukkig
begint de ooievaar op steeds meer plaatsen
nesten te bouwen. Bij het Ooievaarsdorp De

Graverij kun je de vogels van dichtbij bekijken, foto's maken of materiaal verzamelen
voor je spreekbeurt. Misschien hoor je wel
een van de mannetjes klepperen...
Graverij 5 Akmarijp | 0566 – 68 92 59
www.ooievaarsdorp-akmarijp.nl

109 SAHARARIT *Ritje met de Vliehors Expres*

Zon, wind, water en uitgestrekte zandvlaktes. Tijdens een ritje met de Vliehors Expres
maak je uitgebreid kennis met een van de
grootste zandvlaktes van Noordwest-Euro-
pa, de Vliehors. Je rijdt in een omgebouwde
legertruck naar de 'Sahara van het Noorden'

en maakt een pitstop bij het Reddings-
huisje, ooit een vluchtplaats voor gestrande
schipbreukelingen.
Dorpsstraat 125 Vlieland | 06 – 21 82 08 42
www.vliehorsexpres.nl

110 GRUTTE PIER *Admiraal van de Zuiderzee*

Grutte Pier was de laatste persoon die je in het zestiende-eeuwse Friesland wilde tegenkomen. De Friese vrijheidsstrijder, die met zijn bende complete landhuizen sloopte, was gevreesd om zijn brute kracht. Volgens verhalen hielp hij een groep soldaten met één beweging van zijn ploegschaar om zeep. Tot overmaat van ramp had hij een bloedhekel aan niet-Friezen. Wie het zinnetje 'bûter, brea en griene tsiis, wa't dat net sizze kin is gjin oprjochte Fries' ('boter, brood en kaas, wie dat niet kan zeggen, is geen echte Fries') niet vlot uitsprak, was zijn leven niet zeker. In zijn geboorteplaats Kimswerd vind je een beeldje van de vroegere 'Admiraal van de Zuiderzee'.
Greate Pierwei Kimswerd

111 SCHEEPSABZEE *Fries Scheepvaartmuseum*

Een skûtsje trekken, een lesje in stuurmanskunst krijgen van een zeekapitein of alles ontdekken over het scheepsABZEE (oftewel Ankers, Bakboordlichten en ZEEmeerminnen). In het Kindermuseum, een speciale zaal binnen het Fries Scheepvaartmuseum, leer je alles over scheepvaart in Friesland. Luister naar de verhalen van schippers- en visserskinderen, speel een game op een van de touchscreens van de vuurtoren of hijs de fok op een echte zeilschouw. In de mastmakerij kun je zelf met hout aan de slag.

Kleinzand 16 Sneek | 0515 – 41 40 57
www.friesscheepvaartmuseum.nl

112 INDOOR FIERLJEPPEN *Partycentrum Westereen*

Of je het nu bongelwuppen (Groningen) of fierljeppen (Friesland) noemt, springen met een polsstok is heel simpel. Je neemt een aanloop, prikt je polsstok in het midden van de sloot en probeert jezelf naar de overkant te slingeren. Moeilijk? Dat kun je zelf ontdekken bij partycentrum De Westereen, de enige plek in Nederland met een indoor fierljephal. Neem droge kleding mee, want er gaat op weg naar de overkant wel eens wat mis. Vanaf negen jaar.
Lange Reed 18 De Westereen
0511 – 44 73 71 / 06 – 10 92 89 47
www.fierljepcentrum.nl

10 X MIDGETGOLF

Minigolf ziet er gemakkelijker uit dan het is. Maar na een paar keer oefenen heb je de slag meestal wel te pakken. Zorg dat er niemand in de baan van je schot staat en vraag je ouders of ze zich een beetje willen inhouden. Misschien sla je wel een hole-in-one.

113 DE BOLLE BUIK

Midgetgolfbaan bij een pannenkoekenrestaurant met speeltuin.
Dreef 8 Heerhugowaard | 072 – 571 00 06 of 072 – 571 63 44 | www.debollebuik.nl

114 DE MERELHOF

De oudste midgetgolfbaan van Nederland. Heb je de laatste 'hole in one', dan krijg je een vrij spel.
Kerkepad Bergen (NH) | 072 – 589 69 77 | www.midgetgolfbergen.nl

115 MIDGETGOLFBAAN PARKHAVEN

Aan de voet van de Euromast. Voor kinderen tot vier jaar zijn er speciale speelgoedsticks.
Parkhaven 22 Rotterdam | 010 – 476 56 16 | www.midgetgolfparkhaven.nl

116 HET WITTE SCHIP

Bijzondere midgetgolfbaan met uitzicht over de duinen en een groot, wit stenen schip.
Melsesweg 2 Zoutelande | 0118 – 43 60 89 of 06 – 45 22 26 80 | www.hetwitteschip.nl

117 DUINPARK PAASDAL

Een van de mooiste midgetgolfparcoursen van Nederland, bij het Paasduin.
Hogeweg 14 Wijk aan Zee | 06 – 14 37 88 73 | www.duinparkpaasdal.nl/speel.html

118 INDOOR MIDGETGOLF

Overdekte midgetgolfbaan met zitjes en een bar. In familiehotel en restaurant
't Klaverblad.
Vaart z.z. 95 Appelscha | 0516 – 43 13 59 | www.klaverblad.net

119 RESTAURANT & MIDGETGOLF TERRA NOVA

Bij slecht weer kun je ook terecht op de binnenbaan, in een grote open kas met
led-verlichting.
Nijkerkerstraat 12 Putten | 0341 – 36 15 67 | www.terranova-putten.nl

120 MIDGETGOLF DE STEENGROEVE

Met tapijt beklede wedstrijdbaan naast een pannenkoekenhuis en een speeltuin.
Industriestraat 24 Chaam | 0161 – 49 13 43 | http://website.steengroeve.nl

121 MIDGETGOLFBAAN KRISTALBAD

Een van de oudste midgetgolfgravelbanen van Nederland, tegenover de Apenheul.
J.C. Wilslaan 22 Apeldoorn | 055 – 355 74 97 | www.apeldoorn.speeltgolf.nl

122 MIDGETGOLF VIERLINDEN

Onderdeel van een 'eterij-spelerij' met een natuurlijke binnenspeeltuin en een
acht meter hoge boomhut.
Kattendijksedijk 19 Goes | 0113 – 21 18 65 | www.vierlindengoes.nl

123 OUD-HOLLANDS *Museumboerderij Ot en Sien*

Eigenlijk zijn de avonturen van Ot en Sien heel alledaags. Toch waren de boeken over de twee buurtkinderen honderd jaar geleden net zo populair als Harry Potter en Geronimo Stilton nu. In museumboerderij Ot en Sien reis je terug naar het platte-landsleven van 1913. Je ziet een winkeltje, een schooltje en een dokterspraktijk uit de tijd van Ot en Sien, en leeft je uit op oud-Hollandse spelletjes, zoals het knikkerka-non, het zigzagspel en het kazenspel.
Jan Binneslaan 84 Surhuisterveen
0512 – 34 09 95 | **http://museum-otensien.nl**

124 GIGAGIFTUIN *De Kruidhof*

Een vlindertuin, een gigagiftuin met levens-gevaarlijke planten of een muziektuin: in de Kruidhof, de grootste kruidentuin van Nederland, vind je meer plantensoorten dan je kan tellen. Voor kinderen is er de Mark en Ant Route, een beleefroute langs de spannendste plekjes in de tuin. Je kan ook kiezen voor een avonturentocht over het Trollenpad of het Ontdekpad. Of voor een middagje ravotten bij de klimtoren en de watertoestellen natuurlijk.
Schoolstraat 29B Buitenpost | **0511 – 541253**

125 WRAKHOUTHUT *Het Behouden Huys*

Terschellinger Willem Barentsz dacht slim te zijn. In plaats van om Afrika heen naar het oosten te varen probeerde hij een vaarroute langs Rusland. Helaas werd hij door de kou verrast. Zijn schip vroor vast tussen de ijs-schotsen van de Noordelijke IJszee. Om de winter te kunnen overleven bouwden Ba-rentsz en zijn mannen een hut van wrakhout: het Behouden Huys. Een nagebouwde versie van zijn hut vind je in West-Terschelling.
Commandeurstraat 30-32 West-Terschelling
0562 – 44 23 89 | **www.behouden-huys.nl**

126 VIJFTIG KILOMETER PER UUR *Sport Events Terschelling*

De whike is de perfecte kruising tussen een ligfiets en een zeilboot. De driewielige ligfiets heeft een zeil van 1,6 m², waardoor je met rugwind al snel een vaartje van zo'n vijftig kilometer per uur bereikt. Maar voor het zover is, moet je natuurlijk wel even oefenen...

Burg. Reedekerstraat 29 West-Terschelling
0562 – 44 45 46
http://sporteventsterschelling.nl

127 PAARDENREDDINGSBOOT *Maritiem Centrum Abraham Fock*

Handig, zo'n supersnelle reddingsboot die in een paar tellen op volle zee is. Dat ging vroeger heel anders. Op Ameland werd de reddingsboot tot 1988 door paarden het water in getrokken. Hoe dat in z'n werk ging, kun je zien tijdens de demonstraties van de paardenreddingsboot. Tien paarden sleuren de reddingsboot met veel geweld door de golven, maar gelukkig ligt er geen echte drenkeling te wachten...

Oranjeweg 18 Hollum | 0519 – 54 27 37
www.amelandermusea.nl

128 AANGESPOELD... *Het Wrakkenmuseum*

Russische koelkasten, een luchtdoelkanon uit de Eerste Wereldoorlog of de toren van een Engelse onderzeeboot. Bij het wrakkenmuseum op Terschelling zie je wat er na een schipbreuk allemaal op het eiland aanspoelt. De collectie varieert van aangespoelde containers tot de bekende briefjes in een fles. Een deel van het museumgebouw is trouwens gemaakt van de restanten van een Noors schip dat in 1905 bij Terschelling verging. Een mooi staaltje hergebruik dus.

Formerum Zuid 13 Terschelling Formerum
0562 – 44 93 05 | www.wrakkenmuseum.nl

129 VITAMINEVELDJE *De cranberryvlakte*

Wie vroeger een lange scheepsreis maakte, kreeg vroeg of laat last van vitaminegebrek. Daarom hadden veel schepen een voorraadje cranberry's bij zich: een rodebessensoort met veel vitamine C. Een vat met dit oergezonde goedje spoelde in 1840 aan op het Waddeneiland Vlieland. Een groepje jutters maakte het vat open – ze hoopten dat er wijn of andere drank in zat – en kieperden de inhoud teleurgesteld de duinen in. Zo ontstond de cranberryvlakte op Vlieland, een uitgestrekt gebied waar je tussen half september en half november een flinke oogst bij elkaar kunt plukken.

130 BIJ DE BARBIER *Scheermuseum*

Stoomstrijkijzers, dakpannen of scheepjes in een fles. Je kan het zo gek niet verzinnen of er bestaat een museum voor. Maar in Friesland vind je wel een heel merkwaardig museum. Het Scheermuseum laat zien hoe lastig het vroeger was om op je eigen houtje (zonder bloedvergieten!) je snor of baard af te scheren. Gelukkig verloste de barbier je voor drie cent van je overtollige 'gezichts-haar'. In de collectie vind je scheerbekkens, foto's en snorrenkommen.

T. de Boerstraat 15 Bakhuizen
0514 – 58 15 24 | www.scheermuseum.nl

131 DE GROTE VLOOTSHOW *Sneekweek*

Sneek is hét watersporthart van Fryslân. In de zomermaanden zitten de terrassen vol met zeilers en surfers. Maar echt druk wordt het pas op de eerste zaterdag van augustus. Dan vindt in Sneek het grootste zeileve-nement van Europa plaats. De Sneekweek begint elk jaar met een vlootschouw bij de Waterpoort en de benoeming van een Schipper in de orde van de Sneker Pan. De bijbehorende onderscheiding, een koperen koekenpan met het wapen van Sneek, hangt een week lang in de mast van de uitverkoren schipper.

www.sneekweek.nl

132 MONORAIL *Speelpark Sanjesfertier*

Speelpark Sanjesfertier heeft het goed gere-geld: papa's en mama's leven zich uit op een potje airhockey, de flipperkast of de paar-denrenbaan. Intussen scheur jij in een van de twaalf cabrio's door het verkeerspark, fiets je in een helikopter onder de monorail door de lucht of klim je naar de top van de apenkooi. Iedereen blij, toch?

Bovenweg 14 Zwaagwesteinde
0511 – 47 73 90 | www.sanjesfertier.nl

133 DRUKKEN & DROLLEN! *Natuurmuseum Fryslân*

Hoe groot is een skelet van een potvis? Wat zie je als je over de bodem van een sloot loopt en welke schatten bracht de Friese kapitein Severein mee van zijn verre reizen? Je ontdekt het in het 'natuurleukste' museum van Fryslân: Natuurmuseum Fryslân. Je neemt plaats in een tandartsstoel om een quiz te doen over gebitten bij mens en dier, ontdekt welk dier de meeste nakomelingen krijgt en leert alles (maar dan ook alles!) over drukken & drollen.

Schoenmakersperk 2 Leeuwarden
058 – 233 22 44
www.natuurmuseumfryslan.nl

134 HET WOUDAGEMAAL *Stoomgemaal*

Het Woudagemaal is een echte krachtpatser. Het grootste stoomgemaal ter wereld (dat overtollig water uit Friesland naar het IJsselmeer pompt) kan 4000 m³ per minuut wegwerken. Oftewel vier zwembaden! Tijdens een rondleiding door het gebouw neem je een kijkje in de filmzaal. Je ziet 3D-animaties en maakt een speurtocht. En natuurlijk kijk je mee over de schouders van Jelle Terpstra, de hoofdmachinist van het gemaal.

Gemaalweg 8 Lemmer
www.woudagemaal.nl

135 EXPEDITIE ONDERWATER *Informatiecentrum Mar en Klif*

Zo duizelingwekkend als de krijtrotsen bij Dover zijn ze niet. Toch zijn de kliffen bij Oudemirdum de hoogste van Nederland – niet gek voor een provincie die verder zo plat is als een pannenkoek. Bij het Informatiecentrum Mar en Klif kun je terecht voor groene, actieve en creatieve activiteiten. Zoals Expeditie Onderwater. Gewapend met schepnetjes, zoekkaarten en loepjes ga je op zoek naar waterschorpioenen en rattenstaartlarven.

De Brink 4 Oudemirdum
0514 – 57 17 77 | www.marenklif.nl

DRENTHE

136 EXPEDITIE YUCATÁN *Dierenpark Emmen*

Siberische tijgers bewonderen, Australische emoes voorbij zien sprinten of nijlpaarden betrappen tijdens hun modderbad: in Dierenpark Emmen maak je in anderhalf uur een complete wereldreis. Je ziet het groepsgedrag van grote kolonies, zoals de 125 mantelbavianen en de olifantenkudde van 14 dikhuiden. Kinderen kunnen zich uitleven in Expeditie Yucatán, een enorme overdekte speelruimte in Zuid-Amerikaanse stijl. Tussen Zuid-Amerikaanse boomhutten, een piramidetempel en een scheepswrak ontdek je de spannendste dieren.
**Hoofdstraat 18 Emmen | 0591 – 85 08 55
www.dierenpark-emmen.nl**

137 STOOMCURSUS BOSWACHTER *Boswachter Bart Feestje*

Hoe ziet de werkdag van een boswachter eruit? Het Boswachter Bart Feestje biedt je de kans om het zelf te ervaren. Gewapend met een kaart en opdrachten kruip je in de huid van Bart, een boswachter van Natuurmonumenten. Je gaat op zoek naar diersporen en probeert met een verrekijker dieren te spotten. Gelukkig mag je je ook uitleven op het bouwen van een hut – een klusje waar de echte boswachter meestal geen tijd voor heeft.
**Bezoekerscentrum Dwingelderveld
www.natuurmonumenten.nl, kijk bij 'activiteiten'**

138 GRAFHEUVELS EN KONIJNENKEUTELS *Kinderknapzakroutes*

Zelf je route uitstippelen met een vrolijke wandelkaart en onderweg van alles ontdekken. Dat kan met de Kinderknapzakroutes: wandelingen van zo'n vijf kilometer door onbekende stukken van Drenthe. Je komt langs grafheuvels, ontdekt konijnenkeutels en staat stil bij een tweeduizend jaar oude ijzertijdboerderij.
**www.knapzakroutes.nl/
index.php?option=com_
content&view=article&id=134**

139 FLATSEN EN BOLUSSEN *Poepworkshop*

Steek je graag je handen uit de mouwen? Ben je niet vies van een keuteltje meer of minder of zoek je een heel originele invulling voor je verjaardagsfeest? Dan kun je in Dierenpark Emmen meedoen aan een Poepworkshop. Je gaat op zoek naar keutels, drollen, vlaaien, flatsen en bolussen. Snuif de geur van het dierenpark goed op en word een echte kenner.

Hoofdstraat 18 Emmen | 0591 – 85 08 55
www.dierenpark-emmen.nl, kijk bij 'arrangementen zakelijk'

140 WERELDSE PANNENKOEKEN *De Liberté*

Het honderd jaar oude zeilschip De Liberté dobbert al lang niet meer over de golven, maar de scheepskok heeft het nog altijd druk. Met wereldse pannenkoeken om precies te zijn, want dat is de specialiteit van dit pannenkoekenschip in Meppel. De pannenkoeken hebben namen van bekende rivieren, zoals de Zuid-Amerikaanse Amazone of de Siciliaanse Alcantara. Of de Drentse Aa natuurlijk.

Stoombootkade 12 Meppel | 0522 – 24 00 00
www.deliberte.nl

141 ZWEMMEN OP Z'N JAPANS *De Bonte Wever*

Assen is misschien niet de plaats waar je water spuwende draken of sumoworstelaars verwacht. Maar in subtropisch zwemparadijs De Bonte Wever zwem je in Japanse sferen. Je trotseert de golven van het golfslagbad, roetsjt van de glijbaan en dobbert in de wildwaterkreek. Japanse geisha's kijken goedkeurend toe...

Stadsbroek 17 Assen | 0592 – 35 60 00
www.debontewever.nl

142 VLEDDER AAN ZEE *Miramar Zeemuseum*

Raar volkje, die Drenten. Voor de zee moet je minstens anderhalf uur in de auto zitten. En toch staat er een zeemuseum. Miramar Zeemuseum laat zeeschatten in alle soorten en maten zien. Kostbare schelpen, walvisbaleinen en koralen, maar ook fluwelen zeemuizen, vliegende vissen en een schelp van tweehonderd kilo. De collectie is bij elkaar gesprokkeld door Jeanne Warners (bijnaam: De Blauwe Dame), een excentrieke dame die zo verzot was op de zee dat ze meer dan tachtig landen afzocht naar zeesouvenirs. Toen ze uit was gereisd, sleepte ze haar schatten in een hutkoffer op een kinderwagenonderstel naar Drenthe...

Vledderweg 25 Vledder | 0521 – 38 13 00
www.miramar-zeemuseum.nl

143 GANZENPAS *Klimpark Outdoor Grolloo*

Bossen nodigen uit tot klimmen. Zeker als ze er zo uitzien als het klimpark van Outdoor Grolloo: een zeven meter hoog netwerk waarin je van boom tot boom klimt. In het klimpark zijn vijf verschillende klimroutes uitgezet. Zoals het familieparcours, een route met uitdagende obstakels, het evenwichtskoord en de ganzenpas. Als beloning maak je een afsluitende kabelvlucht van 82 meter door een groene tunnel van bomen. Oostereind 12a Grolloo | 0592 – 50 16 55 www.outdoorgrolloo.nl

144 LUCHTFIETSPARCOURS *Speelstad Oranje*

In een oude aardappelmeel-fabriek vind je het grootste overdekte attractiepark van Nederland, speelstad Oranje. De plaats om je uit te leven op spetterende attracties als het griezelhuis, het piratenschip en achtbaan Wacky Worm. Hang de cowboy uit in Old Orange City, spat je vriendjes nat in een van de botsbootjes en geniet vanuit het luchtfietsparcours van het uitzicht op alle attracties beneden. Oranje 8 Oranje | 0592 – 45 80 80 www.speelstadoranje.nl

145 HEKSEN EN SPOOKHAZEN *Mysteries van het Reestdal*

Als je bang bent voor spoken, moet je je niet in de buurt van de rivier De Reest wagen. In het dal van de rivier voelen heksen, spook-hazen en witte wieven zich al eeuwenlang thuis. Net als moordende en plunderende vagebonden. Tijdens de wandeltocht Reest-dal Mystery Tour neemt meesterverteller Willem de Ridder je mee naar de geheimzin-nigste plekken. Je hoort sterke verhalen en duivelssagen en maakt kennis met wezens die het daglicht ab-so-luut niet verdragen. Brrr. Downloaden vanaf de website www.mysteriesvanhetreestdal.nl/audiotour

146 REUZENHERKAUWER *De snelweggiraf*

Staat hij te grazen? Is hij ontsnapt uit het Noorder Dierenpark of verwelkomt hij automobilisten die over de A37 Emmen binnenrijden? Niemand weet het, maar één ding is zeker: de giraf van kunstenaar Homme

Veenema is een opvallende verschijning. Al was het maar vanwege zijn hoogte van zeventien meter. Traag herkauwend kijkt hij naar de autootjes aan zijn voeten.
Bedrijvenpark A37, bij de afslag Klazienaveen

147 JEUGDRIJBEWIJS *Verkeerspark Assen*

Oké, bij de buren, het razendsnelle TT Circuit, gaat het er nóg flitsender aan toe. Maar als jij niet kunt wachten tot je achter het stuur van een auto mag, is Verkeerspark Assen dé ideale leerschool. Neem plaats in een trapauto en ontdek wat je allemaal tegenkomt in het echte verkeer: verkeerslichten, rotondes, een tankstation en zelfs een echte hoofdagent.

Maak een rondrit in een levensechte dieseltrein, leer offroad rijden in een gemotoriseerde jeep en sluit de dag af met een verkeersexamen. Als je slaagt, dan heb jij je echte Jeugdrijbewijs!
De Haar 1 Assen | 0592 – 35 00 05
www.verkeersparkassen.nl

148 SKATEBOARD MET AB *Skatey Drenthe*

Kun je goed skaten maar ben je toe aan een nieuwe uitdaging? Dan kun je in Drenthe een rit maken op de skatey, een elektrisch skateboard dat je absoluut een keer geprobeerd moet hebben. Met de afstandsbediening bepaal je zelf hoe hard je gaat. En dankzij de grotere wielen (met profielbanden) skate je moeiteloos door gras, zand, modder of sneeuw.
Middenlaan 28 Dwingeloo | 06 – 53 76 86 69
www.skateydrenthe.nl

149 MINIGOLF IN WESTERNSTIJL *Cowboy & Indianen Speelreservaat*

Ben jij goed in lassowerpen en slaap je het liefst in een wigwam? Dan ben je in het Cowboy & Indianen Speelreservaat helemaal in je element. Terwijl je ouders een potje poolbiljarten, bowlen of tafeltennissen, ga jij voor het echte werk: klimmen op de klimwand, ravotten rond de tipi in de grote speeltuin of minigolfen in westernstijl.

Monierweg 2 Coevorden | 0524 – 52 30 03
www.kinderspeelparadijscoevorden.nl

150 VARKENTJESAVONTUUR *Het Houten Pad van Theodoor*

Theodoor is een avontuurlijk varkentje dat liever een wild zwijn wil zijn. Op het Houten Pad van Theodoor kun je zijn avonturen stap voor stap volgen. Het pad, dat helemaal van hout is gemaakt, voert je hoog tussen de bomen en laag langs het water. Je baant je een weg door de jungle, klimt in een holle boom of verstopt je in een vossenhol. De smalle hangbrug onderweg is een probleem voor varkentjes, maar een uitdaging voor kinderen...

Bewegwijzerd vanaf de Brink in Orvelte
vvv Orvelte: 0593 – 32 23 35

151 ZOEKLICHT SPEURAVONDEN *Molen De Bente*

Stel je een bijna tweehonderd jaar oude molen voor. Buiten giert de wind, binnen hoor je het geratel van een draaiende molensteen. In het spookachtige licht van een paar schijnwerpers zie je hoe de wind de wieken laat draaien. Zakken worden omhoog gehesen en het graan wordt geplet. Beroepsmolenaar Hans Petit geeft er tijdens de Zoeklicht Speuravonden uitleg bij.

De Bente 40 Dalen | 0524 – 55 30 47
www.molendebente.com

152 KINDERWERKSJOP *Ambachtentuin Orvelte*

Hoe snijd je een klomp uit een blok hout? Hoe krijgt de smid z'n vuur zo warm dat hij er metaal in kan smelten? Wat hoor je als er een stuk hout wordt verzaagd in Europa's oudste houtzagerij? Je ziet, hoort en voelt het in de Ambachtentuin, onderdeel van museumdorp Orvelte. Luister naar de verhalen van de smid en de klompenmaker of beschilder zelf een klomp tijdens een 'Kinderwerksjop'.

Dorpsstraat 12 Orvelte | 0593 – 32 24 17
www.ambachtentuin.nl

153 BRIEFGEHEIMEN *Kinderfietsroute De Brief*

Hoe zag het leven er in de Tachtigjarige Oorlog uit? En hoe dacht graaf Willem Lodewijk de Spanjaarden te slim af te zijn? Je komt er tijdens kinderfietsroute De Brief achter. Waldemar de wasbeer neemt je mee terug naar de Tachtigjarige Oorlog om een geheime brief weg te brengen. Stukje bij beetje ontdek je wat er in de brief staat.

www.touristinfodrenthe.nl, kijk in de webshop bij 'kinderfietsroutes'

154 KEEP SMILING! *Fotoshoot 4 kids*

Leuk hoor, de zwoele zomerlook van Beyoncé of de nonchalante coupe van Robert Pattinson. Maar het is nog leuker om zelf als topmodel op de foto te gaan. Tijdens een Fotoshoot 4 kids zie je wat er allemaal bij een fotosessie komt kijken. Je krijgt een laagje glamourmake-up en maakt je keuze uit attributen zoals boa's, hoeden, naaldhakken en vette zonnebrillen. Nu de juiste glimlach nog...

Mr. Ovingstraat 14 Klazienaveen
06 – 38 26 11 31
www.koffer4kids.nl

155 OUDSTE SCHAPENRAS *Schaapskudde Ruinen*

Schapen zijn de stofzuigers van de heide. Door de sappigste struikjes en boompjes op te eten zorgen ze ervoor dat grote bomen geen kans krijgen en de heide mooi open blijft. Op het Dwingelderveld vind je twee van de grootste schaapskuddes van Nederland: de kudde van Lhee en de Ruiner schaapskudde, met driehonderd Drentse heideschapen, het oudste schapenras in West-Europa. In juni kun je het grootste spektakel uit het leven van een schaap meemaken: de jaarlijkse scheerbeurt.
www.schaapskudderuinen.nl

156 VERENDE GROND *Veenlopen*

Word je niet zenuwachtig van verende grond onder je voeten? Dan moet je je een keer opgeven voor een veenloop, de Drentse tegenhanger van wadlopen. Je struint onder begeleiding van een gids door het Bargerveen en luistert onderweg naar spannende verhalen over turfstekers en plaggenhutten. Na afloop weet je alles over de dieren en planten in dit bijzondere natuurgebied.
Zusterweg 17 Weiteveen | 0524 – 54 14 58
www.veenloopcentrum.nl

157 DRAKEN EN WOLVEN *Park Oikos*

Wel eens van de Werelddrakenvergadering gehoord? Deze bijeenkomst, in het Drentse park Oikos, trekt wolven in alle soorten en maten. De grootste draak, Koning Draak, is maar liefst drieënhalve meter lang. Gelukkig duurt de vergadering dertig jaar, zodat je alle tijd hebt om de draken in hun natuurlijke omgeving te bewonderen. Net als een groep levende wolven uit Bratislava.
Achterma 20 Ruinen | 0522 – 47 42 86
www.parkoikos.nl

158 STIEKEM NAAR DE KERK *Papeloze kerk*

Onze Drentse over-over-overgrootouders hadden een probleem. Althans: als ze naar de protestantse kerk wilden, want die was tijdens de Tachtigjarige Oorlog verboden. Daarom hielden ze stiekem hun diensten bij een afgelegen hunebed, D49. Omdat er geen 'paap' (een ander woord voor priester) bij was, kreeg het hunebed de bijnaam 'Papeloze kerk'.
Bij de P-plaats aan de Slenerweg N376, tussen Schoonoord en Sleen

159 OP PAD MET LEO *Drents Museum*

Hoeveel energie gebruik je als je onder de douche staat of op internet surft? En waar halen we over tien jaar de stroom voor onze tv's vandaan? In het Kindermuseum, een spiksplinternieuw onderdeel van het Drents Museum, kom je alles te weten over energie. Je daalt af in een kruipruimte waar je energiebronnen diep in de aarde ontdekt en gaat op onderzoek bij zes 'energiestations'. Leo, een nakomeling van uitvinder en kunstenaar Leonardo da Vinci, is je gids.
Brink 1 Assen | 0592 – 37 77 73
http://drentsmuseum.nl

160 TROPISCH DRENTHE *Vlinderparadijs Papiliorama*

Glasvleugelvlinders speuren naar nectar. Rupsen knagen aan de bladeren van de bananenboom. Nee, je bent niet in de vlindervallei van een tropisch eiland, maar in een van de grootste overdekte vlindertuinen van Europa: vlinderparadijs Papiliorama. In de ruim 900 m² grote 'kas' fladderen dagelijks honderden vlinders rond. Een tropisch stukje Drenthe tussen hunebed en heide.
Van Helomaweg 14 Havelte | 0521 – 34 21 55
www.vlinderparadijs.nl

161 MEESTERVERVALSER *Valse kunstwerken*

De *Mona Lisa*, een verzameling Karel Appels en een landschapje van Van Gogh. De meeste museumdirecteuren durven er niet eens van te dromen, maar in het Museum Valse Kunst in Vledder hangen ze gewoon naast elkaar. Tijdens een bezoek aan het museum kom je erachter dat een schilderij vervalsen nog een hele kunst is, waar je ongelofelijk veel geduld voor moet hebben. In het museum vind je vervalsingen van Mondriaan, Van Gogh, Matisse en Dalí, maar ook werk van Geert Jan Jansen. Deze vervalser werd enkele jaren geleden op een Frans kasteel gearresteerd met zestienhonderd moderne valse meesters om zich heen. Je kan ook overdrijven...
Brink 1 Vledder | 0521 – 38 33 52
www.museums-vledder.nl

162 HUNEBED8BAAN
Drouwenerzand

Een nat pak halen op het water-
plein, net niet uit de bocht vliegen
in de Spinning Coaster of met
de zwaartekracht spotten in de
Hunebed8baan. Drouwenerzand
is een attractiepark waar kinderen
zich meteen thuis voelen, maar
waar ook ouders iets te doen hebben. Een bezoek brengen aan het
Telefoonmuseum bijvoorbeeld.
Ben je voorbij de kassa? Dan mag
je zo veel eten en drinken als je
wil: frites, snacks, softijs, vers
fruit, limonade... Laat je ouders
maar rustig de tijd nemen, in dat
museum.
Gasselterstraat 7 Drouwen
0599 – 56 43 60
www.drouwenerzand.nl

163 TROLLENGROT *Kabouterland*

Heb je een buurman met veel tuinkabouters? Na een uitstapje naar het Drentse
Exloo maak je hem geheid jaloers met je
verhalen. Want in kabouterland vind je niet
alleen tientallen kabouters, maar zie je ze
ook nog eens in hun 'eigen' omgeving. Je
maak een spannende tocht door de trollen-
grot, daalt af in een reusachtig konijnenhol
met onderaardse gangen, en ontmoet veertig exotische diersoorten. Een perfecte mix
van dieren, sprookjes en fantasie.
Zuiderhoofdstraat 11 Exloo | 0591 – 54 98 43
www.kabouterland.nl

164   DE VLOEK VAN VEENHUIZEN   *Nationaal Gevangenismuseum*

Gevangenissen zijn spannend – zolang je er niet zelf vastzit. In het gevangenismuseum reis je terug naar de tijd dat bedelaars en landlopers achter tralies werden opgeborgen. Laat je aan de schandpaal 'nagelen', neem plaats op de stoel van de rechter of maak een rondrit in een echte Boevenbus. Ben je tussen de zeven en twaalf jaar? Dan kun je proberen om het mysterie van De Vloek van Veenhuizen te ontrafelen. Je ontmoet Gaius van Veenhuizen, een vervloekte gevangene die voor eeuwig is opgesloten in een verborgen cel. Alhoewel, voor eeuwig...?

Oude Gracht 1 Veenhuizen | 0592 – 38 82 64
www.vloekvanveenhuizen.nl

165   LOPEN BOVEN DE BOMEN   *Het Boomkroonpad*

Voor een uitzicht bóven de toppen van de bomen moet je meestal halsbrekende toeren uithalen. Of afreizen naar Drenthe. Daar kun je een wandeling maken boven, tussen en ver onder de kruinen van lariksen, beuken en eiken. Je begint in een duistere worteltunnel. Via een stellage van trappen en vlonders loop je omhoog tot boven de kruinen van de bomen. Geen hoogtevrees? Vanaf de 22 meter hoge uitkijktoren heb je een heel bijzonder uitzicht! Bij harde wind wiebelt de toren vrolijk mee, maar dat maakt het voor echte durfals alleen maar leuker.

Steenhopenweg 4 Drouwen | 0592 – 37 73 05
www.staatsbosbeheer.nl/boomkroonpad

166   TURFTUFFEN   *Industrieel Smalspoormuseum*

Ooit werd de turf uit Drenthe met een speciaal spoorlijntje naar de turfstrooiselfabriek gereden. De fabriek sloot dertig jaar geleden zijn deuren maar het spoor ligt er nog steeds. Sterker nog: in de vakanties en in de weekenden tuffen er weer treintjes overheen. Tijdens een rit per smalspoortrein waan je je terug in de tijd van de turf. Je doorkruist een groen gebied en bewondert het materieel dat langs het spoor staat: locomotieven, wagens en werktuigen.

Griendtsveenstraat 140 Erica
06 – 11 11 11 88
www.smalspoorcentrum.nl

167 SLIMME EZEL *Talenti*

De eigenaren van Talenti hebben talent voor het maken van ijs. En voor het inrichten van een mooie plek. Ze toverden de voormalige deel (stal) van een tweehonderd jaar oude boerderij om tot een sfeervolle koffie- en ijssalon, waar je lekker kunt bijkomen van een wandeling of fietstocht. Ze hebben trouwens ook nog een ezel die Talent heet. Met een i erachter klonk het Italiaans. Talenti dus.

Dorpsstraat 25 Gees | 0524 – 58 11 99
www.talenti.nl

168 STORMBAAN EN VLOTTENBOUWEN *Minisurvival*

Survival klinkt meestal heftiger dan het is. Maar tijdens de minisurvival van Hunze Outdoor heb je je vindingrijkheid hard nodig. Net als een stevige portie uithoudingsvermogen en kracht. Je waagt de oversteek op een van de survivalbruggen, maakt een kanotocht en tijgert over de stormbaan. Een heel stoer kinderuitje.

www.hunzeoutdoor.nl/nl/survivals/verjaardagsfeestje

169 TERUG NAAR DE IJSTIJD *Hunebedcentrum*

150.000 jaar geleden nam een enorme ijsmassa een aantal zwerfkeien mee naar Nederland en liet ze bijna allemaal achter in Drenthe. Het Trechterbekervolk stapelde ze op tot grafmonumenten en liet wetenschappers nog eeuwen zweten op de vraag hoe mensen erin waren geslaagd zulke kolossale stenen op elkaar te krijgen. In het Hunebedcentrum kom je alles te weten over de mysterieuze keien. Nog niet verzadigd? In de omgeving van het centrum vind je maar liefst elf hunebedden, waaronder de Onbesuisde Steenhoop, de grootste stapel keien van Nederland.

Bronnegerstraat 12 Borger | 0599 – 23 63 74
www.hunebedcentrum.nl

170 REIS DOOR HET NIET-GEBIED *Expeditie Boswachterscode*

Expeditie Boswachterscode is een avonturentocht die al je zintuigen op scherp zet. Je gaat op pad met een kaart van het Niet-Gebied: een kaart die je in alle natuurgebieden van Nederland kunt gebruiken. Spits je oren op de Laan van Decibel en Kalmthout, snuffel rond op De Versnuivering en leer, net als een echte boswachter, om ook in het pikkedonker je weg te vinden. Heb je alle raadsels opgelost en de Boswachterscode gekraakt, dan ontdek je een heel bijzonder zintuig...

Steenhopenweg 4 Drouwen | 0592 – 37 73 05
www.staatsbosbeheer.nl

171 KABOUTER MUZIEKSCHOOL *Sprookjeshof Zuidlaren*

Sneeuwwitje, Hans en Grietje, de Boskoning en de Kabouter Muziekschool. In het bos van de Sprookjeshof Zuidlaren komen bekende en onbekende sprookjes tot leven. Met één druk op de knop kun je 25 verschillende figuren in beweging zetten! Geloof je niet in sprookjes? Dan kun je ook proberen om de Klimberg te bedwingen, losgaan op de quadfietsbaan of een rondvaart maken over het Zuidlaardermeer.

Groningerstraat 10 Zuidlaren
050 – 409 12 12
www.sprookjeshof.nl

172 REUZENDRIEWIELER *Speelgoedmuseum Kinderwereld*

Stel je een wereld voor zonder Nintendo en Wii.
Nog erger: zonder tv, stripboeken en zelfs plastic.
Saai? Dan ben je nog niet naar binnen geweest bij
Speelgoedmuseum Kinderwereld. Het museum
laat het speelgoed zien waar onze overgrootouders mee speelden: poppenhuizen en
tinnen soldaatjes, maar ook stoommachines en treinen. Speel winkelier en
klant in een oud kruidenierswinkeltje of leef je uit op de Vliegende
Hollander of de reuzendriewie-
ler. Niet saai, dus!

Brink 31 Roden
050 – 501 88 51
www.kinderwereld.net

173 DE SNELHEID VAN HET LICHT *Melkwegpad*

De Melkweg is maar een uithoek van het
heelal. Maar om van de ene kant naar de
andere te reizen, ben je wel even onderweg.
Zelfs met de snelheid van het licht heb je er
vijftigduizend jaar voor nodig. Als je enig
idee wil krijgen hoe groot de Melkweg is,
moet je een keer het Melkwegpad lopen.
Het pad laat je ervaren wat de afstand is
van de aarde tot de zon en geeft je een idee
hoe een denkbeeldige reis door de ruimte
eruitziet. Je kan zelfs voelen hoeveel 10 liter
water weegt op Jupiter: 26 kilo.

Oosthalen 8 Hooghalen
**www.astron.nl, kijk bij 'Sterrenkunde activi-
teiten'**

174 SCHURFIE EN FITZ *ZooBizar*

Zo bizar is het nou ook weer niet in ZooBizar. Toch is de minizoo in museumdorp Orvelte een buitenbeentje: het is de kleinste zoo van Nederland! Een mooie plek om kennis te maken met kleine exotische dieren, zoals de haarloze rat Schurfie en witooropossum Fitz.

Dorpstraat 2 Orvelte | 0593 – 32 24 00
www.zoobizar.nl

175 GEEN LIEVERDJES *Openluchtmuseum Ellert en Brammert*

Brandstichten, boerderijen plunderen en jonge meisjes roven: de Drentse reuzen Ellert en Brammert waren geen lieverdjes. Gelukkig zijn de reuzen in Openluchtmuseum Ellert en Brammert van steen. Het museum laat zien hoe mensen vroeger in Zuidoost-Drenthe woonden en werkten. Een plaggenhut, een boerenherberg, een school en een gevangenis brengen de tijd van Ellert en Brammert tot leven.

Tramstraat 73 Schoonoord
0591 – 38 24 21
www.ellertenbrammert.nl

176 PANNENKOEK MET SMARTIES *Museum Restaurant De Ar*

Een complete herenkapsalon, een Zuid-Hollandse kaasmakerij uit 1800 en een oud Gronings kruidenierswinkeltje: in museum De Ar maak je kennis met het Nederland van je overgrootouders. Na afloop kun je in het restaurant genieten van het kindvriendelijkste gerecht van Drenthe: een kinderpannenkoek met Smarties!

Hoofdstraat 42-44 Westerbork
0593 – 33 15 33 | www.de-ar.nl

177 ALLWEATHER KUNSTIJSBAAN *Outdoor Centrum Drenthe*

Outdoor Centrum Drenthe is niet alleen een paradijs voor klimmers, maar ook een hotspot voor schaatsliefhebbers. Op de allweather ijsbaan kun je het hele jaar door terecht voor een schaatstocht, een rondje zwieren of krabbelen. De 600 m² grote schaatsvloer is gemaakt van kunststof pla-ten, die onder alle omstandigheden glad blijven: tijdens Elfstedentochtweer én op snikhete zomerdagen...

Oranjekanaal NZ 10 Wezuperbrug
0591 – 38 20 82
www.outdoorcentrumdrenthe.nl

178 GRATIS LEUKE DINGEN *Alles Kids in Drenthe*

Van tokkelbaan tot smalspoortrein en van musical tot dierenknuffelteam: tijdens Alles Kids in Drenthe, het grootste gratis stad-sevenement voor kinderen, kun je (bijna) alles doen wat je leuk vindt! Neem plaats achter het stuur van de vuilniswagen, zoef in een helikopter over het festivalterrein of maak een vrije val van de glijbaan. Check de data op de website.

www.alleskidsindrenthe.nl

179 TUFFEN OVER DE TURF *Openluchtmuseum Veenpark*

Centrale verwarming, stromend water of een wc die je kan doortrekken. De turfstekers in het Drentse veen konden zich er tweehonderd jaar geleden niets bij voorstellen. In het Openluchtmuseum Veenpark reis je terug naar de tijd dat veenarbeiders tussen hun honden en geiten sliepen. Je bewondert de vuurplaats waar ze 's winters hun verkleumde ledematen warmden, bezoekt het negentiende-eeuwse schooltje en kijkt rond in het huiskamercafé. Na afloop kun je in het kruidenierswinkeltje snoep proeven uit de tijd van de turfwinning: zoethout!

Berkenrode 4 Barger-Compascuum 0591 – 32 44 44 | www.veenpark.nl

180 SPEEL- EN IJSBOERDERIJ *De Drentse Koe*

Elke dag neemt de melkrobot van Speel- en IJsboerderij De Drentse Koe zeventig koeien onder handen. Dat komt mooi uit, want hun melk is een belangrijk onderdeel van het Drentse Koe IJs, dat op de boerderij wordt verkocht. Speel een spelletje boeren-biljart, spring in een hooiberg en probeer te verdwalen tussen de stengels van de maïsdoolhof. Dat ijsje na afloop zal goed smaken...

Wolddijk 23 Ruinerwold | 06 – 40 41 88 28 www.drentse-koeijs.nl

181 BOOGSCHUTTERSMAAL *Robin Hoods Ribhouse*

Stelen van de rijken en uitdelen aan de armen. Dat was het visitekaartje van Robin Hood. Wás, want de dappere boogschutter heeft de bossen van Sherwood verruild voor Drenthe. In Robin Hoods Ribhouse eet je helemaal in de stijl van Robin Hood en Maid Marian. Alleen het kampvuur ontbreekt nog...

Gasselterstraat 7 Drouwen | 0599 – 56 48 25 www.robinhoodribhouse.nl

182 LANGSTE FIETSBRUG *Grolloerveen*

De Drentse boswachterij Grolloo staat bekend om zijn prachtige vennetjes (bosmeren). Zoals het Grolloerveen. Het gebied, waar je heel veel libellen tegenkomt, is ideaal voor fietsers. De langste houten fietsbrug van Nederland loopt dwars door het veen.

Bereikbaar vanaf de parkeerplaats Ulteringsweg / Soartendijk in Grolloo

183 ADOPTIEBOS *Rijk der kabouters*

Kabouters. Of ze nou Wesley, Plop of Spillebeen heten: je moet ervan houden. Vind je kabouters grappig of vertederend, dan mag je het Rijk der Kabouters in het Drentse Eext niet missen. In dit familiepark wonen er meer dan tweehonderd, maar er loopt ook een heksenpad doorheen. Opvallend: het park heeft ook een adoptiebos waar 'thuisloze' tuinkabouters een plekje krijgen!

Gieterstraat 20 Eext | 0592 – 26 33 76
www.rijkderkabouters.nl

184 TERUG IN DE TIJD *Museumdorp Orvelte*

Een museum zonder kassa, ingang of hekken: dat is Orvelte, een dorp midden in Drenthe waar de kalender op het jaar 1830 is blijven staan. Slenterend door het dorp passeer je oude bedrijfjes en werkplaatsen. Overdag zijn er demonstraties van vergeten beroepen zoals tingieten, smeden en klompen maken.

0593 – 32 23 32 | www.orvelte.net

185 IK BID NIET VEUR BRUNE BON'N *Het Dorp van Bartje*

Als je dertig jaar geleden 'Ik bid niet veur brune bon'n' zei, wist iedereen meteen waar je het over had. *Bartje*, de verfilming van het boek van Anne de Vries, was een tv-hit in de jaren tachtig. In streekmuseum Het Dorp van Bartje reis je terug naar de tijd van arme boerenzonen, Drentse boerderijen en plaggenhutten. En bruine bonen natuurlijk!

Balloërstraat 2A Rolde | 0592 – 24 26 74
www.dorpvanbartje.nl

186   OP ZOEK NAAR HET STEMPEL *Letterboxen*

Letterboxen is de Drentse variant op de puzzelspeurtocht: een combinatie van puzzels oplossen, de weg vinden en schatzoeken. Met behulp van een kaart en een mysterieuze omschrijving ga je op zoek naar een begraven box met een stempel. Lukt het je om jouw boek vol stempels te krijgen?
Op verschillende plaatsen in Drenthe
www.letterboxen-drenthe.nl

187   PAARDENTRAM *Nije-Brink*

De paardentram reed vroeger in alle grote steden rond, maar is in Drenthe nog steeds te bewonderen. Bij Nije-Brink kun je een rondrit maken in de voorloper van tram, trein en bus. Je doorkruist Nationaal Park het Dwingelderveld en kunt – als extraatje – afsluiten met een Meet and Greet met de schaapsherder. Voor groepen.
Ruinerdijk 21 Ansen | 0522 – 47 23 65 / 06 – 12 15 33 20 | www.nije-brink.nl

188   BEDSTEEKAMER *Huize te Lieveren*

In de Bedsteekamer van Huize te Lieveren slaap je zoals mensen dat vroeger deden. Althans bijna, want je hoeft niet zittend te slapen en je hebt ook heel wat meer ruimte dan onze overgrootouders. Geweldige plek om weg te dromen na een wandeling door het Lieverderbosch.
Centrum 12 Lieveren | 050 – 501 55 74 / 06 – 83 99 95 44 | www.huizetelieveren.nl

189   MISS GANZENHOEDSTER *Ganzenparade Coevorden*

Maak je geen zorgen: de ganzen die tijdens de ganzenmarkt in Coevorden worden 'verkocht', eindigen niet op het bord in een driesterrenrestaurant. De dieren keren na afloop gewoon levend terug naar hun eigenaren. Voordat het zover is worden ze 's ochtends vroeg door de straten gedreven en komen ze luid snaterend op de markt bij elkaar. Het is trouwens de vraag waar de meeste mensen op afkomen: de ganzenparade of de verkiezing van Miss en Minimiss Ganzenhoedster. Elk jaar op de tweede maandag van november.
www.ganzenmarktcoevorden.nl

OVERIJSSEL

190 ZINTUIGLIJK AVONTUUR *Labyrinth der Zinnen*

De grootste uitdaging in het Labyrinth der Zinnen is het vinden van de uitgang: een zoektocht waarbij je al je zintuigen nodig hebt. Dool over het Spoorzoekerspad, laat je bedwelmen in de Tempel van Geur en volg je vingertoppen in de Tastgrotten. Rotspaden, een vlot en een watergordijn voeren je naar je einddoel: het restaurant.
Welenmosweg 1 Boekelo
053 – 450 06 50
www.labyrinthderzinnen.nl

191 150 JAAR BESCHUIT *Bolletje Winkel & Koffieschenkerij*

Wil jij Bolletje? Dan moet je een keer naar het geboortehuis van de Twentse beschuit, een winkel waar sinds 1867 niet zo gek veel is veranderd. Je bezoekt het bakkerijmuseum, waar je ziet hoe bakkers vroeger met ontbloot bovenlijf de houtoven opstookten. Je hoort de bel van de bakkersfiets en snuift de geuren op van taart, brood en beschuit. Na afloop kun je Bolletje proeven in een honderdvijftig jaar oude koffieschenkerij.
Grotestraat Zuid 182 Almelo | 0546 – 81 59 11
www.bolletje.nl, klik op 'Over Bolletje' en 'Bolletje anno 1867'

192 PIRATENBUFFET *De Scheepskajuit*

Een schip met buit enteren, zwaardvechten en in duizelingwekkend hoge touwladders klimmen. Het leven van een piraat valt niet mee. Zeker niet als je dagenlang zonder eten hebt rondgedobberd. Gelukkig begrijpen ze bij De Scheepskajuit precies wat piraten nodig nebben: een piratenbuffet waarop je nog dagen kunt teren. Ahoi, eh... smakelijk eten.
't Wooldrik 4 Borne | 074 – 267 11 31
www.scheepskajuit.nl/piratenbuffet.html

193 SPEURNEUZENPAD *De Kruidenhoeve*

Problemen met duivels en heksen? Met de afweerkruiden uit de Heksentuin in Kruidenhoeve Balkbrug hou je ze moeiteloos buiten de deur. In de tuinen, die meer dan 4000 m² groot zijn, vind je onder andere een geur-laantje, een kruidenpad en het SNP, oftewel het Speurneuzenpad: een ontdekkingstocht waar je al je zintuigen hard nodig hebt.
Den Oosterhuis 10 Balkbrug | 0523 – 65 60 49
www.kruidenhoeve.nl

194 ME TARZAN, YOU JANE? *AvaTarZ Nature Park*

Een Avatar is een god die de vorm van een levend wezen aanneemt. Gelukkig hoef je bij AvaTarZ, een ecologisch klimbos bij Oldenzaal, niet zulke ingewikkelde toeren uit te halen. Je waagt je op een vijf kilometer lang parcours en slingert tweeënhalf uur lang als Tarzan of Jane van touw tot boom. Een extra lange zipline van tweehonderd meter brengt je weer terug bij het startpunt.
Hengelosestraat 230 Deurningen
0541 – 20 02 07 | www.avatarz.nl

195 STOP DE HELLEHOND! *Het Geheim van Hades*

Als je tien jaar of ouder bent (en niet terugdeinst voor duistere zaken), moet je eens naar De Lutte. Daar wacht het Geheim van Hades, een uitdagende fietsspeurtocht, waarbij je stap voor stap een oud mysterie oplost. Gps, audio, video, internet en ander bewijsmateriaal wijzen je de weg door dit geheimzinnige avontuur, waarin spel en werkelijkheid al snel door elkaar lopen.
St. Plechelmusplein 5 Oldenzaal
0541 – 51 40 23 | www.geheimvanhades.nl
www.vvvoldenzaal.nl

196 KETTINGREACTIES *LEGOWORLD*

LEGO-steentjes mogen dan klein zijn, als je er veertig miljard op elkaar stapelt, heb je de afstand van de aarde tot de maan overbrugd. Tijdens LEGO WORLD, het grootste LEGO-spektakel ter wereld, kun je vast een beginnetje maken. Je bewondert levens-grote LEGO-bouwwerken, kijkt naar LEGO-kettingreacties en pakt natuurlijk een Clutch Powers-film in de LEGO Bioscoop. Tijdens de herfstvakantie in de IJsselhallen Zwolle.
Rieteweg 4 Zwolle | www.legoworld.nl

197 TERUG NAAR DE MIDDELEEUWEN *Thea Beckman-route*

Thea Beckman wist al op haar elfde dat ze schrijfster wilde worden. Ze schreef ruim twintig boeken, waarvan *Kruistocht in Spijkerbroek* het bekendst is. De Thea Beckman-route voert je terug naar het middeleeuwse Kampen, waar veel van haar verhalen zich afspelen. Je ontmoet de hoofdpersonen uit haar romans *Hasse Simonsdochter*, *De stomme van Kampen*, *Het wonder van Frieswijck* en *Gekaapt!* Boekpassages, een stadsplattegrond en zoekvragen leiden je langs bezienswaardigheden uit heden en verleden.

www.vvvijsseldelta.nl, klik op 'Shop' en daarna op 'Wandelroutes'

198 GEORUN *Stepbikeroute*

GeoRun-The Signs is niet zomaar een steptochtje. Tijdens de elf kilometer lange stepbikeroute door het Overijsselse Vechtdal peddel je langs weilanden, bossen en moerassen. Intussen moet je met behulp van een toolbackpack (een rugzak met opdrachten en materialen) zeven proeven oplossen. Bij elke goed uitgevoerde proef krijg je een nieuw routepunt dat je met een gps-ontvanger kunt opsporen. Een dubbele uitdaging dus. Verkrijgbaar bij diverse vvv-kantoren en campings in de omgeving. Het vertrekpunt is bospaviljoen De Rheezerbelten.

Grote Beltenweg 1 Hardenberg
0523 – 27 00 12
www.georun.nl / www.vechtdaloverijssel.nl/nl/site/georun_the_signs

199 WATERKAMIKAZE *Aqua Jungle*

Rotsblokken die onverwacht water spuiten, een gladde waterhelling waar je met een stevig touw tegen op kunt klimmen en boomstammen als waterkanon. In de Aqua Jungle, een subtropisch zwem- en speelparadijs in het Overijsselse Vechtdal, waan je je midden in de jungle. Leef je uit tussen het bamboe in de waterspeeltuin, glij naast elkaar naar beneden op de familieglijbaan of trotseer de waterkamikaze, een grote mango waarin wel honderd liter water kan. Als de mango vol is, kantelt de reuzenvrucht en stort al het water in één keer naar beneden.

Let op: De Aqua Jungle is op veel vakantiedagen alleen toegankelijk voor gasten van de Jungle Avonturen-camping. Check de website!

Grote Beltenweg 11 Rheeze
0523 – 26 22 64
www.jungle-avonturencamping.nl/aqua-jungle.html

200 KROKODILLEN EN TABAK
Het Grenshistorische Smokkel- & Textielmuseum

Een botersmokkelaarster, een Volkswagen Kever die op verboden koopwaar wordt doorzocht en een douanier die achter de bomen 'op wacht staat'. Ze maken allemaal deel uit van het kat-en-muisspel dat smokkelaars en grenswachten vroeger met elkaar speelden. In het Grenshistorische Smokkel- & Textielmuseum maak je kennis met smokkelaars en hun trucs, maar kom je ook alles aan de weet over de oude textielmachines van de familie Game. Je neust rond in de Textielhal en ziet smokkelwaren zoals krokodillen, ivoor, pistolen en tabak. En niet te vergeten de smokkelklomp: een oude truc om sporen in de verkeerde richting te laten wijzen...

Hoofdstraat 195 Overdinkel | 053 – 538 15 98
www.smokkelmuseum.nl

201 ZWEEFMOLEN EN TRAPEZE *Kermis- en circusmuseum*

'Dames en heren, komt dat zien!' Met die woorden lokte de spreekstalmeester vroeger bezoekers de circustent in. In het Kermis- en circusmuseum reis je terug naar de tijd dat het circus net zo populair was als de bioscoop nu. Bewonder de affiches van bekende circussen uit het verleden en bekijk de zweefmolen en de trapeze. Of stel je voor hoe je vader eruitziet in het kostuum van de circusdirecteur. Een knus museum vol verrassingen.

Markt 56-58 Steenwijk
0521 – 51 86 87 / 06 – 10 68 63 21
www.kermisencircusmuseum.nl

202 GOLFJESWANDELING
AquaBubble

Op water lopen is meestal iets voor heiligen. Maar in de buurt van Dalfsen kun je zelf ervaren hoe het is om een wandeling over de golfjes te maken. Je stapt in een AquaBubble, een levensgrote doorzichtige luchtbel die op het water drijft. Nu nog proberen te blijven staan...

Brinkweg 2B Dalfsen | 06 – 50 29 36 77
(reserveren verplicht!)
www.hiawatha-actief.nl

203   LUCHTFIETSERIJ *Deventer Op Stelten*

Een straatfestival voor acteurs op stelten. Het leek aanvankelijk een krankzinnig idee, maar het bleek een gouden greep. Tijdens het driedaagse theaterfestival Deventer Op Stelten wordt de Deventer binnenstad omgetoverd tot een podium voor luchtacrobatiek en luchtfietserij. Door de hoogteverschillen tussen acteurs en publiek zien de voorstellingen er superspectaculair uit.

0900 – 353 53 55 | www.vvvdeventer.nl

204   OOK VOOR KINDEREN *Sauna Thermen Swoll*

Meestal zitten sauna's niet op kinderen te wachten, maar bij Sauna Thermen Swoll zijn jonge bezoekers net zo welkom als volwassenen. Komt mooi uit, want het twaalfpersoons buitenbubbelbad, de zwemvijver en de drie grote saunacabines wil je waarschijnlijk niet missen. Relaxed adresje midden in de ongerepte natuur.

Heinoseweg 26 Zwolle | 0529 – 40 16 38
www.saunaswoll.nl

205   VERBORGEN VERLEDEN *Het Geheim van Graaf Sassendonk*

Graaf Sassendonk was een belangrijke handelsman in het middeleeuwse Zwolle. Maar toen hij stierf, nam hij een paar belangrijke geheimen mee zijn graf in. Tijdens Het Geheim van Graaf Sassendonk, een mysterieuze tocht door de binnenstad van Zwolle, duik je in het verborgen verleden van de graaf. Je krijgt een smartphone met internetverbinding mee, waarmee je onderweg verschillende QR-zegels kan scannen. Spectaculaire animaties, filmpjes en uitdagende opdrachten helpen je het geheim te ontrafelen.

Grote Markt 20 Zwolle | 038 – 421 61 98
www.graafsassendonk.nl

206 PAASVUURTJE STOKEN *Paasvuurdorp Tubbergen*

De brandweer vindt het eigenlijk maar niks, maar gelukkig knetteren er in Nederland elk jaar weer paasvuren: enorme brandstapels met metershoge vlammen die zich tegen de donkere hemel aftekenen. Het bekendste paasvuurdorp is Tubbergen. Helaas heb je daar ook de meeste last van een vervelend randverschijnsel: paasvuurfiles! Op www.paasvuur.nl vind je een overzicht van de meeste paasvuren.

207 2000 ZOUTVAATJES *Zoutmuseum Delden*

Je zou het misschien niet denken, maar zout is een kostbare bodem-schat. In het Zoutmuseum ontdek je wat je allemaal met zout kan doen (behalve het op je patat strooien). Je ziet hoe zoutlagen ontstaan, bekijkt zoutkristallen onder de micro-scoop en werpt een blik op de ruim tweeduizend zoutvaatjes die in het museum tentoongesteld staan, van zilveren pronkvaatjes tot een 'zoute' kerstman.
Langestraat 30 Delden | 074 – 376 45 46
www.zoutmuseum.nl

208 HANGBRUGGEN EN DROOMHUTTEN *Speelbospad*

Muziek maken op een dendrofoon. Als Tarzan door het bos slingeren of de leeftijd van een boom afleiden uit het aantal jaar-ringen. Op het Speelbospad wordt in het bos spelen een compleet nieuwe uitdaging. Je bekijkt de binnenkant van een dassen-burcht, betrapt zonnebadende zandhage-dissen en ziet hoe het ijs miljoenen jaren geleden het landschap heeft veranderd. Maak de mooiste hut van je dromen, ga via een hangbrug naar de overkant en zorg dat je zonder schrammen langs de zweepboom komt. Pleisters mee!
Grotestraat 281 Nijverdal | 0548 – 61 27 11
www.natuurlijk.nl/salland/hellendoorn/
speelbospad.htm

10 X BIJZONDERE BIOSCOPEN

Vind je dat alle bioscopen op elkaar lijken? Dan ben je nog niet in het 6D Bioscoop Theater geweest. Of in een servicebioscoop, waar je met een druk op de knop drankjes en hapjes laat aanrukken. Beweeg mee met je bioscoopstoel, voel de wind door je haren tijdens een openluchtvoorstelling of proef de sfeer in de oudste bioscoop van Nederland.

209 6D BIOSCOOP

De spectaculairste bioscoop van Nederland. 3D-bril, licht, wind en beweegbare stoelen zorgen ervoor dat al je zintuigen worden geprikkeld.
Tinbergenstraat 3 Winterswijk | 0543 – 53 34 80
www.kartbaanwinterswijk.nl/6dbioscoop.html

210 PLUK DE NACHT

Jaarlijks openluchtfilmfestival in Amsterdam.
www.plukdenacht.nl

211 DE VERKADEFABRIEK

Bioscoop, theater en café-restaurant in de beroemdste koekjesfabriek van Nederland.
Boschdijkstraat 45 Den Bosch | 073 – 681 81 60 | www.verkadefabriek.nl

212 TAKE TEN UDEN

Heel luie stoelen, een eigen schemerlampje en bediening tijdens de film.
Pastoor Spieringsstraat 10d Uden | 0413 – 27 16 16 | www.taketen.nl

213 CINEMEC

De grootste digitale 3D-bioscoop van de Benelux.
Laan der Verenigde Naties 150 Ede | 0900 – 321 03 21 | www.cinemec.nl

214 6D CINEMA OP SCHIPHOL LOUNGE 2

Beleef een spectaculair avontuur met geluid, wind- en lichteffecten. Met een polarized 3D-bril en een meebewegende stoel.
Lounge 2, voorbij de paspoortcontrole
www.schiphol.nl/Reizigers/etenontspannen/NaDePaspoortcontrole/Ontspannen1/XDTheaterOpSchipholLounge2TopLevel.htm

215 DE MEEZINGBIOSCOOP

Meezingen, lachen of huilen met de voorstellingen van deze reizende bioscoop.
010 – 592 04 24 | www.meezingbioscoop.nl

216 LOUIS HARTLOOPER COMPLEX

Bioscoopcomplex in een statig oud politiebureau met glas-in-loodramen.
Tolsteegbrug 1 Utrecht | 030 – 232 04 50 | www.louishartloopercomplex.nl

217 SERVICE BIOSCOOP HOLLYWOUD

Tijdens de film hapjes en drankjes bestellen vanuit je comfortabele fauteuil.
Doornseweg Almkerk | 0183 – 30 72 86 | www.hollywoud.nl

218 FILMTHEATER DE UITKIJK

Het oudste filmtheater van Nederland.
Prinsengracht 452 Amsterdam | 020 – 223 24 16 | www.uitkijk.nl

219 DURE DROLLEN *Dierenpark Taman Indonesia*

Bij Dierenpark Taman Indonesia zijn ze gek op exotische vogels. Zo gek dat de hobby van de eigenaren uitgroeide tot een echte Indonesische jungle. Met alle bijbehorende inwoners, zoals Maleise stekelvarkentjes, Balispreeuwen en tropische eekhoorns. Bewonder de grootste ijsvogel van de wereld en ga op zoek naar de civetkat, van wiens drollen de duurste koffie ter wereld wordt gemaakt. Vergeet niet een kijkje te nemen bij de paalwoning van de Mentawai, een stam uit West-Sumatra die nog in het stenen tijdperk leeft.

Kallenkote 53 Kallenkote | 0521 – 51 11 89
www.taman-indonesia.nl

220 BEELDSCHERMGENOT *Wzzrd-gamecafé*

Zie je de wereld het liefst door een beeldschermpje? Dan ben je bij Wzzrd-gamecafé helemaal op je plaats. In het café, achter in bioscoop CineStar, vind je niet alleen klassiekers als Just Dance 3, Dj Hero en Battlefield, maar kun je je ook uitleven op de XBOX Kinect, met een spelkarakter dat de bewegingen van je lichaam precies overneemt.

Colosseum 68 Enschede | 053 – 850 47 59
http://wzzrd.nl/cafe/hetcafe/gaming

221 HIGH TEA, FOR GIRLS ONLY *Woody's Holten*

Hertogin Anna van Bedfort had áltijd honger. Daarom liet ze halverwege de middag een paar schalen klaarzetten met 'tussendoortjes': sandwiches, pasteitjes, gebak en cake. Zo ontstond de Engelse high tea: een perfecte manier om een luie zondagmiddag door te brengen, maar ook een leuk idee voor een kinderfeestje met vriendinnen. Bij Woody's in Holten.

Holterbergerweg 11 Holten | 0548 – 36 14 83
www.woodysholten.nl/activiteiten/FlyerKinderfeestjes2012.pdf

222 VERHALENWATERVAL
De Verhalenboot

Het had weinig gescheeld of het oude vissersschip van Rob en Kitty was op het scheepskerkhof geëindigd. Gelukkig bedachten de eigenaren een nieuwe bestemming voor het schip: een drijvend verteltheater. De meeste voorstellingen op de Verhalenboot zijn voor volwassenen, maar tijdens het Waterval Internationaal Vertelfestival wordt de kade voor het schip omgetoverd tot een magisch verhalenparadijs voor volwassenen en kinderen. In het eerste weekeinde van juni.
Thorbeckegracht Zwolle | 038 – 423 96 59
www.deverhalenboot.nl /
www.waterval-vertelfestival.nl

223 ZAPTOCHT *Wereldtijdpad*

Vikingen. Pispotten, parfum en pest. Het eerste sms'je en de vernietiging van de Aztekenstad Tenochtitlan. Het zijn allemaal verhalen die je tegenkomt op het Wereldtijdpad, een vijftig kilometer lange wandeling, die je gelukkig ook in korte lussen kunt lopen. De wandeling voert je langs tweeduizend paaltjes, die elk een jaar van onze jaartelling belichten. Wandelend langs 's werelds grootste tijdlijn komen belangrijke gebeurtenissen uit de geschiedenis voorbij, van de bouw van de Eiffeltoren tot de uitvinding van de naaimachine. Een interessante zaptocht door het verleden.
Tussen Rijssen en Holten
www.wereldtijdpad.nl

224 FILMDECOR *De Fanfare*

De Fanfare is niet zomaar een café. Het is een eerbetoon aan de eerste grote Nederlandse filmhit, *Fanfare*. Bert Haanstra's film, over twee ruziënde orkesten, werd in 1958 in Giethoorn opgenomen en trok maar liefst twee miljoen bezoekers. Foto's en filmattributen, zoals het vaandel en de scheepstoeter, nemen je mee naar de zorgeloze jaren vijftig.
Binnenpad 68 Giethoorn | 0521 – 36 16 00
www.de-fanfare.nl/nl/Film_Fanfare

225 HARTSLAGVERSNELLEND *Attractiepark Slagharen*

Een spectaculaire looping maken in de Thunder Loop, in een boomstam de stroomversnellingen van de wildwaterrivier bedwingen of een vrije val maken vanaf een hoogte van veertig meter: in attractiepark Slagharen vind je gegarandeerd de uitdaging die bij je past. Veertig attracties staan garant voor een dagje spanning en sensatie.

Geen zin in hartslagversnellende attracties? Dan kun je in de Mine Train door het Wilde Westen boemelen. Of in het Western Village Theater de nieuwste cowboy- en indianen-stunts bewonderen: een spectaculair staaltje paardrijkunst.

Zwarte Dijk 37 Slagharen | 0523 – 68 30 00
http://slagharen.com/contact

226 VERVLOGEN TIJDEN *Museumbuurtspoorweg Haaksbergen*

Puffende locomotieven, houten bankjes en loodzware hutkoffers. Een rit over de Museumbuurtspoorweg Haaksbergen voert je terug naar de tijd dat een treinreis een avontuur was, waarvoor de hele familie je kwam uitzwaaien. Je tuft over een spoorlijn van

meer dan 125 jaar oud, bewondert antieke rijtuigen en een enorme locomotieven-loods. Een uitstapje naar vervlogen tijden.

Stationsstraat 3 Haaksbergen
053 – 572 15 16
www.museumbuurtspoorweg.nl

227 DOODLOPENDE PADEN *Groot Twentsch Maïsdoolhof*

Een verloren schoen. Een petje. Een kapot horloge. Kijk op de lijst met gevonden voorwerpen en je weet het: verdwalen in het Groot Twentsch Maïsdoolhof is niet zonder gevaar. Toch is dat waar het om draait in deze doolhof, zo groot als zes voetbalvelden! Je baant je een weg tussen de metershoge maïsplanten, maar net als de doodlopende paden op je zenuwen beginnen te werken, vind je de uitkijktoren in het midden. Nu de uitgang weer zien te vinden...

www.groottwentschmaisdoolhof.nl

228 SPAGHETTIBAAN *Golfen als Marco Polo*

Midgetgolf kan behoorlijk vermoeiend zijn. Vooral als je ouders het veel beter kunnen of het balletje steeds van de baan in de struiken terechtkomt. Dat laatste zal je bij Sensazia Golf in Enschede niet zo gauw gebeuren. Op deze overdekte golfbaan treed je in de sporen van ontdekkingsreizi- ger Marco Polo. Je mept het balletje over de spaghettibaan, probeert de spulletjes van een porseleinverkoper niet te raken en belandt uiteindelijk in China, het eindpunt van Polo's lange reis.
Colosseum 80 Enschede | 088 – 587 87 87
www.sensazia.nl

229 KIDS TOUR *Heracles Almelo Polman Stadion*

Het Polman Stadion is het thuishonk van voetbalclub Heracles, en de Kids Tour is dé manier om plekjes in het stadion te bekijken die je anders niet te zien krijgt. Je neust rond in de persruimte en de kleedkamers en doet mee aan een echte Heracles Almelo Quiz. Misschien kun je zelfs even voetballen op het kunstgrasveld van Heracles...
www.heracles.nl/club/rondleiding

230 HERRIEHUT EN KLEURENKAMER *Belevingspad*

Heb je wel eens een herriehut vanbinnen gehoord? Rondgekeken in een kleurenkamer of je wezenloos gezocht in een doolhof? Op het Belevingspad, een wandeling door Boswachterij Staphorst, kun je het bos voelen, ruiken, proeven, horen en zien. Een zintuigelijke wandeling van anderhalve kilometer.
Vijverweg Punthorst www.staatsbosbeheer. nl/Activiteiten/Staphorst/Belevingspad.aspx

231 WEERWOLVEN EN ROOFRIDDERS *Sagensafari*

Normaal blijven de houtduivels, weerwolven en spookhazen op afstand. Maar tijdens de Sagensafari, een spannende 3D-film die je vanuit je eigen auto beleeft, kom je ze zeker tegen. Terwijl je door Twente rijdt, neemt een gids je mee terug in de tijd. Je staat oog in oog met de hellehond en maakt kennis met roofridders, dwaallichten en spookboerderijen. Algauw heb je geen idee meer waar je bent. Rij je over het platteland of ben je vlak bij een stad? Ben je in Nederland of Duitsland? En is dit nog wel de werkelijkheid?
vv Vakanties Gelderland & Overijssel
0570 – 68 07 80 | www.sagentwente.com/ sagensafari.html

232 MEXICAANTJE, ORANJE HOED

Gerrit Valks Bakkerij- en IJsmuseum

'Mexicaantje, oranje hoed, Caraco-ijs, geweldig goed' – dat was ooit de songtekst van een overbekende tv-reclame. De bedenker van het ijs, bakker Gerrit Valk, werd in de jaren vijftig bekend vanwege zijn zelfgemaakte ijs, dat hij in een bakfiets bij zijn klanten bezorgde. In Gerrit Valks Bakkerij- en IJsmuseum ontdek je hoe vroeger brood, taarten en ijsjes werden gemaakt. Je bewondert ijsmachines zoals de Zweedse Rollo: een apparaat dat per uur vierduizend ijsjes 'uitspuwde'. En natuurlijk sta je even stil bij het pronkstuk van het museum: de ijskar met de oranje hoed.

Dorpsstraat 49 Hellendoorn
0548 – 65 48 48
www.bakkerij-ijsmuseum.nl

233 KOEIENWATERBED *Aver Heino Koeienhotel*

Eigenlijk verschilt Aver Heino Koeienhotel niet zo veel van een gewoon hotel. De proefboerderij doet er alles aan om het zijn gasten – melkkoeien – zo goed mogelijk naar de zin te maken: brede paden, rubbermatten en waterbedmatrassen, en als eten een lekkere mix van grassen en klavers. Wil je zelf eens voelen hoe het is om op een koeienwaterbed te liggen?

Dan kun je de boerderij op afspraak met een groep (zoals je schoolklas) bezoeken. Je kan ook op eigen houtje het natuurpad lopen, een leerzame route langs een bijenstal, een kikkerpoel en een vleermuizenburcht. En langs de weides met koeien natuurlijk.

Lemelerveldseweg 32 Heino | 06 – 13 25 55 60
www.hetkoeienhotel.nl

234 BAL IN GAT *Foot Golf*

Krijg je tijdens een spelletje minigolf wel eens de neiging om het balletje weg te trappen? Bij Foot Golf is dat juist de bedoeling. Je trapt af op een baan met achttien holes en probeert de bal bij elke vlag in zo min mogelijk schoten in de hole te krijgen. Een soort golf voor voetballers dus.

Hengevelderweg 3 Diepenheim
0547 – 35 19 90
www.pitch-putt.nl/diepenheim

235 NAMAAK-REMBRANDT *De Nachtwacht van Dalfsen*

De 'Nachtwacht' is een van de bekendste schilderijen ter wereld, maar als je geen zin hebt in de wachtrij voor het Rijksmuseum, kun je er ook een in Dalfsen zien. Huisschilder Jan van der Horst was zo'n fan van Rembrandt dat hij een levensgrote kopie maakte. Het resultaat van vijf jaar bloed, zweet en tranen is te bewonderen in café-restaurant Expo Madrid. Inclusief de stroken aan de zij- en bovenkant, die ooit door twee bodes van het doek werden gesneden, omdat het schilderij anders niet door de deur van het stadhuis paste.

Tolhuisweg 5 Dalfsen | 0529 – 45 85 85
www.expomadrid.nl

236 ZWEEFVLIEGEN *Aero Club Salland*

Mooi gezicht: een zweefvliegtuig dat schijnbaar gewichtsloos in de wolken hangt. Maar het is nog mooier om zelf in de cockpit plaats te nemen. Bij Aero Club Salland kun je je door een lier omhoog laten trekken en genieten van een vijftien minuten durende introductievlucht in een tweezitter. Onder je kruipen speelgoedautootjes traag over Nederlandse wegen en worden gebouwen snel stipjes. Misschien spot je je eigen huis wel vanuit de lucht...

Langsweg 28 Lemelerveld | 0572 – 37 15 43
http://aeroclubsalland.nl

237 RAMMELENDE HAZEN *Natuurdiorama Holterberg*

Natuurdiorama Holterberg laat zien wat je in de natuur tegenkomt als er geen mensen zijn om de rust te verstoren. De planten en dieren zijn stilgezet in elf diorama's, levensgrote kijkkasten met titels als Rammelende Hazen, De Waddenzee en De Oertijd. Dé kans om de enige aap van Europa te betrappen zonder dat je op je tenen hoeft te lopen.

Holterbergweg 12 Holten | 0548 – 36 19 79
www.museumholterberg.nl

238 STALEN ZENUWEN *Avonturenpark Hellendoorn*

Avonturenpark Hellendoorn begon ruim zeventig jaar geleden als een theehuis met wat speeltoestellen. Inmiddels is het theehuis uitgegroeid tot een pretpark waar je moeiteloos een dag doorbrengt. Glij naar beneden over de spetterende wildwater-baan, duikel ondersteboven op een van de achtbanen of neem plaats op het snel draaiende reuzenrad Tarantula Magica. Voor snelheidsduivels met stalen zenuwen.

Luttenbergerweg 22 Hellendoorn
0548 – 65 91 59 | www.avonturenpark.nl

239 VAN DE PUTT'S KRACHTBESCHUIT *Kamper muurreclames*

Tegenwoordig kun je geen YouTube-filmpje openen of je moet eerst naar reclame kijken. Dat ging in de jaren dertig heel anders. Toen huurden de rijkste winkeliers een kunstschilder in, die op de muur van hun winkel hun koopwaar aanprees. In Kampen zijn tientallen van deze muurreclames onder de verf vandaan gehaald.De Kamper muurschilderingen-route laat reclames zien voor lang vergeten producten zoals Van de Putt's krachtbeschuit, Kamper Kruidkoek en Falcon-regenjassen. Overigens: de letter W, die je onderweg ook tegenkomt, werd tijdens de Tweede Wereldoorlog gebruikt als steunbetuiging aan koningin Wilhelmina. Verkrijgbaar bij de vvv Kampen of via de webwinkel.

Oudestraat 151 Kampen | 0900 – 112 23 75
www.vvvijsseldelta.nl/nl/shop/wandelroutes

240 TIJDREIZEN VOOR GEVORDERDEN *Het wervelende wormgat*

Er kan veel in de natuurkunde, maar tijdreizen is ab-so-luut onmogelijk. Zei Albert Einstein. En laten ze nou uitgerekend op landgoed Den Aalshorst hebben ontdekt dat Albert fout zat. Daar loopt het Wervelende Wormgatpad, een kinderroute die je zonder enige moeite eeuwen terugvoert. Via een sluipdoor, kruipdoorweggetje in de tijd wandel je plotseling de middeleeuwen binnen. En nu je toch bezig bent, kun je natuurlijk net zo goed meteen doorknallen naar de prehistorie. Na een sprong in het wormgat barst het opeens van het avontuur: driedubbel versnelde doorgangen, beren, moerasgoden, tijdknopen, roofridders, het Bovenbospad, V2-raketten...

Sterrebosweg 4 Dalfsen | 0900 – 112 23 75
www.vvvvechtdal.nl

241 ONDERGRONDS SPEELPARADIJS *'t Giga Konijnenhol*

In een konijnenhol heb je als mens meestal niet zo veel te zoeken. Maar 't Giga Konijnenhol is speciaal voor kinderen uitgegraven. In dit ondergrondse speelparadijs bij camping Beerze Bulten kun je onbeperkt knutselen, klimmen, klauteren, springen, glijden en spelen. En na een bezoek aan het beleeftheater van Bultje het superknuffelkonijn wil je nog maar één ding: een konijn als huisdier.

Kampweg 1 Beerze | 0523 – 25 13 98
www.gigakonijnenhol.nl

242 GROTE BEER OF STEELPANNETJE? *Sterrenwacht Hellendoorn*

Sterren kijken is soms prachtig, maar er zijn steeds minder plaatsen in Nederland waar je het steelpannetje of de Poolster nog goed kunt zien. Bij Sterrenwacht Hellendoorn kun je elke vrijdagavond met behulp van een kijker door de ruimte reizen. Intussen verdiep je je in het ontstaan van de zon, de kraters op de maan en andere sterrenkundige geheimen.

Ommerweg 13a Hellendoorn | 0548 – 62 13 37
www.sterrenwachthellendoorn.nl

243 EENDENSCHAAKSTUKKEN *TwentseWelle*

In TwentseWelle maak je een spannende reis van de prehistorie naar nu.
Je waant je terug in de tijd van rokende fabrieksschoorstenen en puffende stoommachines, maar ontmoet ook wolharige neushoorns en mammoeten. Loop langs het graf van de Ridder van Borne en bewonder schaakstukken met de koppen van eenden – een bijzondere manier om opgezette dieren te presenteren.

Het Rozendaal 11 Enschede | 053 – 480 76 80
www.twentsewelle.nl

244   DE BIOSCOOP VOOR JEZELF *Honk Home Cine*

Leuk, zo'n middagje naar de bios. Alleen jammer dat de buurvrouw links haar mobieltje nog aan heeft en de buurman rechts bezig is met een recordpoging popcorn kraken. Gelukkig heb je bij Honk Home Cine de bios helemaal voor jezelf. In de kleinste bioscoop van Nederland kun je met maximaal tien mensen lekker wegzakken in een luie bank of chillen in een van de fauteuils. Een ultramodern surroundsysteem en superscherpe beelden maken de bioscoopervaring helemaal af.

Raadhuisstraat 21 Diepenheim | 0547 – 35 25 35
www.dekleinstebioscoopvannederland.nl

245   6000 CONSERVENBLIKJES *Doepark Nooterhof*

Een bezoek brengen aan de nectarkroeg bij de vlinder- en bijentuin, je geboorteboom opsporen in de Keltische boomkalender of 'vergeten' groentes ontdekken in de groentetuin: in Doepark Nooterhof leer je spelenderwijs alles over natuur en milieu. Je gluurt binnen in een vleermuizenkelder op een eilandje, plonst in de waterspeeltuin of drinkt een kopje thee in het duurzaamste gebouw van Nederland: een Earthship, gemaakt van duizend autobanden, zesduizend conservenblikjes en zevenduizend flessen.

Goertjesweg 5 Zwolle | 088 – 850 80 86
www.doeparknooterhof.nl

246   NIEUW HARNAS *Dragonheart*

Is je kruisboog aan vervanging toe? Of heb je dringend een nieuw harnas nodig? Bij Dragonheart, dé ridderwinkel van Nederland, vind je bijna alles uit de middeleeuwen: van middeleeuwse voetboeien tot hellebaarden en van kanonnen tot Keltische harpen. Als het goed weer is, kun je elke woensdagmiddag op het erf kijken naar uilendemonstraties. Misschien landt een van de roofvogels wel op jouw hand...

Stroinksweg 90 Enschede
053 – 478 20 05 / 06 – 23 20 35 89
www.dragonheart.nl/ridderwinkel

247   ETEN IN EEN DRAAIEND RESTAURANT *De Koperen Hoogte*

Eten in een restaurant dat om zijn as draait: het klinkt een beetje als een kermisattractie, maar dat is het niet. Het restaurant in De Koperen Hoogte draait tijdens het eten in ruim twee uur volledig rond. Rustig genoeg om niet boven je bord te duizelen, maar snel genoeg om steeds weer een ander stukje te zien van het panoramische uitzicht.

Lichtmisweg 51 Zwolle | 0529 – 42 84 28
www.dekoperenhoogte.nl

248   EZELTJE REP JE *De Grote Ezel*

Heerlijk, zo'n tocht met een ezel naast je. Want een ezel is niet alleen een perfect gezelschapsdier, maar draagt ook nog eens zonder mopperen jouw extra bagage. Of de ingrediënten van jouw kinderpicknick. Je maakt een mooie wandeling over eeuwen- oude landgoederen en struint langs de uiterwaarden van de IJssel. En mocht je onderweg moe worden, dan maak je de wandeling gewoon op de rug van de ezel af.
Boxbergerweg 49 Olst | 0570 – 54 61 04 / 06 – 55 83 46 23 | www.degroteezel.com

249   ZELFGEBAKKEN CHIPS *Ontdekhoek Zwolle*

Hoe ontwikkel je foto's in een donkere kamer? Hoe eet je soep aan een magnetische tafel en hoe maak je in een handomdraai een snel zeilbootje? Bij de Ontdekhoek leer je het door het zelf te doen. Je stelt een heerlijk ruikend zeepje samen, houdt met zware keien snelstromend water tegen en tovert een aardappel om tot... zelfgebakken chips! Wie zei er dat leren saai is?
Hogeschool Windesheim, Campus 2-6, Gebouw T134 Zwolle | 038 – 460 61 00 www.ontdekhoek.nl

250   ECHT OF NEP? *De Zwevende Steen*

Gek gezicht: een enorme platte kei die op z'n punt balanceert, maar niet omvalt, ook al stormt het met windkracht tien. Het landschapskunstwerk van Bas Maters is zo groot dat er een compleet voetbalelftal onder kan schuilen, en lijkt nog het meest op een ruïne uit de oudheid. Dat is best bijzonder, want de zuil, steen en zwerfkeien zijn allemaal nep. Alleen de mosaanslag op de stenen is echt.
Stationsweg Dalfsen

251 LEKKER LAAGDREMPELIG! *Boerengolf*

Hebben je spieren al lang geen topprestatie meer geleverd? Of vind je sport vooral leuk om naar te kijken? Geen probleem, want boerengolf, de simpele versie van 'echt' golf, staat vooral in het teken van ontspanning. Je hoeft je slag niet eindeloos te oefenen en ook de spelregels zijn heel makkelijk te onthouden. Neem een fototoestel mee, want dat wordt lachen, gieren, brullen!
Rheezerweg 50 Rheeze
0523 – 26 23 15 | www.familieveurink.nl

252 STEPCENTRIFUGE *Twents Techniekmuseum* HEIM

Live het vliegverkeer boven Nederland volgen, een flitspaal van dichtbij zien of gebeld worden met een telefooncentrale uit 1920. In het Twents Techniekmuseum HEIM zie je een aantal hoogtepunten uit anderhalve eeuw techniek. Ontdek wat er allemaal is gebeurd tussen stoommachine en ruimtevaart, leef je uit op de stepcentrifuge of verdien punten voor een schonere aarde op de nieuwe afdeling E-MISSION. Een museum waar het verboden is om van de knopjes af te blijven.
Industriestraat 9 Hengelo | 074 – 243 00 54
www.techniekmuseumheim.nl

253 SPROOKJESPALEIS *Het Aan De Steggegebouw*

Is dit het buitenhuis van een mysterieuze sultan? De winnaar van een architectuurprijsvraag voor kinderen? Het Aan De Steggebouw, in de buurt van het Overijsselse plaatsje Goor, zet iedereen op het verkeerde been. Het spookjesachtige gebouw, dat eruitziet alsof het net in de zon begint te smelten, huisvest 'gewoon' een bouwbedrijf, maar is een omweg absoluut waard. Alleen de speeltuin en de poffertjes zul je er zelf bij moeten denken...
Nieuwenkampsmaten 8 Goor

254 WEER OF GEEN WEER *Preston Palace*

De kermis van Preston Palace heeft één groot voordeel: hij staat er altijd. Zomer en winter, weer of geen weer. In het overdekte attractiepark bij hotel Preston Palace vind je klassiekers zoals de botsautootjes en de suikerspinnenkraam, maar ook spectaculaire attracties zoals de Energy Storm, een centrifuge die je wereld compleet op z'n kop zet! Oppassen met dat onbeperkte softijs dus.
Laan van Iserlohn 1 Almelo | 0546 – 54 21 21
www.prestonpalace.nl

255 TIJDFIETSEN *De ring van de Textielbaron*

Lex heeft pech. Hij moet voor school een werkstuk maken over textiel, maar hij heeft geen idee wat hij erover moet schrijven. Gelukkig krijgt hij hulp uit onverwachte hoek. Via internet komt Lex in contact met Mette, een meisje dat honderd jaar geleden leefde en hem met een magische ring naar het verleden haalt. Wat er daarna gebeurt, ontdek je tijdens de kinderfietsroute De ring van de Textielbaron. Je fietst langs oude fabrieksgebouwen en villa's van vroegere textielbaronnen. Opdrachten en een routeboekje voeren je steeds verder terug in de tijd.
www.industrieelerfgoedtwente.nl/pages/routes/kinderroutes.htm

256 SATURNUSRINGEN *Cosmos Sterrenwacht*

Leuk hoor, door het dakraam naar de sterrenhemel kijken. Maar het is nog leuker als je weet wáár je eigenlijk naar kijkt. Bij de Cosmos Sterrenwacht ontrafel je de geheimen achter zonnestelsels, zwarte gaten en rode dwergen. Je spoort de ringen van Saturnus op, tuurt door de grootste telescoop van Nederland en reist in de filmzaal met de snelheid van het licht naar een uithoek van het heelal. Een indrukwekkende belevenis.
Frensdorferweg 22 Lattrop | 0541 – 22 97 00
www.e-cosmos.nl

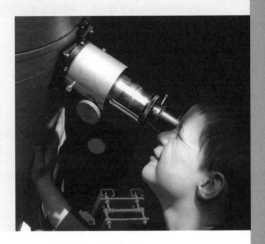

257 ADVENTURE ISLAND *Zwemparadijs Beerze Bulten*

Als je na een middag in Zwemparadijs Beerze Bulten je ouders kwijt bent, is de kans groot dat je ze terugvindt in het wellnessgedeelte. Terwijl jij rondspettert tussen de bedriegertjes, sproeiers en waterpistolen van Adventure Island, liggen zij waarschijnlijk nietsvermoedend te relaxen in het bubbelbad. Dikke kans dat ze jouw afdaling in de Space Tube, een waterglijbaan met spectaculaire lichteffecten, niet eens hebben gezien...
Kampweg 1 Beerze | 0523 – 25 13 98
www.beerzebulten.nl/world/swim/nl/swim.html

258 RODELBAAN *Familiepretpark de Waarbeek*

Zie je de wereld het liefst ondersteboven? Dan moet je zeker een rit maken in de rodelbaan van Familiepretpark de Waarbeek. Deze in 1930 gebouwde rollercoaster geldt als een van de oudste nog werkende stalen achtbanen ter wereld, maar is nog altijd een uitdaging voor snelheidsduivels. Geen stalen zenuwen? Dan kun je ook terecht in de Oldtimers, de Jungle Spoortrein of de Eendjesmolen.

Twekkelerweg 327 Hengelo | 0900 – 414 11 11
http://waarbeek.nl

259 NET ALS DOLFJE *Het Wolvenspoor*

Best leuk hoor, wolven bekijken in de dierentuin. Maar tijdens de kinderwandeling Het Wolvenspoor kruip je zélf in de huid van een wolf. Nadat je een toversnoepje hebt opgegeten, klim je over het Hoge Hek het bos in en ga je op zoek naar knaag- en voetsporen. Je gaat je steeds beestachtiger gedragen, maar je hebt nog heel wat opdrachten te gaan voordat je jezelf een SuperWolf mag noemen. Gelukkig krijg je onderweg een paar hulpogen mee...

Te koop bij de vvv's in het Overijssels Vechtdal en bij Restaurant De Bootsman.

Kruisstraat 6 Ommen | 0529 – 45 16 38
www.vvvvechtdal.nl

260 TAKKENBENDE *De Ulebelt*

Ben je tussen de een en zeven jaar en maak je er meestal een takkenbende van? Dan is speelplaats de Takkenbende, een natuurspeelplek bij natuur- en milieucentrum de Ulebelt je perfecte speelplaats. De Ulebelt organiseert veel seizoensgebonden activiteiten die met natuur en milieu te maken hebben. Zoals lammetjes verzorgen en het oogsten van zomergroenten. Grotere kinderen kunnen zich uitleven bij de bouwspeelplaats, op de uitkijktorens en de touwbruggen. Oude kleren en laarzen aan!

Maatmansweg 3 Deventer | 0570 – 65 34 37
www.ulebelt.nl/contact

261 OOG IN OOG MET SCROOGE *Dickens Festijn*

Als je een paar dagen voor kerst door Deventer loopt, lijkt het net of je in het Engeland van de negentiende eeuw terecht bent gekomen. Logisch, want tijdens het Dickens Festijn worden de straten bevolkt door personages uit de boeken van Charles Dickens. Je staat oog in oog met de vrek Scrooge en ontmoet weeskinderen en sluwe boeven. Misschien komt de geest van Jacob Marley wel voorbij...

www.dickensfestijn.nl

262 VUURWERKKASTEN *Speelgoedmuseum Deventer*

Denk je bij speelgoed vooral aan toetsenborden en beeldschermpjes? Dan moet je voor de grap een keer een kijkje nemen in het Speelgoedmuseum Deventer. Het museum laat het speelgoed zien waarvoor kinderen 75 jaar geleden hun spaarpot omkeerden: oude poppenhuizen, Märklin-treinen, maar ook optisch speelgoed, zoals schaduwtheaters en vuurwerkkasten. Op de speelzolder kun je zelf aan de slag met LEGO of Kapla. Of genieten van een ouderwetse poppenkastvoorstelling natuurlijk.

Brink 47 Deventer | 0570 – 69 37 86
www.speelgoedmuseumdeventer.nl

263 KOEKGEHEIMEN *Bussink's Koek*

Rogge, honing en een héél geheim mengsel van specerijen. Dat zijn al vierhonderd jaar lang de bestanddelen van de beroemde Deventer koek. Hoe die bijzondere smaak tot stand komt, weten alleen de bakkers van het Deventer Koekwinkeltje. Zelfs Willem Alexander en Maxima, die in 2001 de winkel bezochten, kregen het recept niet mee.

Brink 84 Deventer | 0570 – 61 42 46
www.deventerkoekwinkel.nl

FLEVOLAND

264   SNACKEN IN JARENVIJFTIGSTIJL *Gateway Diner*

Bij eten op z'n Amerikaans denk je algauw aan de bekende fastfoodketen met de M. Maar het kan nog veel Amerikaanser. Ondernemer Martin van der Voort tikte zestien jaar geleden een echte *diner* (spreek uit: 'dainer') op de kop: een soort kruising tussen een wegrestaurant en een cafetaria. Het zilverkleurige restaurant werd steen voor steen uit Amerika overgevlogen en in z'n oude staat opgebouwd. Een jukebox, milkshakes uit hoge glazen en een ultralange bar roepen het gevoel op van Amerika in de jaren vijftig. En de homemade muffins, chicken wings en American beefburgers smaken natuurlijk héél on-Nederlands.

Beatrixpromenade 7 Almere
036 – 530 02 91
www.gatewaydiner.nl

265   BLIKVANGER *De Poldertoren*

Nog voordat de Noordoostpolder werd drooggelegd, bedachten de plannenmakers dat er midden in het nieuwe land een mooi herkenningspunt moest komen. Zo ontstond de Poldertoren, een van de hoogste watertorens van Nederland. De 65 meter 30 hoge toren is nog altijd de onbetwiste blikvanger van de polder, en biedt onderdak aan een bonte verzameling gebruikers. Zoals de vvv op de begane grond en Sonoy, een chic restaurant met Michelinster én superuitzicht.

De Deel 25a Emmeloord
www.vvvnoordoostpolder.nl

266 KINDERPICKNICK *Beleg van Almere*

Wel zin om te picknicken, maar niet om broodjes te smeren en manden te vullen? Geen nood: bij Beleg van Almere kun je terecht voor een picknick met alles erop en eraan. Er is zelfs een speciale kinderpicknickmand, gevuld met poffertjessaté, broodje kaas, Fristi of chocolademelk, geglazuurde muffin met tumtummetjes, fruitspiesje of yoghurt met Smarties. Zeg daar maar eens nee tegen…

036 – 534 16 65 / 06 – 55 37 78 80
www.broodjealmere.nl

267 ECHTE APEN *Stichting AAP*

Wat Zeehondencrèche Lenie 't Hart doet voor zeehonden, doet Stichting Aap voor apen, wasberen en prairiehondjes. De stichting vangt dieren op die ons land zijn binnengesmokkeld of zijn afgedankt door het circus, maar ontfermt zich ook over proefdieren uit laboratoria. Tijdens een bezoek aan de Apeneilanden kun je zien hoe de mantelbavianen, groene bavianen en berberapen zich weer als echte apen gaan gedragen. Ze genieten van eten, veel ruimte en speelgenootjes tot ze toe zijn aan een nieuwe uitdaging: plaatsing in een reservaat of een betrouwbare dierentuin.

Kemphaanpad 1 Almere | 036 – 523 87 87
www.aap.nl

268 POLDERTJE MAKEN? *Nieuw Land Erfgoedcentrum*

Hoe oud is Flevoland eigenlijk? Hoe werd het nieuwe land gemaakt en wat gebeurde er met de honderden scheepswrakken op de bodem van de Zuiderzee? Nieuw Land vertelt het verhaal van de grootste polder ter wereld. Je ziet hoe de Swifterband- mens er zesduizend jaar geleden uitzag, luistert naar merkwaardige zeegeluiden en ontdekt wat er nodig is om zelf een polder te maken.

Oostvaardersdijk 1-13 Lelystad
0320 – 22 59 00 | www.nieuwlanderfgoed.nl

269 POEPENDE REUS *Exposure*

Op een strekdam bij de Houtribsluizen in Lelystad kijkt een reus op zijn hurken uit over het
water. *Exposure* is de naam van dit 26 meter hoge
kunstwerk, dat bij kinderen bekendstaat als 'de
poepende man'. De gehurkte reus is gemaakt
van een skelet van stalen buizen, dat in de verte
wel wat doet denken aan een elektriciteitsmast
(kunstenaar Antony Gormley liet zijn beeld in
elkaar zetten door een bedrijf dat normaal elek-
triciteitsmasten maakt), maar is toch zo luchtig
dat je er als het ware doorheen kijkt. Best knap
als je bedenkt dat er zeven vrachtwagens voor
nodig waren om het gevaarte naar Nederland
te vervoeren.

**Begin van de N302, achter Outletcenter Batavia-
stad | www.lelystad.nl/exposure**

270 MODERNE BOUWVAL *Kasteel Almere*

Twaalf jaar geleden begon vlak bij het
Weerwater de bouw van kasteel Almere. Het
gloednieuwe kasteel had een kopie moeten
worden van het Belgische Château Jemeppe:
een luxe optrekje met een slotgracht, water-
partijen en een 57 meter hoge toren. Helaas
was het geld halverwege de bouw op. Sindsdien staat langs de A6 de jongste kasteelru-
ine van Nederland: een moderne bouwval,
die er nog altijd indrukwekkend uitziet.
**Op de A6 bij Almere afslag S102 (afrit 4,
Almere Haven)**

271 ZWOEL DAGJE *Orchideeënhoeve*

Denk je bij de Noordoostpolder vooral aan
kaarsrechte wegen en enorme akkers? Dan
ben je nog niet bij de Orchideeënhoeve
geweest, een onvervalst stukje jungle midden in de polder. Waar ooit de golven van de
Zuiderzee klotsten, vind je nu watervallen,
bontgekeurde vlinders en duizenden soorten orchideeën. Maak een spannende speurtocht langs verschillende wildpaden, klauter
in het Mangrovebos en sluit je bezoek af in
een hangmat tussen de tropische vruchten-
bomen. Een zwoel dagje uit.
Oosterringweg 34 Luttelgeest
0527 – 20 28 75 | www.orchideeenhoeve.nl

272 DAGJE LUIEREN *Strandrestaurant Poortdok*

Bij Almere denk je misschien niet aan het strand. Maar Strandrestaurant Poortdok, volgens Special Bite het beste terras van Flevoland, is dé plek voor een dagje luieren aan het Almeerderstrand. Terwijl jij in of bij het water speelt, genieten je ouders van lekker eten, zwoele loungemuziek en een mooi uitzicht over het IJmeer. Daar heb je de rest van de middag geen kind meer aan...

IJmeerdijk 1a Almere | **036 – 536 99 59**
www.poortdok.nl

273 WATERPROEFJES *Waterloopbos*

Wat doet een rivier als je er een dam in legt en hoe zorg je dat een haven niet te veel last heeft van de verschillen tussen eb en vloed? Om een antwoord op die vragen te krijgen legden wetenschappers vijftig jaar geleden een bos aan dat ze vol zetten met dammetjes, sluisjes, havens en stuwen. Met behulp van proefopstellingen in het bos werden echte – grote – bouwwerken ontworpen. Zoals de Deltawerken, de havens van Lagos, Rotterdam en Bangkok. In het bos, tegenwoordig eigendom van Natuurmonumenten, kun je nog een aantal proefopstellingen bewonderen, maar ook prachtig wandelen.

Voorsterweg 36 Marknesse
www.waterloopbos.eu

274 SNELHEID VAN HET GELUID *Walibi Holland!*

Is ondersteboven hangen in de achtbaan je grootste kick? Dan moet je snel een keer naar Walibi Holland, het attractiepark met de meeste en de snelste achtbanen. Maak een achterwaartse koprol in de Goliath, laat je lanceren in de achtbaan Xpress, of reis met de snelheid van het geluid in Speed of Sound. Geen zin om je evenwichtsorganen op de proef te stellen? Dan kun je natuurlijk ook afkoelen in een van de waterattracties. Of jezelf onderdompelen in de 5D Experience: een film die al je zintuigen op scherp zet.

Spijkweg 30 Biddinghuizen | **0321 – 32 99 99**
www.walibi.com

275 GROENE DWARSWEGGETJES *Bevertrail*

De bever voelt zich goed thuis in Flevoland. Dankzij ecologische verbindingen (groene dwarsweggetjes, tunnels of bruggen) kan het knaagdier moeiteloos van het ene naar het andere natuurgebied trekken. De Bever Trail, een fietsroute van Staatsbosbeheer, voert je over de favoriete 'oversteekplaat-sen' van de bever. Goed opletten onderweg! Misschien kom je wel beversporen tegen... Bij het informatiepunt van Stadslandgoed de Kemphaan kun je een routebeschrijving krijgen.

Kemphaanpad 4 Almere | **036 – 538 44 16**
www.kemphaan.nl

276 REUZENPAD EN WASBEERHOND *MeerZoo*

De chimpansees en giraffen kun je zo langza-merhand wel dromen, maar heb jij wel eens een Bengaalse kat gezien? Of het aantal tenen geteld van een vierteenschildpad? Bij Meer-Zoo ontmoet je zeldzame diersoorten, zoals de Colombiaanse reuzenpad en de wasbeer-hond. Maak kennis met bijzondere reptielen, uilen en knaagdieren of begroet het witte ezelsveulen Bliksem op de kinderboerderij.

Steenwijkerweg 15 Marknesse
0527 – 20 44 95 / 06 – 22 10 39 33
www.meerzoo.nl

277 BROODJE AAP *Netl Park*

Voor de zee moet je ruim een uur rijden, maar verder zou Netl Park net zo goed aan de Noordzeekust kunnen liggen: lekkere hangbanken, een terras, duinen en een strook zand zorgen voor een heerlijk strand-clubsfeertje. 's Winters staar je in de vlam-men van een kampvuurtje of geniet je van een kop hippe brandnetelsoep (Netl maakt ook een hele kledinglijn van brandnetel-planten). Of van een Broodje Aap natuurlijk.

Leemringweg 19 Kraggenburg
0527 – 20 30 43 | **www.netl.nl**

278 GEURIGE BOSJES *Viva Lavandula*

Bij geurige lavendelvelden denk je eer-der aan de Franse Provence dan aan de Noordoostpolder. Toch vind je hier het hart van de Nederlandse lavendelteelt: Viva Lavandula. Dé plaats om rond te wandelen tussen eindeloze paarse velden of om bij te komen met een stuk lavendelcrèmetaart. In het bloeiseizoen mag je tegen een kleine vergoeding zelf een geurig bosje bij elkaar plukken.

Uiterdijkenweg 45 Marknesse
0527 – 29 25 53 | **www.viva-lavandula.nl**

279 KOOPJES JAGEN *Batavia Stad*

Heb je een dure smaak? Draag je alleen sneakers of jeans waar een bekend logo op staat? In Batavia Stad vul je de gaten in je kledingkast, maar betaal je vooroorlogse prijzen. In het merkendorp met zijn gekleurde houten huisjes vind je alle grote merken: van Gsus tot GUESS en van Miss Sixty tot My God.

Bataviaplein 60 Lelystad | www.bataviastad.nl

280 BLOEMENZEE *Tulpenpluktuin Marknesse*

Niets zo Hollands als de tulp. Zou je denken. Toch werd de eerste tulp pas in 1593 in ons land geplant. Tijdens de tulpengekte in de zeventiende eeuw was de bloem zelfs zo bijzonder dat rijke Amsterdammers er miljoenen voor over hadden. Bij de Tulpenpluktuin in Marknesse pluk je voor heel wat minder geld je eigen droomboeket bij elkaar. Vanaf de uitkijktoren, midden in de tuin, heb je een fantastisch uitzicht over de bloemenzee.

Steenwijkerweg 26 Marknesse
www.tulpenpluktuin.nl

281 SCHAATSEN OP 'NATUURIJS' *FlevOnice*

Je kan natuurlijk wachten op een paar nachten strenge vorst. Maar als je 's winters echt ijs onder je schaatsen wil voelen, moet je naar FlevOnice. Deze vijf kilometer lange ijsbaan is weliswaar van kunstijs 'gemaakt', maar tijdens een rondje langs rietkragen en bosjes waan je je ver van de bewoonde wereld. Goed voor een ouderwetse toertocht op hoge noren, én de bijbehorende koek-en-zopie.

Strandgaperweg 20 Biddinghuizen
0321 – 32 84 80 | www.flevonice.nl

282 BOEINGGEHEIMEN *Aviodrome*

Vanaf een loopbrug neerkijken op de vliegtuigen in de T2 Hangar, plaatsnemen in een Antonov-dubbeldekker of een tijdreis maken naar het Schipholgebouw uit 1928. In het Aviodrome maak je spelenderwijs kennis met honderd jaar luchtvaartgeschiedenis. Je staat stil bij beroemde vliegtuigen, zoals de Fokker Driedekker van de Rode Baron uit de Eerste Wereldoorlog en de Beech D18 (vliegend te bewonderen in de James Bond film *Octopussy*). Als klap op de vuurpijl bezoek je de delen van een Boeing 747 die je normaal gesproken niet te zien krijgt: de cockpit, de keuken en het vrachtruim. En de businessclass natuurlijk...

Pelikaanweg 50 Luchthaven Lelystad
0320 – 28 98 42 | www.aviodrome.nl

283   TIJDREIZEN IN FLEVOLAND *De Oer-route*

Het grootste deel van Flevoland werd pas vijftig jaar geleden drooggelegd. Toch woonden er in de prehistorie al mensen in de buurt van Lelystad. De Oer-route (een kinderroute mét rugzak) voert je terug naar de tijd van oerossen en stenen bijlen. Gewapend met vragen en opdrachten ontdek je de opvallendste bewoners van het park, zoals ooievaars en wisenten. En natuurlijk przewalski's, een wilde paardensoort uit de prehistorie.
Lelystad 0320 – 28 61 11
www.flevo-landschap.nl

284   OP ZOEK NAAR SNEEUWWITJE *Zeven Dwergenpad*

Wat eten de dieren in het bos? Hoe werkt een zonnewijzer en hoe herken je de sporen van verschillende dieren? Je ziet het op het Zeven Dwergenpad, een bijzondere natuurwandeling door het Kuinderbos. Je gaat op zoek naar de dwergen uit het sprookje 'Sneeuwwitje en de zeven dwergen', die zijn uitgehakt in boomstammen langs de route. Na een reeks opdrachten en vragen bereik je het eindpunt: een slapende Sneeuwwitje, uitgehakt uit een dikke populierenstam.
Kuinderweg 52 Luttelgeest | 0527 – 23 14 80
www.craneburcht.nl/zevendwergenpad.htm

285   HITTEBESTENDIG *Aphrodite*

Wil je graag een keer naar de sauna, maar zeggen je ouders steeds dat je nog te jong bent? Bij Aphrodite's Thermen komen ze niet meer weg met deze smoes. Want tijdens de gezinssauna, elke zondag van 12.00 tot 19.00 uur, zijn jong én oud welkom. Dé kans om je hittebestendigheid te testen in de binnensauna van 85 °C, te chillen in het vernieuwde Turkse stoombad of weg te dromen op de zweefbedden in het binnenbad. Lekkerrr!
Oude Dronterweg 3 Dronten
0321 – 33 66 33 | www.aphrodite.nl/

286   BAKPLAATTHEATER *Teppanyaki*

Heerlijk, een Japans etentje met alles erop en eraan. Maar het is nog leuker als alle gerechten 'live' bij jou aan tafel worden bereid. Bij teppanyaki voeren de meesterkoks hun kunsten op boven de Teppan-Yaki (een Japanse bakplaat) pal onder je neus. Kortom: een feest voor de tong en een show voor het oog.
Havenzicht 6 Almere | 036 – 521 56 66
www.senseihaven.nl

287   LEVENDE KUNST *De Groene Kathedraal*

Een bouwwerk zonder dak dat elk seizoen een ander gezicht heeft. Dat is de Groene Kathedraal, het bekendste landschapskunstwerk van Nederland. De kerk ontstond toen landschapskunstenaar Marinus Boezem vijfentwintig jaar geleden een bos met Italiaanse populieren aanplantte. Boezem plaatste de bomen zo dat ze de plattegrond vormen van de Notre Dame van Reims – een van de bekendste kathedralen ter wereld. Prachtig te zien vanuit de lucht, maar ook vanaf de grond een bijzonder, 'levend' bouwwerk. **Tureluurweg Almere Hout** | **036 – 545 04 00** www.depaviljoens.nl

288   AAN HET LIJNTJE *Kabelwaterskiën*

Leuk hoor, waterskiën achter een speedboot. Totdat je bij de eerste bocht onderuitgaat. Wil je je eerste meters relaxed afleggen, dan kun je ook terecht bij de kabelskibaan van Lido Almere. Je laat je tussen negen andere skiërs voortslepen aan een soort sleeplift. Ziet er misschien niet heel flitsend uit, maar vergis je niet: met een vaartje tussen de dertig en zestig kilometer per uur is het nog een hele kunst om op je benen te blijven staan... **Bergsmapad 1 Almere** | **036 – 530 46 66** www.lido-almere.nl

289   GEGARANDEERD VIES *Kids Outdoor Flevoland*

Als je meedoet aan een Kids Survival bij Kids Outdoor Flevoland, weet je één ding zeker: je komt vies terug. Logisch, want de survival speelt zich af op het gaafste, spectaculairste, leukste én vieste blubberparcours in heel Nederland. Je tijgert door de modder of maakt een keuze uit onderdelen zoals de hindernisbaan, het touwbruggenparcours, de junglebrug of de bandentoren. En natuurlijk rooster je na afloop je eigen survivalburger bij de vuurplaats.

Kotterbosweg 97 Lelystad
036 – 529 03 18 / 06 – 28 20 76 40
http://kidsoutdoorflevoland.nl

290 TACHTIG KANONNEN *Bataviawerf*

Het VOC-schip *De Batavia* kende een slechte start. Het beroemde schip verging op zijn allereerste zeereis in 1628. Gelukkig heeft het schip een tweede kans gekregen. Op de Bataviawerf kun je een kopie bewonderen van het pronkstuk van de Nederlandse scheepsbouw. Je dwaalt rond in de ruimen van een VOC-schip en snuift de geur op van een smeedkolenvuur in de smederij. Verderop kun je de bouw volgen van *De 7 Provinciën*. Dit zeventiende-eeuwse oorlogsschip wordt de komende jaren tot in detail nagebouwd, compleet met de tachtig bronzen kanonnen die ooit aan dek stonden.

Oostvaardersdijk 1 Lelystad
0320 – 26 14 09 | www.bataviawerf.nl

291 INDIANENLEVEN *Bivakkeren in een tipi*

Als je in de Noordoostpolder plotseling drie rood-gele wigwams ziet staan, hoef je niet aan je verstand te twijfelen. In de tipi's, 's zomers te huur op natuurkampeerterrein De Veenkuil, vind je het beste wat het indianenleven te bieden heeft: een vuurplaats om te koken en schapenvachten om op te slapen. Neem een vredespijp mee en je hebt je boeken over Winnetou niet meer nodig.

Hopweg 21 Bant | 0561 – 48 14 05 (vooraf reserveren) | www.womime-wakan.com

292 WAGONNETJES *Museum De Paviljoens*

Het leukste aan Museum De Paviljoens is misschien wel het gebouw. Het museum is gehuisvest in vijf zilverkleurige 'treinwagons', die eruitzien alsof ze per ongeluk naast de rails zijn blijven staan. Het museum, dat vooral aandacht besteedt aan moderne kunst, organiseert veel kinderactiviteiten, zoals kinderspeurtochten door het museum. Of de workshops Kids Kunst Kijken, op woensdagen en de eerste zondag van de maand.

Odeonstraat 3-5 Almere | 036 – 545 04 00
www.depaviljoens.nl

293 MOLENLANDSCHAP *Windpark Noordoostpolder*

Aan één enkele windmolen is niet zo veel bijzonders te ontdekken. Maar een park van 86 molens is echt een ander verhaal. Ten noorden van Urk wordt gewerkt aan het grootste windmolenpark van Nederland, Windpark Noordoostpolder. Het park levert straks genoeg energie om in 400.000 huizen alle computers, föhns en wasmachines van stroom te voorzien, maar zorgt ook voor een bijzonder landschap: de molens staan in drie lange rijen langs de dijken van het IJsselmeer. Via de bewegwijzerde ANWB Windmolenroute (onder andere te starten bij Urk) fiets je er keurig langs.
www.windkoepelnop.nl

294 HEKSENGOLF *Hans & Grietje*

Knibbel, knabbel, knuisje, wie knabbelt er aan mijn huisje? Ja, je hoort het goed. De heks uit het sprookje van Hans & Grietje is klaarwakker. Zeker als ze ziet hoe jij je handen uitstrekt naar het snoep op haar huisje in fantasiepark Hans & Grietje. Je staat oog in oog met de kinderetende toverkol, duikt in de speelhooiberg en roetsjt over de skelterbaan. En natuurlijk probeer je te minigolfen op een behekste golfbaan waar de ballen maar moeilijk in de holes willen. Vermoeiende types, die heksen...
Sternweg 2 Zeewolde | 0320 – 28 87 23
www.hansengrietjezeewolde.nl

295 TULPEN UIT FLEVOLAND *Tulpenroute*

Tulpen, zo zegt een overbekend liedje, komen uit Amsterdam. Maar ze groeien ergens anders. In Flevoland bijvoorbeeld. De Tulpenroute, een honderd kilometer lange autoroute, leidt je in het voorjaar langs de mooiste bollenvelden en polderdorpen in de Noordoostpolder. Het is zelfs de langste en kleurrijkste tulpenroute van Nederland. Gelukkig is er voor fietsers een kortere versie.
Te downloaden op
www.stepnop.nl/Tulpenfestival

296 PIEPERS *Het Aardappelfietspad*

Wat hebben bintje, malta, opperdoezer ronde en ratte met elkaar gemeen? Het zijn piepers. Oftewel aardappels. Op het aardappelfietspad kom je alles aan de weet over dit oer-Hollandse gewas. Het duizend kilometer lange fietspad, dat begint in het Friese Lauwersmeer, voert je langs aardappelvelden, boerderijen en logeeradressen. En natuurlijk eindig je in stijl met een puntzak dampende frites...
www.pieperpad.nl/pieperpad

297 KABOUTERTRIMBAAN *Het Grote Kabouterbos*

Een kabouteropenhaard die altijd brandt, een kabouterhelikopter die door het restaurant zweeft en een kaboutertreintje dat boven de hoofden van de gasten voorbij tuft: in het Grote Kabouterbos staat alles in het teken van kabouters. Loop de kabouterroute, bekijk hoe een paddenstoelenhuisje er vanbinnen uitziet en werk aan je conditie op de kaboutertrimbaan. Na afloop kun je in het restaurant genieten van het favoriete kabouterdieet: pannenkoeken en achttien soorten zelfgemaakt ijs.

Roggebotweg 21 Dronten | 0321 – 38 20 82
www.kabouterbosdronten.nl/

298 LICHTVALBETOVERING *La Defense Almere*

Je ouders vinden dit vast een krankzinnig idee: helemaal naar Almere rijden om te kijken naar een kantoorgebouw waar ook nog eens een vestiging van de Belastingdienst in zit. Maar het idee wordt al een stuk minder raar als je vertelt dat La Defense (zo heet het gebouw) een soort kameleon is: het gebouw past zich aan de lichtval van dat moment aan. De ramen zijn beplakt met meerkleurige folie, waardoor ze telkens van kleur veranderen. Soms zie je zelfs alle kleuren van de regenboog tegelijk...

Willem Dreesweg 14-24 Almere

299 KINDERSURVIVAL *Sec Survivals*

Bij survival denk je algauw aan bedrijfsuitjes voor volwassenen, maar in Almere kunnen ook kinderen zich uitleven op een route vol uitdagende hindernissen. Een deskundig begeleider loodst je langs obstakels waar je in het normale leven met een grote boog omheen zou lopen. Zoals junglebruggen, camotunnels en een klimwand. Winnen is niet belangrijk, je grenzen verkennen en samenwerken met je teamgenoten des te meer.

Verlaatweg 2 Almere | 06 – 23 23 26 28
www.sec-survivals.nl/jeugd-en-kinderen

300 TERUG NAAR -4300 *Het Swifterkamp*

Flevoland is echt niet alleen maar ingepolderd land. Het Swifterkamp (bij Natuurpark Lelystad) heeft een geschiedenis waar oude steden als Nijmegen en Maastricht jaloers op kunnen zijn. Het kamp – een gehucht van twee boerderijen, een jager-verzamelaarhut en een paar bijgebouwen – ontstond maar liefst 6300 jaar geleden. In die tijd begonnen jagers genoeg te krijgen van hun rondtrekkende bestaan en bouwden ze hun eerste vaste huizen. Een van de eerste dorpen van Nederland dus.

Vlotgrasweg 15 Lelystad | 0320 – 79 54 57 / 06 – 48 81 65 78 | www.spnf.net

301 AQUA MUNDO *Center Parcs De Eemhof*

De bezoekers van Aqua Mundo zwembad zijn het er roerend over eens: wie één keer in het zwemparadijs op De Eemhof is geweest, wil niet gauw meer ergens anders 'zwemmen'. Logisch, want de de spectaculaire wildwaterbaan, het bubbelbad en het golfslagbad staan garant voor uren spetterend waterplezier. Begroet de vissen in het koraalbad, oefen je surftechniek op de Flowrider en neem een duik in de 154 meter lange glijbaan, die je eerst spectaculair omlaag, dan steil omhoog en ten slotte over de finish voert. Tijd om bij te komen in het Aqua Café.

Slingerweg 1 Zeewolde | 036 – 522 91 00
www.dagjecenterparcs.nl/eemhof

302 GINKIES *Stegentocht Urk*

Mannen met verweerde gezichten, roestige vissersboten en gerafelde netten: in Urk kun je je nog gemakkelijk voorstellen hoe het was om op een visserseiland in de Zuiderzee te wonen. Vooral als je de Stegentocht loopt. Je doorkruist een wirwar van smalle steegjes (die 'op' Urk bekendstaan als ginkies), passeert de vuurtoren, het kerkje en het monument voor de verdronken vissers. Een bewegwijzerde reis terug naar de tijd dat Urk nog een groot eiland was.

Wijk 2-2 Urk | 0527 68 40 40
www.touristeninfourk.nl

303 VOOR ALTIJD GRIJS *De olifanten van Almere*

Almere heeft geen dierentuin, maar wel olifanten. De vijf dikhuiden van kunstenaar Tom Claassen zijn misschien niet zo bijzonder dat je er kilometers voor omrijdt, maar het is wel een klein wonder dat ze er nog staan. Tijdens het maken van het kunstwerk vlogen de twee eerste olifanten in brand en werd de werktent door storm vernield. Tot overmaat van ramp werden de dieren tijdens het wereldkampioenschap voetbal in 1996 oranje geschilderd. Een anti-graffiti-laag zorgt ervoor dat de beelden voortaan keurig grijs blijven.

Knooppunt A6/A27

304 PIRATENGOLF *De Beatrixboekaniers*

De tijden dat de Zuiderzee door piraten onveilig werd gemaakt, liggen alweer eeuwen achter ons. Maar aan de oevers van het IJsselmeer zijn er een paar achtergebleven. Ze hebben zelfs een midgetgolfbaan in piratenstijl ingericht: de Beatrixboekaniers. Nadat je bent begroet door een grote schedelrots, begin je aan een reis over de zeven zeeën. Wijnvaten, kanonnen, schatkisten en een op de klippen gelopen schip bezorgen je onderweg heel wat oponthoud.

Beatrixpromenade 4 Almere
036 – 530 63 89 / 06 – 52 69 10 31
www.midgetgolfalmere.nl

305 EILAND OP HET DROGE *Schokland*

Eeuwenlang trotseerde Schokland de golven van de Zuiderzee. Maar na het droogleggen van de Noordoostpolder was Schokland ineens geen eiland meer. Het dorp werd een vreemde heuvel in het vlakke polderlandschap. In Museum Schokland zie je hoe de eilanders vroeger hun hoofd boven water hielden. Je kan ook terug in de tijd reizen met een van de speciale luisterroutes (te downloaden vanaf de website). Maak kennis met de heksen van de zuidpunt, zie het water stijgen door de ogen van de lichtwachter en beleef het laatste stukje geschiedenis van de eilandbewoners: de ontruiming van Schokland. **Middelbuurt 3 Schokland | 0527 – 25 13 96 www.schokland.nl**

306 NATUUR PER ONGELUK *Oostvaardersplassen*

Toen Flevoland werd drooggelegd, bleven er een paar waterplassen over die te diep waren om leeg te pompen. De plassen werden 'vergeten' en ontwikkelden zich in recordtijd tot een zeldzaam moerasgebied waar veel vogels leven. Biologen uit heel Europa kijken vol verbazing toe hoe de natuur zich hier, vrijwel zonder menselijke hulp, heeft hersteld. Op zondagen (april t/m september) kun je met de ekocar een excursie maken naar een stuk van de Oostvaardersplassen waar je normaal niet mag komen. Een gids van Staatsbosbeheer neemt je mee naar het leefgebied van de drie 'grote grazers': heckrunderen, konikpaarden en edelherten.

Kitsweg 1 Lelystad | 0320 – 25 45 85 www.staatsbosbeheer.nl/natuurgebieden/ oostvaardersplassen.aspx

307 VOETZOOLAVONTUUR *Blote Voeten Zeebodempad*

Scherpe steentjes, brandnetels of vette modder: op blote voeten lopen is soms geen lolletje. Maar tijdens een wandeling over het Blote Voeten Zeebodempad is het net of je weer een zintuig terugkrijgt. Je laat je schoenen achter, waadt door ijskoud bronwater en loopt over de bodem van de voormalige Zuiderzee. Stap voor stap ervaar je hoe het is om modder, gras, keien of boomstammetjes onder je voetzolen te voelen. Terug naar de oertijd in de Noordoostpolder. **Zwartemeerweg 25 Kraggenburg 0527 – 25 84 17 / 06 –10 08 11 35 www.blotevoetenzeebodempad.nl**

308 KINDERARCHITECTUUR *KinderCASLA*

Is het een reuzengebakje? Een ronde versie van het Pippi Langkoushuis? Nee, het is KinderCASLA/KlokhuisHUIS. Het architectuurcentrum voor kinderen komt voort uit een prijsvraag van het tv-programma *Het Klokhuis*. *Het Klokhuis* vroeg kinderen om na te denken over een gebouw waar je lekker kunt slapen, spelen en wonen, maar waar je ook zo min mogelijk energie verspilt. Tijdens een individuele rondleiding (op zaterdag en zondag) kun je rondkijken in het vrolijkste gebouw van Nederland. In de vakanties kun je deelnemen aan uiteenlopende activiteiten, zoals het bouwen van een hut, een windwagen of een spacelab.

Dettifosspad 7 Almere | 036 – 538 68 42
www.kindercasla.nl

309 PERSOONLIJKE PANNENKOEK *Dubbel-Op*

Als je gewend bent aan schemerige pannenkoekenboerderijen, is Dubbel-Op in Lelystad wel even wennen. Het restaurant ziet eruit alsof het van een industrieterrein naar de stad is gebeamd, en ook in de keuken gaat het er wat anders aan toe. Je kiest je eigen favorieten uit een buffet met dertig ingrediënten en laat daar door de kok een verse – persoonlijke – pannenkoek van bakken. Leuk om te weten: de eigenaren van het restaurant, Irma en Arie van der Mee, bedachten ook de stoeptegel met het lieveheersbeestje tegen zinloos geweld. Een echtpaar met goede ideeën dus.

Wold 1110 Lelystad | 0320 – 28 08 00
www.dubbel-op.nl

GELDERLAND

310 OP KOBOLDENJACHT *Verraad op de Veluwe*

In het stripboek *Verraad op de Veluwe* logeren Suske en Wiske een paar dagen op de Hoge Veluwe. Ze komen er al snel achter dat er iets geheimzinnigs aan de hand is. Wat dat precies is, ontdek je tijdens de Suske en Wiske Avonturentocht. Je ontrafelt duistere geheimen en bindt de strijd aan met de Vale Ouwe, een boosaardige kobold die de Veluwe al eeuwenlang onveilig maakt. Gelukkig helpen Lambik, Jerommeke en tante Sidonia mee...

Bezoekerscentrum Hoge Veluwe Marchant-plein Otterlo | http://kindersitehogeveluwe.nl, klik op 'speurtochten'

311 OOK VOOR ZOOGDIEREN! *Slapen in een ei*

Overnachten in een hooiberg, slapen in een wijnvat of een tukje doen in een havenkraan. De hotelkamer met vier muren begint behoorlijk ouderwets te worden. Maar het kan altijd nóg gekker. Op Camping 't Schinkel bijvoorbeeld, want daar kun je slapen in een écht drakenei. Een familiedrakenei weltever-staan, want er passen vier mensen in. En een dikke matras. Nu maar hopen dat die draak niet terugkomt om te broeden...

Miggelenbergweg 56 Hoenderloo
055 – 378 13 67 | www.hetkinderkoninkrijk.nl

312 EXPEDITIE SAIMIRI *Apenheul*

Een tropische kinderboerderij, een gorilla-voederplaats en een orang-oetanverblijf in de stijl van het regenwoud van Borneo. In Apenheul leven de apen in gebieden die zo veel mogelijk op hun natuurlijke leefomgeving lijken. Ga mee op de gloednieuwe expeditie Saimiri, een tocht door de Zuid-Amerikaanse jungle langs meer dan honderd doodshoofdaapjes. Kom zelf klimmen en klauteren in de avontuurlijke Mekranoti trail en loop tussen de loslopende halfapen, dwergaapjes en doodshoofdaapjes. Dichter bij de apen kom je niet.

J.C. Wilslaan 21 Apeldoorn | 055 – 35 75 757
www.apenheul.nl

313 ONBEWOOND EILAND *SchatEiland Zeumeren*

Voor een onbewoond eiland met piraten moet je meestal een flink eind varen. Of koers zetten naar SchatEiland Zeumeren, het grootste overdekte avonturenparadijs van Nederland. Je spoelt aan op een onbewoond eiland waar van alles te beleven is: klimmen en klauteren, goudzoeken, schieten met kanonnen en bootjes besturen. En schatgraven met de kapitein natuurlijk.

Stroetweg 7 Voorthuizen | 0342 – 74 07 40
www.schateiland-zeumeren.nl

314 RUIMTEKEGELS *XtremeBowling*

Best leuk: je bowlingbal over de kegelbaan laten rollen. Maar als je echt van spektakel houdt, kies je voor een spelletje XtremeBowling. Oftewel kegelen in de ruimte. Je gooit je strikes (alle kegels in één keer om) in een decor van planeten en sterren. Tussen de fluorescerende kegels, banen, ballen en schoenveters waan je je ver weg in het heelal...

Zegendijk 3a Zieuwent | 0544 – 35 22 22
www.sourcycenter.nl

315 HOF VAN TWELLO *Blotevoetenpad*

Wat aten mensen in de middeleeuwen, de Romeinse tijd en de prehistorie? Je ontdekt het op het Blotevoetenpad in het Hof van Twello. Je trekt je schoenen uit en loopt langs historische tuinen, maar passeert ook een sprookjesplaats, een savanne en een tropisch eiland. In het hoogseizoen kun je je eigen groenten, kruiden en bloemen oogsten.

Rijksstraatweg 17 Twello | 0571 – 27 00 14
www.hofvantwello.nl

316 DE SCHAT VAN HET TRAPPENHUIS *De Zevensprong*

Een geheimzinnige kruising in het bos vormde de inspiratiebron voor *De Zevensprong*, het boek van Tonke Dragt dat in de jaren tachtig werd verfilmd. Tijdens de Kinderfietsroute De Zevensprong ontdek je waar de mysterieuze zevende wegwijzer naartoe leidt. Je volgt het spoor van schoolmeester Frans van der Steg en zijn klas en gaat op zoek naar de schat van het Trappenhuis. Maar voor het zover is, heb je de hulp van de leden van het complot van de Zevensprong hard nodig...

Start en informatiepunt: Pannenkoekboerderij De Heikamp | Hengeloseweg 2 Ruurlo
0573 – 45 20 90 | www.heikamp.nl

317 WILDE FLAMINGO'S *Zwilbroekerveen*

Flamingo's zie je meestal in de dierentuin, maar in het Zwilbroekerveen, pal op de grens met Duitsland, kun je ze in het wild betrappen. Het noordelijkste broedgebied van de flamingo kleurt elk jaar tussen maart en juli flamingoroze. De grootste kans om de vogels te spotten heb je aan de Duitse kant van de grens. Daar vind je ook Europa's grootste binnenlandse kokmeeuwenkolonie, een tweetalig informatiecentrum en enkele uitzichtposten. Neem een verrekijker mee.

Een paar kilometer ten oosten van Groenlo
www.bszwillbrock.de

318 WATERTRAP *Watervallen Loenen*

In een plat land als Nederland kun je een flinke waterval wel vergeten. Maar bij Loenen op de Veluwe vind je de Nederlandse versie van de Niagara Falls. Het water van de Vrijenbergerspreng stort maar liefst vijftien meter naar beneden. Dat klinkt spectaculairder dan het is, want het water daalt in kleine trapjes naar beneden af. Geen bulderende watermassa's en wit schuim dus, wel een fotogenieke watertrap.

Bij parkeerplaats Vrijenberg aan de N786 van Loenen naar Beekbergen

319 TREINRIT DOOR DE JAREN VIJFTIG *Veluwe IJssel Boemel*

De Veluwe IJssel Boemel combineert drie vervoermiddelen uit drie verschillende tijdperken. Je begint je reis in een puffende boemel uit de beginjaren van de stoomtrein. Daarna vaar je in een salonboot over de kronkelende IJssel van Dieren naar Zutphen. Na afloop brengt de NS je weer terug naar je vertrekpunt. Een heel nostalgisch uitje.

Dorpsstraat 140 Beekbergen | 055 – 506 19 89
www.stoomtrein.org

320 BOKTOR EN VLIEGEND HERT *Reuzeninsecten*

Mieren, mestkevers en pissebedden zijn nuttige insecten. Maar als ze twee meter groot zijn, wil je ze liever niet tegen het lijf lopen. Toch is dat precies wat er gebeurt als je een fietstocht maakt door het Speulderbos. In dit bos, dat bekendstaat als het 'bos van de dansende bomen', vind je in de toppen van een aantal gestorven beuken de reuzeninsecten van beeldhouwer Harry Leurink. Leurink maakte de beelden als een eerbetoon aan de 'vuilnismannen van het bos'. Zoals de boktor, de doodgraver en het vliegend hert, de grootste kever van Nederland.

Bij 't Solse Gat, vlak bij restaurant Het Boshuis in de landbouwenclave Drie
www.harrysnijdthout.nl

321 SKATEN IN DE KERK *Sk8hal Arnhem*

Een groep Arnhemse jongeren bedacht een paar jaar geleden een wild plan. Ze vonden een leegstaande kerk die ze met steun van het kerkbestuur tot een skatepark verbouwden. Waar ooit kerkbanken en heiligenbeelden stonden, kun je nu spectaculaire sprongen maken op je skateboard, skates of BMX. Wie zei dat jongeren niet meer naar de kerk gaan?

Rozendaalseweg 700 Arnhem
www.sk8hal.nl

322 FIETSTOCHT MET KANONSKOGEL *Onder Vuur*

De kinderfietsroute Onder Vuur voert je terug naar de Tachtigjarige Oorlog. Je maakt kennis met Bregje, een meisje dat bij de stadswallen door soldaten is opgepakt. Haar vader is naar de Spanjaarden overgelopen, maar de Prins van Oranje wil zijn leven sparen in ruil voor een belofte. Je ziet het beleg van Groenlo door Bregjes ogen en ontdekt waarom de Staatse troepen en de Spanjaarden elkaar naar het leven staan. Gelukkig krijg je een rugzak én een kanonskogel mee. Elshofweg 6 Groenlo | 0544 – 46 60 00 www.marveld.nl

323 LANGHARIGE TECKEL *Gootspoken*

Een vleermuis, een brilspook en een Waalwachter. Rugzakspookjes op een muur en zelfs een ziek spook. In Zaltbommel wemelt het van de gootspoken. Ze begluren de voorbijgangers van achter schoorstenen en vanuit dakgoten, maar ze zijn vrij onschuldig. Kunstenaar Joris Baudoin maakte de beeldjes, die vaak iets over een huis of zijn bewoners vertellen. De meeste spoken hebben zich goed verstopt, maar tijdens de stadswandeling Gootspook in Zaltbommel kom je een bont gezelschap tegen. Zoals de langharige teckel, de lichtende vleermuis of de Gootpaparazzo. En natuurlijk het bekende gootspook Karl Marx. Gratis te downloaden op www.rivierenland. nl, klik op 'Zien, Doen en Beleven' en daarna op 'Wandelroutes'

324 BOS IN DE HOOGTE
De Bostoren

Vreemd gevaarte: de Bostoren op Landgoed Schovenhorst. Want tijdens een beklimming van de veertig meter hoge toren kom je niet alleen langs een galerij met nestkasten en een vrij hangende klimkooi, maar eindig je zoals je begonnen bent: in een bos. Boven op de toren bevindt zich een bomentuin, zodat je tegelijkertijd onder de bomen en boven de boomtoppen staat. Een heel bijzondere sensatie. Gardereseweg 93 Putten | 0341 – 35 12 07 www.schovenhorst.nl

325 ONDERGRONDSE STAD
Historische kelders Arnhem

Ze waren bijna vergeten, de ruim dertig eeuwenoude kelders die ongebruikt onder de Arnhemse binnenstad verborgen lagen. Gelukkig werden de historische kelders in 2003 herontdekt, met elkaar verbonden en in hun oude staat hersteld. Het resultaat is een mysterieus ondergronds gangenstelsel, waar je op doordeweekse dagen een kijkje kan nemen. Een echte stad onder de stad.

Oude Oeverstraat 4A Arnhem
026 – 445 57 78 | www.historischekelders.nl/
historische-kelders/zelf-de-kelders-beleven

326 HERTENGEWIJEN *Het Aardhuis*

Stel: je wil wel wild spotten, maar niet voor dag en dauw op. Aan de hand van de boswachter over de Veluwe lopen, trekt je ook niet zo. Dan ga je naar Het Aardhuis. Daar vind je niet alleen een museum met antieke geweren en stoelen gemaakt van hertengeweien (koning Willem III gebruikte het huis om uit te rusten van de jacht), maar ook een wildpark waar reeën, herten en wilde zwijnen rondscharrelen. Soms schijnen er zelfs aardmannen rond te lopen...

Aardhuis 3 Hoog Soeren | 055 – 519 13 37 /
0578 – 66 29 55 | www.aardhuis.nl

327 ALTIJD OPVANG *Bikken*

Leuk hoor, met je ouders uit eten. Maar als jij na tien minuten je frietjes met appelmoes achter de kiezen hebt, willen zij nog anderhalf uur natafelen. Gelukkig is er Bikken in Doetinchem. Daar kun je, zodra je ergste honger is gestild, terecht op een speelzolder die van alle gemakken is voorzien: een compleet speelhuis, PlayStation en tv-hoek, en volop spullen om mee te spelen, te knutselen en te schminken. Goed voor je ouders om te weten: er is altijd opvang aanwezig.

Grutstraat 12 Doetinchem | 0314 – 36 65 98
www.bikken-doetinchem.nl

328   WITTE MOTOR *De MelkDrive*

Stel, je bent in de buurt van Nijmegen aan het wandelen of fietsen, en je krijgt ineens enorme zin in melk. Geen waterig fabrieksgoedje, maar ouderwetse, verse melk van de koe. Dan ga je naar de plattelandsversie van de McDrive: de Melkdrive. Daar tap je zelf een beker, fles of jerrycan melk uit de automaat: vers gemolken én gekoeld. Als dat geen witte motor is...

Schaarsestraat 6 Hernen | 0487 – 53 13 97
www.bijteun.nl

329   VERFBOMMETJES *Kinderpaintball*

De soldaten mogen dan weg zijn, rondom de oude Simon Stevinkazerne wordt nog altijd geschoten. Met paintballen welteverstaan. Slalommend door de bossen doe je je best om verfbommetjes te ontwijken en je tegenstander op een voltreffer te trakteren. Na afloop vrede sluiten bij een drankje.

Nieuwekazernelaan 10 Ede
06 – 23 03 22 25 / 06 – 18 97 96 55
www.paintballcentrumdeunit.nl

330   STEKELIGE VARIANTEN *Familie Park CactusOase*

Het dorpje Ruurlo in de Achterhoek is misschien niet de plaats waar je een woestijn verwacht, maar in de kassen van CactusOase waan je je algauw in het droge binnenland van Mexico. De verwarmde kassen staan vol met stekelige varianten, van zaaibed tot reuzencactus. Neus rond in een nostalgisch huis met spulletjes uit de jaren dertig en veertig, begroet de tropische vogels in de vogeltuin en sta even stil bij de blikvanger van het park: een cactuspiramide van vier meter hoog.

Jongermanssteeg 6 Ruurlo | 0573 – 45 18 17
www.cactusoase.nl

331   SPITSUUR OP DE RIJN *Varen tussen de grote jongens*

Zo druk als op de snelweg is het er nog niet, maar het stuk Rijn bij Tolkamer komt aardig in de buurt: nergens varen zo veel binnenvaartschepen op een kluitje. Tijdens een rondvaart met Rederij Witjes zie je niet alleen enorme container-, vracht- en autoschepen die volgeladen richting Duitsland varen, maar realiseer je je ook hoe ongelofelijk het is dat de schepen elkaar elke dag weer zonder ongelukken passeren. Een fascinerende vaartocht tussen de grote jongens.

Europakade, aan de derde aanlegsteiger
Tolkamer | 0316 – 54 05 54 / 06 – 53 24 37 47
www.rederijwitjes.nl

332 TOCHT DOOR HET RIOOL *Watermuseum*

Een spannende tocht door het riool maken, ontdekken hoe je een druppel water in de lucht kunt stilzetten of proberen om een ei op water te laten drijven. In het Nederlands Watermuseum kom je alles te weten over zoet én zout water. Je bekijkt een spetterende film in de Watercinema, leert waarom water in de toekomst net zo kostbaar wordt als olie en ziet hoe sluizen en gemalen een overstroming kunnen voorkomen. Daarna trek je zelf een witte labjas aan om proefjes te doen in de leukste ruimte van het museum: het Waterlab.

Zijpendaalseweg 28 Arnhem
026 – 445 25 48
www.watermuseum.nl

333 VERWENADRESJE *Prinsheerlijk*

De troon staat al klaar bij Restaurant Prinsheerlijk. Logisch, want kinderen kunnen hier rekenen op een koninklijke ontvangst. Verkleed jezelf als prinses of ridder in de Troonzaal, leef je uit op een potje tafelvoetbal en geniet – als je tussendoor tenminste tijd hebt – van een van de toppers op het kindermenu. In 2006 uitgeroepen tot het meest kindvriendelijke restaurant van Nederland.

Schietbergseweg 28 Rheden | 026 – 446 55 93
www.restaurantprinsheerlijk.nl

334 FLIPJES EEUWIGE JEUGD *Flipje & Streekmuseum*

Stripfiguur Flipje is hét gezicht van de Betuwe. Het vrolijke kereltje, met het lijf van een framboos en armen en benen van bessen, werd in de jaren dertig bedacht om jam uit de Betuwe aan de man te brengen, en is terug van weggeweest. Flipje staat weer op de etiketten van de Betuwejam, beleeft sinds 2002 nieuwe avonturen – het fruitbaasje strijdt tegen zinloos geweld en overgewicht – en heeft zelfs een eigen standbeeld op de Groenmarkt in Tiel. In het Flipje & Streekmuseum kom je alles te weten over Flipje en zijn vriendjes Flapoor Olifant, Jasper Aap en Bertje Big.

Plein 48 Tiel | 0344 – 61 44 16
www.streekmuseumtiel.nl

335 GEEN NACHTMERRIES
Amusementspark Tivoli

Wie denkt dat je voor Manneken Pis helemaal naar Brussel moet, moet eens een kijkje nemen in het Nijmeegse amusementspark Tivoli. Daar staat niet alleen een kopie van 's werelds beroemdste wildplasser (mét waterstraal), maar vind je een aantal 'heftige' attracties op kinder- en zelfs peuterformaat. Zoals minibotsautootjes waar je zonder je ouders in kunt, een reuzenrad waarin je geen last krijgt van hoogtevrees en een griezelbos waar je naderhand geen nachtmerries van krijgt. Er is zelfs een achtbaan die níét over de kop gaat...

Oude Kleefsebaan 116 Berg en Dal
024 – 684 44 44 | www.parktivoli.nl

336 TAPAS KIDS Kinderkookcafé in Dudok

Ben jij gek op koken? Of vind je het leuk om met eten te knutselen? Dan moet je je eerstvolgende feest misschien bij het Kinderkookcafé in Dudok vieren. Onder deskundige begeleiding leef je je uit op een verrukkelijke high tea of een tafel vol tongstrelende tapas.

Je kan ook kiezen voor thema's zoals Sprookjeskoken of Griezelkoken. Handig als het weer eens Halloween is...

Koningstraat 40 Arnhem | 026 – 351 18 72
www.dudok.nl, klik op 'Arnhem' en daarna op 'kids'

337 PUCMAN Spelcomputermuseum

Zit jouw dagelijkse portie gametijd er alweer op? Dan vraag je je ouders of ze mee willen naar het museum. Je zegt er alleen niet bij wat er in het museum te zien is: spelcomputers. Nee, niet de nieuwste machines, maar de voorlopers van de voorlopers daarvan. In voormalig hotel Het Waeghuys in Epe vind

je ruim dertig klassiekers, die speelklaar staan opgesteld. Zoals de Sega Thunderblade-tanksimulator, de Barcode Battler en PucMan, de voorloper van PacMan. Open op afspraak.

Sint Antonieweg 20 Epe
www.bonami-spelcomputer-museum.nl

338 HEKSENKENNIS *Smoks Hanne-route*

Met dieren praten, geneeskrachtige drankjes brouwen en de toekomst voorspellen. Voor de bewoners van Zelhem was Smoks Hanne honderdvijftig jaar geleden de ideale heks. Helaas was de toverkol, die meestal achterstevoren op haar bezemsteel rondvloog, op een dag spoorloos verdwenen. Een goede opvolger is nog altijd niet gevonden, maar dat kan veranderen. Op de Smoks Hanneroute, een uitdagende fietstocht voor kinderen, kun jij laten zien of je een beetje heksenkennis hebt. Kijk of je alle opdrachten zonder kippenvel kunt uitvoeren en wie weet, schuilt er in jou wel een eersteklas heks.

Stationsplein 10 Zelhem | 0314 – 62 38 11
www.vvvzelhem.nl

339 OP ONTDEKKINGSREIS *Het Verborgen Verblijf*

Voor een echte ontdekkingsreis moet je niet in Nederland zijn. Maar in Het Verborgen Verblijf, op Landgoed Thornspick, treed je moeiteloos in de voetsporen van ontdekkingsreizigers als Stanley en Livingstone. Vanuit een verborgen tent op een geheim adres (dat je pas te horen krijgt als je hebt geboekt) ontdek je een avontuurlijk stukje natuur. Je gaat aan de slag met een veldtelefoon, zoekt met een telescoop de gitzwarte hemel af naar sterren of ontdekt de magie van 78 toerenplaten. Leuke bijkomstigheid: de stroom voor de verlichting produceer je zelf door met behulp van een fiets een accu op te laden. Wel stevig blijven doortrappen dus.

06 – 53 30 75 72 | www.verborgenverblijf.nl

340 SLAPEN IN EEN BOOMTENT *Camping de Hertshoorn*

Als je uitgekeken bent op gewone hotelkamers, geen last hebt van hoogtevrees en ook niet slaapwandelt, moet je snel een keer overnachten in een van de boomtenten op Camping de Hertshoorn. De tenten, die eruitzien als reusachtige groene druppels, hangen verspreid in de bomen aan de rand van het dorp Garderen. Wie *Lord of The Rings* heeft gezien, moet algauw denken aan het land Lórien, waar elfenkoningin Galadriel haar gasten in reusachtige bomen verwelkomt.

De Putterweg 68-70 Garderen | 0577 – 46 15 29
www.ardoer.com

341 BOERENVERLEDEN *Openluchtmuseum Erve Kots*

De naam is misschien even slikken, maar bij Openluchtmuseum Erve Kots maak je een spannende tijdreis naar de tijd dat boeren nog alles met de hand deden. Machines als de draadloze grasmaaier en de koeienmelkrobot waren nog toekomstdromen en mensen sliepen tussen de dieren in een 'los hoes'. Je bewondert een oude Saksische hoeve met bedsteden en een weefkamer, bezoekt de bijenstal en de schaapskooi, en ziet hoe de klompenmaker vroeger te werk ging. Na afloop kun je in de oud-Saksische herberg genieten van een echte pillewegge. Oftewel een pannenkoek vers van het fornuis.

Eimersweg 4 Lievelde | 0544 – 37 16 91
www.ervekots.nl

342 GRIEZELEN IN HET MAÏS *Hoppie's Dooltuinen*

Voor een ouderwetse portie verdwalen ben bij je bij Hoppie aan het goede adres. De grootste dooltuin van Nederland bestaat uit verschillende labyrinten, die er elk jaar weer anders uitzien: grote maïs- en puzzeldoolhoven, maar ook een palendoolhof, een strobalendoolhof, een spinnenwebdoolhof en een balkendoolpad. Op zoek naar een extra kick? In de maïsdoolhoven kun je vanaf eind september op vrijdagavond terecht voor een portie onbeperkt griezelen. Monsters, spoken en andere ongure wezens wachten je in het donker op...

Zandweg 17 Ammerzoden | 06 – 27 13 73 54
www.hoppie.info

343 DUISTERE RAADSELS *Het geheim van Herriwarda*

Als je door het rivierenland in de buurt van Heerwaarden rijdt, denk je niet meteen aan duistere geheimen. Maar vergis je niet: bij bezoekerscentrum De Grote Rivieren ligt een vreemd mysterie op je te wachten. Het geheim van Herriwarda (de oude Latijnse naam van Heerewaarden) voert je mee op een spannende speurtocht door de uiterwaarden. Met behulp van gps, audio, video en ander 'bewijsmateriaal' ga je op zoek naar de antwoorden op een oud raadsel.

Langestraat 38 Heerewaarden
0487 – 57 28 31
www.bcdegroterivieren.nl

344 OUDER-KINDTRIATLON *Fietsen, varen, bugxteren*

Kun je de dagen vissen met je vader zo langzamerhand wel dromen en heb je geen zin om wéér met je moeder te gaan shoppen? Dan heeft Peter Oversteegen een mooi alternatief: de ouder-kinddag. Je stoere uitje begint in Rheden, waar je de keuze hebt uit een fiets of tandem. Bij de Dierense sluis stappen jullie in een tweepersoonskano, waarna het tijd is voor echte actie: een ritje in een bugxter, een open tweepersoonsbuggy die een snelheid kan halen van zestig kilometer per uur. Camera mee!
Heuvenseweg 5A Rheden | 026 – 495 55 11
www.peteroversteegen.nl

345 PYGMEEËN EN PAALWONINGEN *Afrika Museum*

Dat kan in het Afrika Museum bij Nijmegen. Het museum laat het werelddeel in al z'n rijkdom zien: van paalwoningen uit Mali tot een pygmeeënkamp uit Kameroen, en van Afrikaanse groentetuintjes tot kunstwerken met tanden en veertjes. Met een PSP (een kleine spelcomputer) kun je een beeld- en geluidtour door het museum volgen.
Postweg 6 Berg en Dal | 024 – 684 72 72
www.afrikamuseum.nl

346 NAAR DE HAAIEN
Burger's Zoo

Een enorme tropische kas met kronkelende lianen, slingerende paadjes en watervallen. Een uitgestrekte woestijn waar kalkoengieren en bobcats rondscharrelen en een vloedbos waar je pas na lang zoeken de zeilhagedissen vindt. In Burger's Zoo zijn de natuurgebieden van verre landen tot in de kleinste details nagebootst. Je ontmoet Maleise beren in de Rimba, gaat op zoek naar vliegende honden in de Bush en kijkt van onderaf naar de meest gevreesde bewoners van de oceaan: haaien.
Schelmseweg 85 Arnhem | 026 – 442 45 34
www.burgerszoo.nl

10 X KARTEN

Optrekken en afremmen, een flinke dot gas geven en eindelijk je voorganger inhalen: op de kartbaan voel je je algauw een echte autocoureur. Zet een helm op, scheur lekker door de bocht en zet je tegenstanders op een ronde achterstand.

347 GO-KART-IN

Op speciale uren en dagen kun je Juniorkarten met je vader, moeder, oudere broer of zus. Vanaf negen jaar en een minimale lengte van 1 meter 40.
Baanhoekweg 1A Dordrecht | 078 – 616 616 4 | www.kart.nl

348 DE VOLTAGE INDOOR ENTERTAINMENT

Ervaar wat snelheid is en voel je een echte Schumacher. Vanaf zes jaar.
Groenstraat 139-391 Tilburg | 013 – 580 00 07 | www.kartenmetkinderen.nl

349 ALL-IN-ECHT

Spectaculaire kartbaan met een fly-over en een honderd meter lange tunnel. Minimale lengte: 1 meter 35.
Bandertlaan 9 Echt | 0475 – 41 89 00 | www.allinecht.nl

350 ATTRACTIECENTRUM ZOETERMEER

Ervaar het ultieme racegevoel in een Sodi juniorkart! Minimale lengte: 1 meter 35.
Wattstraat 20 Zoetermeer | 079 – 342 62 26
www.attractiecentrum.nl/kids/kinderattracties/karten

351 RACE PLANET DELFT

Deze kartbanen strekken zich uit over meerdere verdiepingen. Voor kinderen vanaf vijf jaar zijn er kinderkarts met aangepaste snelheid.
Kleveringweg 18 Delft | 015 – 212 72 22 | http://raceplanet.nl/karten/delft

352 ANAC INDOORKARTING

Vanaf acht jaar en 1 meter 40 rij je in speciale, licht afgestelde kinderkarts.
Energieweg 102 Nijmegen | 024 – 378 85 44 | www.anac-karting.nl/Kids.html

353 INDOOR KARTING GOES

Scheur je vader of moeder voorbij tijdens de speciale Ouder en Kind Races.
Da Vinciplein 1 Goes | 0113 – 25 04 63 | www.kartinggoes.com/ouder-en-kind-race

354 HEZEMANS INDOOR KARTING

Kinderen tussen de 1 meter 15 en 1 meter 45 scheuren in MINI-Karts over het
circuit. Aangelegd door topcoureur Mike Hezemans.
Vijfkamplaan 18 Eindhoven | 040 – 248 04 45 of 0900-karting | www.hezemans.nl/
karten-kids/

355 KARTBAAN WINTERSWIJK

Vanaf zeven jaar zoef je in een kinderkart over de baan. Zodra je twaalf bent mag
je in een volwassenkart racen.
Tinbergenstraat 3 Winterswijk | 0543 – 53 34 80 | www.kartbaanwinterswijk.nl

356 HIPPO KART & PARTY CENTRE B.V.

Snelheidsduivels vanaf acht jaar kunnen zich uitleven in Kids Fun Go Karting:
veilig racen in kleinere karts.
Molenveld 5 Hippolytushoef | 0227 – 59 12 12 | www.hippokart.nl

357 OVERLEVEN OP DE VELUWE *Survival Marathon*

Een kanotocht. Een sprong op de bungeetrampoline. Mountainbiken door de bossen, heide of steppen langs het Veluwemassief. De Survival Marathon op de Veluwe vormt een aaneenschakeling van (in)spannende activiteiten en avonturen. Je beklimt een tien meter hoge klimwand, probeert droge voeten te houden op de touwsurvivalbaan of test je aanleg voor een sport die sinds de Hunger Games niet meer stuk kan: boogschieten.

Start: parkeerplaats De Bleek, bij bushalte Hattem | 038 – 444 54 28 (reserveren aanbevolen, vanaf twee personen) | www.vadesto.nl

358 HOGER NIVEAU *Real X*

Skaten, skateboarden of dansen op de dance-dance machine. Het kan allemaal op Real X, een skatepark waar je je tricks binnen de kortste keren naar een hoger niveau tilt. Ben je geblesseerd of is je skateboard aan vervanging toe? Dan kun je ook gewoon een avondje kijken, hangen of gamen. Een heel relaxed skatepark dus.

Sleutelbloemstraat 71A Apeldoorn
www.real-x.org

359 FIETSEN OVER HET SPOOR *Grensland Draizine*

Fietsen over treinrails is meestal levensgevaarlijk. Tenzij je het overgeschoten stukje spoor pakt tussen Groesbeek, Kranenburg en Kleef. Daar kun je terecht voor een ritje op de Grensland Draizine, een soort spoorkarretje dat je met behulp van pedalen voortbeweegt. Sturen is niet nodig (je kan maar één kant op), plotseling vermoeide benen zijn geen probleem. Je ouders trappen het wagentje moeiteloos naar Kleef heen en weer.

Bahnhofstraße 15 Kranenburg, Duitsland
00 49 (0)2826 – 917 99 00
www.grenzland-draisine.eu (Duitstalig)

360 ERVARINGSTOCHT IN HET DUISTER *MuZIEum*

Hoe ziet het leven van een blinde eruit? Wat gebeurt er in je ogen en hersenen voordat je beeld waarneemt? In het muZIEum verken je de wereld van het zien en niet-zien. Je voelt, proeft, ruikt en beluistert het dagelijks leven tijdens een spannende tocht door het donker. Een verrassende beleving voor al je zintuigen.

Keizer Karelplein 32H Nijmegen
024 – 322 16 81 | www.muzieum.com

361 WANDELGANG *De doorgezaagde bunker*

Een wandelpad dat dwars door een twee meter dikke bunker loopt. Het klinkt onwaarschijnlijk, maar het bestaat echt. Bij Culemborg is uit een van de bunkers van de Nieuwe Hollandse Waterlinie (een gebied dat onder water kon worden gezet om vijanden tegen te houden) een kaarsrechte 'plak' gesneden, zodat je kan zien hoe de vroegere schuilplaats er vanbinnen uitziet. Loop je het stukje Waterliniepad tussen Houten en Geldermalsen, dan kom je de bunker vanzelf tegen. Je kan ook de TomTom van je ouders laten zoeken naar de Diefdijk, langs de A2.
www.hollandsewaterlinie.nl/items/waterliniepad.aspx

362 WERELDWONDEREN *Veluws Zandsculpturenfestival*

Ben je trots op je zandbouwwerken? Dan kun je beter niet naar 't Veluws Zandsculpturenfestijn gaan. Daar staat elk jaar weer een jaloersmakende collectie kunstwerken van zand: standbeelden, kastelen en wereldwonderen, maar ook zandportretten van BN'ers en leden van het koninklijk huis. Vanuit de monorail heb je een prachtig uitzicht over de zandsculpturen.
Oude Barnevelderweg 5 Garderen
www.zandsculpturenfestijn.nl

363 GEHEIM FAMILIERECEPT *Landgoed Heerlijkheid Mariënwaerdt*

Stel, je hebt een mooi landgoed met drie joekels van landhuizen en zeventien boerderijen. Lekker van genieten, zou je zeggen, maar de eigenaren van Landgoed Heerlijkheid Mariënwaerdt hadden een heel ander idee. Ze stelden hun 'buiten' open voor bezoekers. Dat komt mooi uit, want op het landgoed kun je prachtig wandelen en fietsen. Of je honger stillen in pannenkoekenhuis de Stapelbakker. Vergeet niet om een van de beroemde walnotentaartjes van mevrouw Van Verschuer mee te nemen. In kleine hoeveelheden gebakken naar geheim familierecept!

't Klooster 5 Beesd | 0345 – 68 70 10
www.marienwaerdt.nl

364 OOSTENRIJKSE BERGEN *Modelspoorpanorama*

Je hebt treinliefhebbers die op zolder een modelspoor leggen. En je hebt Bernard Beusink. Deze treinenfanaat veranderde zijn tuin in een modelspoor met prachtig gemaakte treinen. De treinen rijden rond in een enorm Oostenrijks berglandschap, waarin je steeds iets nieuws ontdekt: bruggen, stations, een stad, een kasteel en zelfs skiliften. Op een beperkt aantal dagen per jaar te bezichtigen in een privéachtertuin.

Beerninkweg 2a Aalten
http://modelspoor-aalten.webs.com

365 EEN EZELTOCHT MAKEN *Ezelstal de Edelingen*

Ezels zijn leuk om te zien, en – niet onbelangrijk – ze kunnen een flink pak op hun rug meezeulen. Jouw bagage bijvoorbeeld, als je een trektocht maakt door de Achterhoek en ongehinderd om je heen wil kijken. En omdat een paar kilo meer of minder toch niet uitmaakt, kun je ook meteen een picknickmand laten vullen.

Kattekolkweg 1 Zelhem | 0314 – 62 06 80
www.ezelstal.com

366   ONDERGRONDSE ZAKEN *Museonder*

Sommige musea lijken er alles aan te doen om niet gevonden te worden. Ook het Museonder heeft zichzelf behoorlijk goed verstopt. Het museum ligt ingegraven onder het bezoekerscentrum van Nationaal Park De Hoge Veluwe. Eenmaal binnen krijg je een verrassend beeld van alles wat er onder het aardoppervlak leeft: van een compleet wortelstelsel van een 135 jaar oude boom tot het grotendeels verborgen leven van vossen en dassen.

Marchantplein Otterlo | **0900 – 464 38 35**
www.hogeveluwe.nl

367   OORLOGSDRAMA *Het Verscholen Dorp*

Bijna twee jaar lang slaagden de bewoners van het Verscholen Dorp erin om uit handen van de Duitse bezetter te blijven. Helaas stuitten twee Duitse officieren in 1944 bij toeval op de ondergrondse hutten. Ze namen acht van de tachtig bewoners gevangen (de rest ontkwam) en schoten hen kort daarna bij het onderduikerskamp dood. Langs de Pas-Opweg, in de Soerelse bossen bij Vierhouten, vind je een gedenksteen en een aantal nagebouwde hutten (de originele hutten waren na de Tweede Wereldoorlog ingestort). Een tastbare herinnering aan een van de vele trieste gebeurtenissen in de oorlog.

Nunspeterweg 1b Stichting Het Verscholen Dorp | **www.verscholendorp.eu**

368 FRISBEE IN THE BASKET! *Discgolf*

Leuk, zo'n frisbee die strak door de lucht zeilt. Maar voordat je je werpschijf in een van de stalen manden van Discgolf Groesbeek hebt gegooid, ben je heel wat worpen verder. Stug volhouden dus, en oppassen dat je de koeien en paarden in het weiland niet raakt.

Zevenheuvelenweg 47 Berg en Dal
024 – 684 17 82 | www.discgolfgroesbeek.nl /
www.nederrijkswald.nl/pages/nl/camping.php

369 VAN VROEGER *Oude Ambachten en Speelgoedmuseum*

Wat doet een touwslager, hoe maak je glas-in-loodramen, en hoe verander je een koei-enhuid in een soepel stuk leer? In het Oude Ambachten en Speelgoedmuseum reis je terug naar de tijd dat een dokter een chirurgijn heette en je voor nieuw schoeisel naar de klompenmaker moest. Je bewondert antiek speelgoed zoals oude kinderserviesjes en Dinky Toys, kijkt rond in de smidse of neemt plaats in de wachtkamer van de Poppen- en Berendokter. Dé kans om je beer weer van twee gezonde ogen te voorzien!

Rijksweg 87 Terschuur | 0342 – 46 20 60
www.ambachtenmuseum.nl

370 POPPENKASTHELDEN *Het Land van Jan Klaassen*

Jan Klaassen en Katrijn zijn de bekendste helden van de poppenkast. Ze zijn ook de bewoners van het Land van Jan Klaassen, het grootste poppentheater van Nederland. In een echt kasteel brengt een professionele poppenspeler hun avonturen elke dag weer tot leven. En na een ritje in de Jan Klaassen-express kun je dag echt niet meer stuk!

Gildeweg 6 Braamt | 0314 – 468 47 77
www.janklaassen.nl

371   TIJDREIZEN DOOR NEDERLAND *Nederlands Openluchtmuseum*

Een oude Amsterdamse achterbuurt, een Brabants café en een arbeidershuisje uit de jaren zeventig. In het Nederlands Openluchtmuseum trekt het dagelijks leven van de afgelopen eeuwen aan je voorbij. Je gluurt binnen bij een kasteelboerderij, maakt een ritje in een tram uit 1929 en snuift de geuren op in de ouderwetse bakkerswinkel. Als klap op de vuurpijl maak je een rit in de HollandRama, een 'tijdcapsule' die regelrecht uit het laboratorium van professor Barabas afkomstig lijkt te zijn. Geuren en temperatuurwisselingen zorgen ervoor dat je deze tijdreis niet snel vergeet...

Schelmseweg 89 Arnhem | 026 – 357 61 11
www.openluchtmuseum.nl

372   RELAXED RACEN *Tandem met versnelling*

Beschouw je sport als een overbodige inspanning of zet je graag je vader of moeder aan het werk? Dan kun je in Appeltern terecht voor het ideale uitje. Je klimt achter op een van de tandems (je vader, moeder, suikeroom, grote broer of sportieve oma zit uiteraard vóórop) en racet relaxed door het land van Maas en Waal. De tandems hebben 21 versnellingen, dus als je eens even echt gas wil geven, *no problem!*

Sluissestraat 18a Appeltern | 0487 – 54 06 71/ 06 – 53 63 45 75 | www.riverside-outdoor.nl

373   DE GEBOORTE VAN EEN PANNENKOEK

Wiesjes Pannenkoekenmiddag

Heerlijk, zo'n verse pannenkoek die je bord helemaal vult. Maar wat gebeurt er eigenlijk voordat de pannenkoek een pannenkoek wordt? Wiesje laat het je zien tijdens Wiesjes Pannenkoekenmiddag. Je fietst langs akkers met graan, een molen en de boerderijen van Damkot en Samberg, waar melk en eieren geproduceerd worden. Na afloop van de tocht maak je je eigen meel en bak je buiten, op het houtgestookte fornuis, je eigen pannenkoek. Wedden dat die dubbel zo lekker smaakt?

Kobstederweg 13 Winterswijk
www.schnitzel-antoon.nl, klik op 'Kinderen' en 'Pannenkoekenarrangement'

374 GOUDEN KOOI *Paleis Het Loo*

Toen Paleis Het Loo werd gebouwd, deed niemand moeilijk over de kosten. Een gouden kroonluchter meer of minder: geen probleem. Een plafondschildering of wandtapijt: doen! Zo ontstond de mooiste gouden kooi van Nederland. Prinses Margriet en Pieter van Vollenhoven vonden het té. Maar koningin Wilhelmina, die het paleis tot haar dood bewoonde, was zeer tevreden over haar onderkomen. Toen ze na afloop van de Tweede Wereldoorlog (na jaren ballingschap in Londen) naar het paleis terugkeerde, was haar enige reactie: 'Breng een sjoelbak!' Waarop ze vervolgens al haar opgekropte woede afreageerde.

Koninklijk Park 1 Apeldoorn | 055 – 577 24 00
www.paleishetloo.nl

375 DIERENRASSEN ZOEKEN *Kinderboerderij Strubbert*

Je hebt kinderboerderijen met een slaperig varken en een paar kippen, en je hebt speel- en kinderboerderij Strubbert. Op deze boerderij vind je niet alleen ruim honderdzestig dieren, zoals geiten, pony's, ezels, konijnen, kangoeroes, pauwen en fazanten, maar kun je ook eindeloos spelen. Dwaal door de doolhof, klim in een van de wilgenhutten of ga met een goed gevulde knapzak op stap voor een puzzeltocht langs twintig verschillende diersoorten en rassen. De pasfoto's wijzen je de weg naar de juiste dieren.
Koebushorst 7 Laren | 0573 – 22 13 06
www.strubbert.nl

376 HELIKOPTERAFDALING *Abseilen in de Martinikerktoren*

Als je van klimmen houdt, zit je in Nederland algauw aan je plafond. Tenzij je koers zet naar Doesburg. Daar kun je abseilen in de op drie na hoogste kerktoren van Nederland: de toren van de Martinikerk. Eerst klim je omhoog via een bergsporttouwladder. Daarna maak je een helikopterafdaling, waarbij je helemaal vrij hangt. Nog geen spoor van een kick? Dan kun je ook met je gezicht naar beneden afdalen! Voor de echte *daredevils*.
Meipoortstraat 55 Doesburg | 0313 – 47 28 28
www.vikingoutdoor.nl

377 ZELF DOEN *De Spelerij*

Spelenderwijs iets nieuws leren over kunst en techniek, nieuwe uitvindingen doen of je ideeën omzetten in een kunstwerk: bij de Spelerij en de Uitvinderij treed je in de voetsporen van uitvinders als professor Barabas en Willy Wortel. Je leert hoe je moet figuurzagen, hoe je plastic moet buigen of metaal moet bewerken, maar bakt ook je eigen stokbroodjes voor de lunch. Een typisch geval van zelf doen dus! Voor kinderen vanaf vier jaar.

Veldweg 5 Dieren | 0313 – 41 31 18
www.spelerij.nl

378 DROMEN BIJ DOLFIJNEN *Dolfinarium Harderwijk*

Dat dolfijnen slimme dieren zijn, weet je natuurlijk allang. En dat ze daardoor snel moeilijke kunstjes kunnen leren, zal ook niet nieuw voor je zijn. Maar dit weet je waarschijnlijk nog niet: je kan ook in het Dolfinarium overnachten. Althans, als je meedoet aan het speciale arrangement Dromen bij Dolfijnen. Je komt op plaatsen waar je anders niet mag komen, doet dingen die anders alleen de trainers doen en slaapt bij de dolfijnen: onder water! Voor kinderen van acht tot en met twaalf jaar.

Strandboulevard Oost 1 Harderwijk
0341 – 46 74 67 | www.dolfinarium.nl

379 GRIMMIGE GESCHIEDENIS *Stratemakerstoren*

De Nijmeegse Stratemakerstoren, een van de opvallendste gebouwen langs de Waalkade, stond eeuwenlang op schilderijen en tekeningen. En toen was hij plotseling 'kwijt'. Niet even, maar dertig jaar lang. Tot stratenmakers onder het puin op de kade de vestingtoren – volledig ongeschonden – terugvonden. Een bezoek aan de toren voert je terug naar de tijd dat Nijmegen een ommuurde vesting was. Je maakt een spannende tocht langs onderaardse gangen, dwaalt langs kazematten (bomvrije ruimtes) en ervaart hoe het was om in een stad 'onder vuur' te wonen.

Waalkade 83-84 Nijmegen | 024 – 323 86 90
www.stratemakerstoren.nl

380 SPOOKY... *Bos van de dansende bomen*

Hou je van naargeestige en dreigende bossen? Dan ben je in het Speulderbos – bijnaam: het bos van de dansende bomen – aan het juiste adres. De grillig gevormde bomen zorgen er, vooral bij schemer, voor dat je op de vreemdste plaatsen spoken, kobolden en trollen ziet. En als de wind de takken ook nog eens naargeestig laat kraken...

Tussen Putten en Garderen
www.staatsbosbeheer.nl

381 ZELFPLUKTUIN *De Hoenderik*

De Hoenderik is niet zomaar een boomgaard, maar een fruitbeleving. In het familiebedrijf van Marius en Anke van de Water kun je slapen tussen de aardbeien en frambozen, en genieten van zelfgemaakt boerderij-ijs en verse appeltaart. Maar voor de leukste 'attractie' moet je wachten tot het begin juni is. Dan pluk je in de zelfpluktuin in een mum van tijd een verse portie aardbeien, frambozen, bramen en rode bessen bij elkaar. Wel met eten wachten tot je langs de kassa bent...

Lingedijk 180 Tricht
0345 – 57 67 10 / 06 – 51 13 05 69
www.dehoenderik-tricht.nl

382 STOUT KERELTJE *Kabouterroute*

Mocht je je afvragen waar je de dikste boom van Nederland vindt, dan moet je snel een keer naar het kabouterbos van Beek-Ubbergen. Daar staat niet alleen de bekende Kabouterboom, maar kun je ook de Kabouterroute lopen. Je maakt kennis met kabouter Paddestoel en zijn vriendjes. Zoals kabouter Durfal, die 's nachts waakt over de Kabouterboom. Of kabouter Daan, die stiekem achter een schuurtje zit te poepen. Stout kereltje...

www.vvvubbergen.nl

383 DE GEZONDSTE PLEK VAN NEDERLAND *A. Vogel Tuinen*

Hoe kun je iemand genezen met een heel klein beetje vergif? Van welke planten en kruiden word je rustig of juist hyperactief? Het antwoord op deze vragen vind je op de gezondste plek van Nederland: in de A. Vogel Tuinen. Je maakt kennis met de planten die dr. A. Vogel in zijn homeopa-thische middelen gebruikt, leeft je uit in de Speeldernis of loopt het Blotevoetenpad. Dé kans om te voelen wat pepermuntblaadjes voor effect hebben op jouw vermoeide voeten.

Eperweg 3-5 't Harde
www.avogel.nl/tuinen

384 ALS EEN BAKSTEEN... *Downhill steppen*

Het ziet er bedrieglijk eenvoudig uit: down-hill steppen. En inderdaad, de eerste vijf minuten is er geen vuiltje aan de lucht. Maar dan begin je te twijfelen. Downhill? Dat moet een vergissing zijn, want de weg stijgt nogal. Sterker nog: hij slingert omhoog tegen een van de hoogste 'bergen' van de Veluwezoom. Nog even doorbuffelen en dan is het tijd voor de beloning: de afdaling! Je suist als een baksteen omlaag, racet langs uitzichtpunten en bent in een mum van tijd weer bij het vertrekpunt. Echt downhill dus.

Schietbergseweg 28a Rheden
026 – 495 30 50 | www.vvvrheden.nl

385 MYSTERIEUZE MOERASSEN *Expeditie Loevestein*

Ben je geïnteresseerd in de natuur en klaar voor een avontuur in eigen land? Dan bieden Staatsbosbeheer en het Wereld Natuur Fonds je een uitdaging die je niet mag missen: Expeditie Loevestein. Je klimt in de bomen van het wilgenbos, struint langs mysterieuze moerassen en bespiedt kuddes wilde runderen en paarden. Onderweg ontdek je hoe spectaculaire natuur ontstaat als de rivier meer ruimte krijgt. Een leerzame verkenningstocht bij Slot Loevestein.

Loevestein 1 Poederoijen | **0183 – 44 71 71**
www.wnf.nl/nl/wat_wnf_doet/thema_s/
nederlandse_natuur/expeditie_loevestein/

386 PLOFKOMKOMMERS *Poppentheater Lauret*

Vergeet Jan Klaassen en Katrijn. Voor poppentheater met pit (én mooie poppen) ga je naar Poppentheater Lauret. Daar kun je kijken naar eigentijdse voorstellingen zoals *Plofkomkommers* en *De Billenbijter*. Een knus theater waar kinderen én hun (groot)ouders zich meteen thuis voelen.

Kikvorsenstraat 3 Hall | 0313 – 65 33 54
www.poppentheaterlauret.nl

387 STEPSPEKTAKEL *Kickbiken*

Als je denkt dat steppen iets voor kleine kinderen is, heb je nog nooit op een kickbike gestaan. De step met een groot voor- en een klein achterwiel is ontworpen door en voor steppers, en dat betekent gegarandeerd spektakel. Bij Sourcy Centre kun je de flitsende steppen huren en een aantal routes door de omgeving meekrijgen. Zoals de Zieuwentse Kerkepaden, een groene lus rond het Achterhoekse dorp Zieuwent.

Zegendijk 3a Zieuwent | 0544 – 35 22 22
www.sourcycenter.nl

388 VESTINGGEHEIMEN *Vestingstad Express*

Wat is er in de Tachtigjarige Oorlog in Groenlo gebeurd en welke rol speelde de vestingstad tijdens 'onze' oorlog met Spanje? Je ontdekt het in de Vestingstad Express, een toeristisch treintje dat 's zomers dagelijks door de Achterhoek tuft. In anderhalf uur passeer je de mooiste plekjes bij Groenlo of rij je naar het Duitse natuurgebied Zwillbrock, het noordelijkste broedgebied van flamingo's.

www.vestingstadexpress.nl

389 KIDSNATUURPAD *Natuurpark Berg en Bos*

Een blik werpen op de bank waar koningin Wilhelmina vroeger zat te schilderen, edelherten en wilde zwijnen van dichtbij bewonderen of genieten van het uitzicht vanaf de hoogste uitkijktoren van de Veluwe. Natuurpark Berg en Bos, vlak bij Paleis Het Loo, is een veelzijdig park. Een van de mooiste manieren om het park te ontdekken is het Kidsnatuurpad, een korte route langs de hoogtepunten van Berg en Bos. Kijk- en doe-activiteiten maken je vertrouwd met de natuur in dit honderd jaar oude park.

J.C. Wilslaan 21 Apeldoorn | 055 – 527 05 50
www.accres.nl/verhuur/natuurpark-berg-and-bos

390 DE BEDRIEGERTJES *Kasteel Rosendael*

De bedriegertjes bij kasteel Rosendael waren veertig jaar geleden dé topper van schoolreisjes. In het landschapspark rondom het kasteel zie je hoe de kasteelheer vroeger indruk maakte op zijn gasten. Na een bezoek aan de schelpengalerij en de theekoepel moet je alles opbergen wat niet nat mag worden: de bedriegertjes ('onzichtbare' fonteinen die plotseling beginnen te spuiten) staan nog altijd op scherp.

Rosendael 1 Rozendaal | 026 – 364 46 45
www.mooigelderland.nl/rosendael

391 KANGOEROES AAIEN *Uilen- en dierenpark De Paay*

Als je eigen huisdier even een minder aaibare periode beleeft, moet je een keer naar De Paay. In dit kleine uilen- en dierenpark vind je niet alleen dwerggotters, neusberen en witgezichtuilen, maar kun je ook terecht voor een originele aaiervaring: kangoeroes aaien in de kangoeroeweide. Ontdek de verschillen tussen de vijftien uilensoorten in het park, bewonder de zwarte ooievaar en ga op zoek naar de kea, een slimme papegaai, die in sommige steden veel overlast veroorzaakt. De vogel sloopt de rubberen dichtingen van auto's.

Dr. A. Kuyperweg 120 Beesd | www.depaay.nl

392 MÉT WERKKAMER *Fiep Route*

Wat hebben Jip en Janneke, Ibbeltje, Tante Patent en de Heen-en-Weerwolf met elkaar gemeen? Ze kregen allemaal een gezicht van Fiep Westendorp, de 'vaste' tekenaar van Annie M.G. Schmidt. De Fiep Route leidt je langs de plekken waar de in Zaltbommel geboren illustratrice woonde en werkte. Je loopt langs de beelden van Jip en Janneke en neemt een kijkje in het Stadskasteel, waar een permanente expositie over het leven en werk van Fiep Westendorp is ingericht. Compleet met de werkkamer van de illustratrice. Nonnenstraat 5-7 Zaltbommel | 0418 – 51 26 17 www.stadskasteelzaltbommel.nl

393 BEDOEÏENEN ONTMOETEN *Museumpark Orientalis*

De geuren opsnuiven in de Arabische soek, neerstrijken in een Romeinse herberg of rondkijken in de geboortegrot van Bethlehem. In Museumpark Orientalis reis je terug naar de wereld waarin jodendom, christendom en islam tot bloei kwamen: het oude Midden-Oosten. Je loopt door het museumdorp Beth Juda, ontmoet bedoeïenen in het tentenkamp Ain Ibrahiem en belandt in de havenplaats Tell Arab: een fata morgana onder de rook van Nijmegen. Profetenlaan 2 Heilig Landstichting 024 – 382 31 10 www.museumparkorientalis.nl

394 LUCHTFIETSEN *Over de Snelbinder*

Een fietsbrug die aan de spoorbrug hangt. Het klinkt onwaarschijnlijk, maar in Nijmegen weten ze niet beter. De fietsbrug over de Waal, de Snelbinder, is zelfs een van de langste fietsbruggen van Nederland. De fietsroute Van Snelbinder naar Waalbrug voert je naar het dorpje Lent, aan de overkant van de rivier. Je passeert Romeinse restanten, fietst schuin onder de treinen én boven de binnenvaartschepen op de Waal. Een spectaculair fietstochtje. www.fietsen.123.nl/entry/2145/fietsroute-van-snelbinder-naar-waalbrug.htm

395 ILLEGAAL DE GRENS OVER *Gps-smokkelroute*

De omgeving van Eibergen was in de vorige eeuw een echt smokkelaarsnest. Vee, boter, jenever en tabak verhuisden in grote hoeveelheden van Nederland naar Duitsland (en omgekeerd). Tijdens de gps-smokkelroute verken je, gewapend met een smokkelpaspoort en een gps-ontvanger, oude smokkelroutes. Maar pas op voor de grenswachten! Oldenkotseweg 11, Rekken | 0545 – 43 12 50 www.vvveibergen.nl

396 FOSSIELEN ZOEKEN *Steengroeve Winterswijk*

Een echte steengroeve met dertig meter hoge rotswanden. Het klinkt heel on-Nederlands, maar het bestaat echt. In de steengroeve van Winterswijk wordt al tachtig jaar kalksteen gedolven. In de zomermaanden vormt de groeve zelfs het decor voor Het Steengroeve Theater, een tijdelijk festivalterrein met een podium, tribunes en tenten.

Van april tot november kun je elke eerste zaterdag van de maand in de groeve naar mineralen en fossielen graven. Neem zelf een hamer, beitel, helm en oude kleding mee en kijk goed in de aardlagen die je blootlegt. Misschien vind je wel het fossiel van een sauriër... Wel even vooraf aanmelden.
www.vvvwinterswijk.nl

397 DE RIDDERSLAG *Kasteel Huis Bergh*

Om jezelf tot ridder te laten slaan moet je een tijdreis maken naar de middeleeuwen. Of langsgaan bij Huis Bergh, een van de grootste kastelen van Nederland. Daar kom je niet alleen alles te weten over het ridderdom en de riddergelofte ('het kwaad bestrijden'), maar onderga je ook de rituelen van een echte ridderslag.

Gekleed in een passend kostuum word je tot ridder geslagen of als hofdame aangesteld. Natuurlijk moet je eerst wel even laten zien dat je geschikt bent. Hard werken aan je zwaardvechttechniek of borduurkunst dus.
Hof van Bergh 8 's-Heerenberg
0314 – 66 12 81 | www.huisbergh.nl

398 KUNST OP DE VELUWE
Kröller-Müller Museum

Een enorm steile trap die aan de bovenkant van de heuvel doorloopt. Twaalf liggende houten mannen en een schreeuwend blauwe schep van drieënhalve meter hoog: bij het Kröller-Müller Museum vind je een van de grootste beeldentuinen van Europa. En een van de meest gevarieerde. Klassieke beelden van Auguste Rodin worden afgewisseld door vreemde landschappen zoals de *Jardin d'Emaille*: een park van wit golvend email, waar je op zonnige dagen je zonnebril hard nodig hebt.
Houtkampweg 6 Otterlo | 0318 – 59 12 41 www.kmm.nl

399 FLIPPERKASTVOETBAL *Speedsoccer*

Leuk hoor, een partijtje voetbal. Maar het zou nog leuker zijn als je alle onderbrekingen – ingooi, hoekschop of buitenspel – kon schrappen. Dat dachten ook de bedenkers van speedsoccer; een indoor voetbalspel op een kunstgrasveld van 30 × 15 meter. Door de hoge boarding om het veld en de netten aan de boven- en zijkant blijft de bal continu in het spel. Vliegende wissels en een minimum aan regels zorgen voor een hoog tempo. Een typisch geval van flipperkastvoetbal dus.
Zegendijk 3a Zieuwent | 0544 – 35 22 22 www.sourcycenter.nl/sport/speedsoccer

400 STRUIKEN EN MOERASSEN *Struinen door rivierenland*

Wil je altijd meteen van het wandelpad af? De struinroutes door rivierenland leiden je over kronkelige paadjes, wildsporen en binnendoorweggetjes. Je duikt het struikgewas in, steekt rivierduinen over en baant je een weg door de moerassen. Pluk onderweg een veldboeket bij elkaar, ga op zoek naar halfedelstenen en luister hoe het water van de Waal tegen de oevers klotst. Een avontuurlijke tocht door de uiterwaarden.
www.uitrwaarde.nl, klik op 'struinen'

401 KEUTELS EN WROETSPOREN *Wildezwijnensafari*

Afrika heeft z'n bekende wildsoorten, maar ook Nederland heeft z'n Grote Vijf: de zeehond, het edelhert, de bever, het wilde zwijn en de ree. Op de Veluwe kun je samen met de boswachter op zoek gaan naar het favoriete dier van Obelix: het wilde zwijn. Je loopt naar die delen van het bos waar zwijnen zich goed thuis voelen en gaat op zoek naar herkenningstekens, zoals wissels, keutels en wroetsporen. Nu nog héél stil door het bos bewegen en wie weet, kom je wel een échte zwijnenfamilie tegen!

Plesmanlaan 2 Nunspeet | 0341 – 25 29 96
www.staatsbosbeheer.nl/Locaties/Veluwe-Noord/Buitencentrum%20Veluwe-Noord.aspx

402 GOEIIGE HERKAUWERS *Koe-knuffelen*

Koeien zien er niet alleen ontzettend goeiig uit, ze zijn het vaak ook. De koeien op de boerderij van Marente Hupkes zijn zelfs in trek als knuffeldier. Rustgevend voor kinderen met ADHD, maar ook voor volwassenen die als gestreste kippen door het leven rennen. Op de boerderij zijn regelmatig cursussen koe-knuffelen.

Noord Emperweg 1 Voorst
0575 – 50 13 97 / 06 – 16 29 20 58
www.agrarischcultuurgoed.nl

403 EINDELOOS DWALEN *Heggendoolhof*

In tijden van doolhofgames en 3D-laby-rinten lijkt dwalen door een heggendool-hof hopeloos ouderwets. Maar vergis je niet: de heggendoolhof in Ruurlo is ont-worpen door Daniel Marot, een tuinar-chitect die wist hoe hij iemand eindeloos rondjes moest laten lopen. Marot liet zich inspireren door het Engelse Hamp-ton Court, een beroemd speelparadijs voor de Britse adel.

Hengeloseweg Ruurlo | 0545 – 45 31 75
www.doolhofruurlo.nl

404 GEHEIMZINNIG GROEN *Berend en de jacht op het Onkruyt*

Berend van Hackfort was een beroemd officier in het leger van Karel van Gelre. Hij is ook de hoofdpersoon in de fietsroute Berend en de jacht op het Onkruyt. Het verhaal begint als Berend als page in dienst treedt bij Huis Bergh. Hij raakt bevriend met Walburga, de dochter van kasteelheer graaf Oswald van den Bergh. Kort daarna rijdt graaf Oswald uit om strijd te leveren met het mysterieuze Onkruyt. Helaas hebben Berend en Walburga geen flauw idee wie of wat er met het Onkruyt wordt bedoeld.

www.vvv-montferland.nl/zien_en_doen/
kinderen

405 ONDER DE WATERVAL *Park Sonsbeek*

Vijvers, kronkelende paden en steile tuinen: Sonsbeek is een van de mooiste stadsparken van Nederland. In het park, dat in Engelse landschapsstijl is aangelegd, vind je onder meer Villa Sonsbeek, een café-restaurant, dat eruitziet als het buitenverblijf van een Amerikaanse president. Maar de leukste 'attractie' is de spectaculaire waterval, die je ook van onderaf kunt bekijken. Vanuit de grot onder de waterval kun je het watergordijn zelfs aan de binnenkant aanraken.

Zijpendaalseweg 24a Arnhem
www.bezoekerscentrumsonsbeek.nl

406 DOE-HET-ZELFSAFARI *Wildwaarnemingen*

Op de Veluwe leven duizenden edelherten, reeën, wilde zwijnen en moeflons. Maar hoe zorg je dat dit wild uitgerekend jouw pad kruist? Heel simpel. Je kijkt, vlak voordat je op pad gaat, op 'wildwaarnemingen' (www.hogeveluwe.nl/nl/zien-doen/wild-waarnemingen). Op dit stukje van de website geven bezoekers en jachtopzichters aan waar ze voor het laatst wild hebben gespot. En wie weet, hoor jij op dezelfde plek wel een edelhert burlen...

http://kindersitehogeveluwe.nl

UTRECHT

407 GENEESKRACHTIGE PLANTEN *Jacht op de groene pillen*

Hoe houden planten ons en zichzelf gezond? Je ontdekt het tijdens De jacht op de groene pillen, een spannende speurtocht door de botanische tuinen in Utrecht. Met een speciaal EHBO-koffertje ga je op zoek naar geneeskrachtige planten. Aan het einde krijg je een cadeautje mee.

www.uu.nl, klik op 'Botanische Tuinen' en daarna op 'Kinderactiviteiten'

408 ONZICHTBARE SPOREN *Schatkamer Domplein*

Je zou het misschien niet zeggen, maar het Utrechtse Domplein is al tweeduizend jaar oud. Toch ligt de geschiedenis voor een groot deel onder de straatstenen begraven. Schatkamer Domplein biedt je de kans om terug te reizen in de tijd. Samen met een gids en een iPad maak je een ontdekkingstocht langs de zichtbare én onzichtbare sporen uit het verleden. Je bewondert het verdwenen middenschip van de Domkerk, loopt tussen de barakken van het Romeinse castellum en bekijkt in 3D een winters Domplein in de middeleeuwen!

Domplein 9 Utrecht | 030 – 236 00 10
www.schatkamerdomplein.nl

409 SUPERFRIET! *Manneken Pis Vredenburg*

Lekker hoor, een zakje friet. Maar als je pech hebt, zijn de frietjes te slap of raak je die iets te volle vetsmaak de rest van de dag niet meer kwijt. Gelukkig is er Manneken Pis Vredenburg. De frietkraam sleepte al twee keer de Frietopia Award (de prijs voor de beste friet van Nederland) in de wacht. Ook BN'ers als Joop Braakhekke, Catherine Keyl en Koos Alberts weten Manneken Pis blindelings te vinden. Vet lekker dus.

Vredenburg 155 Utrecht
www.mannekenpis.nl

410 ROTSTUINEN *Fort Hoofddijk*

Utrecht is misschien niet de stad waar je een rotstuin verwacht. Toch ligt er een midden in de botanische tuinen van Fort Hoofddijk. De rotstuin, een van de grootste van Europa, werd aangekleed met ruim 2100 ton rots uit de Ardennen. In de fraaie tuinen, die zijn aangelegd op en rond het negentiende-eeuwse fort, vind je onder meer een prachtige collectie (sub)tropische planten, de Systeemtuin en De Vlinderhof.

Budapestlaan 17 Utrecht | 030 – 253 54 55
www.uu.nl/NL/BotanischeTuinen

411 TRICKS EN MOVES *Watersportcentrum Down Under*

Waterskiën en wakeboarden achter een 720 meter lange kabelbaan. Bodyboarden en wavesurfen op de wavesurfer, een permanente, kunstmatige golf waarop je fantastisch omlaag glijdt. Bij Down Under geniet je van een dagje watersporten in Australische sferen. Voor absolute beginners en wakeboarders die op zoek zijn naar nieuwe tricks en moves.
Ravensewetering 1 Nieuwegein
030 – 287 77 77
www.downunderrecreatie.nl

412 DAGOBERTS DUBBELTJE *Het Nederlands Geldmuseum*

Wat doet geld met mensen? Wat doen mensen met geld? In het Geldmuseum kom je alles te weten over de 'slappe was'. Als toegangsbewijs krijg je een creditcard met een klein bedrag erop. Daarmee kun je in het museum gokken, handelen op de beurs of bieden op een bloemenveiling. Gluur naar binnen in de streng beveiligde ruimte waar de rijksmunt wordt geslagen of loop over de Gulden Middenweg, een pad met ruim vijfduizend munten uit het tijdperk van de gulden. Vergeet niet om een blik te werpen op een van de bijzonderste muntjes ter wereld: Dagoberts geluksdubbeltje uit Duckstad.
Leidseweg 90 Utrecht | 030 – 291 04 92
www.geldmuseum.nl

413 PLANKGAS *De Kartfabrique*

Ben je groter dan 1 meter 35? Dan kun je bij de Kartfabrique terecht voor een supercoole race-ervaring. Je zet je integraalhelm op en stapt in een van de karts voor een race over een van de langste indoorcircuits van Nederland. Het sturen is even wennen, maar daarna trap je je gaspedaal flink in en zie je je snelheid algauw oplopen. Nu maar hopen dat je ouders langs de kant de zenuwen niet krijgen...
Westkanaaldijk 7 Utrecht | 030 – 240 40 40
www.kartfabrique.nl

414 DE ZAAK-ZONNEBLOEM *Detective Kids Feestje*

Als de schoonmaakster 's ochtends bij het laboratorium van professor Zonnebloem aankomt, doet zij een vreselijke ontdekking: de professor is ontvoerd! Waarom? Dat moet jij samen met je vrienden zien te ontdekken tijdens het Detective Kids Feestje. Samen met hoofdinspecteur De Kock probeer je de ontvoerder te vinden en de professor heelhuids thuis te krijgen. Als beloning wacht er een feesttafel met patat en kroketten.
Soesterweg 556 Amersfoort | 033 – 422 51 00
http://sro.nl/index.cfm/sport-en-activiteiten/
out-in-action/stoere-kinderfeestjes/detective-
kids-feestje

415 JE HOOFD IN EEN MOLSHOOP *Oortjespad!*

Wat zie je als je je hoofd in een molshoop steekt? Welke dieren leven in de sloot en welke vogelgeluiden hoor je als je stilletjes door een weiland loopt? Op het Oortjespad, een combinatie van een bezoekerscentrum, speelweide en kinderboerderij, maak je een ontdekkingstocht langs de planten en dieren van de venen. Vergeet niet om een kijkje te nemen in een van de kijkgaten.
Oortjespad 1 Kamerik | 0348 – 40 11 93
www.recreatiemiddennederland.nl/terreinen/
oortjespad/bezoekerscentrum.html

416 BUITENAARDS BEZOEK *Ufo op De Inktpot*

Als je nog steeds niet in ufo's gelooft, moet je maar eens langs het Moreelsepark in Utrecht lopen. Op het dak van een bakstenen gebouw, dat bij veel Utrechtenaren bekendstaat als De Inktpot, staat een enorme vliegende schotel. De schotel hangt daar niet als decor voor een ruimtefilm, maar is een kunstwerk dat hier ter gelegenheid van de tentoonstelling 'Panorama 2000' landde. Het was de bedoeling dat het gevaarte tijdelijk boven Utrecht zou hangen, maar de schotel is niet meer weggevlogen. Waar de buitenaardse wezens gebleven zijn, weet niemand.
Moreelsepark Utrecht

417 DE ZON VAN DICHTBIJ ZIEN *Sterrenwacht Sonnenborgh*

Op een voormalig bolwerk – een uitbouw in de middeleeuwse verdedigingsmuur van Utrecht – vind je Sterrenwacht Sonnenborgh. In het fraaie gebouw, tegenwoordig ook een museum, kun je nog altijd de gaten zien van kanonskogels die eeuwen geleden insloegen. Probeer zelf in de weertentoonstelling uit hoe wind ontstaat, werp een blik op de zon met een speciale zonnetelescoop en neem een kijkje bij een echte zestiende-eeuwse wc: een van de laatste herinneringen aan het Utrechtse soldatenbestaan.
Zonnenburg 2 Utrecht | 030 – 230 28 18
www.sonnenborgh.nl

418 GEPENSIONEERDE PONY'S *De Paardenkamp*

Waar kunnen oude paarden en pony's genieten van een onbezorgde oude dag? In de Paardenkamp, een rusthuis voor paarden en pony's op leeftijd. Het tehuis werd vijftig jaar geleden opgericht door de secretaris van de plaatselijke dierenbescherming. En hoewel de dieren officieel met pensioen zijn, vinden ze bezoek nog altijd leuk.
Birkstraat 96 Soest
035 – 601 60 89
www.paardenkamp.nl

419 ZINTUIGENTUIN *De Groenhof*

Een vlinder- en insectentuin, een zintuigentuin, een voelpad en een vijver: in de Groenhof in Veenendaal wijzen je zintuigen je vanzelf de weg. Breng de smaken thuis van de planten in de proefbak, zoek citroen, pepermunt en maggi in de ruikbak en kijk wat er gebeurt als je Leeuwenbekjes in hun wangen knijpt...
Karel Fabritiusstraat 3 Veenendaal
0318 – 51 36 13
www.ivnveenendaal-rhenen.nl

420 ZWERVEN OVER DE WERVEN *De Oudegracht*

De mooiste gracht van Amsterdam ligt in Utrecht. Tenminste, dat zou je denken als je de film *Amsterdamned* hebt gezien. De vetste scène uit de film, een achtervolging per speedboot over de 'Amsterdamse' grachten, werd opgenomen op de Oudegracht. Normaal zit je een stuk rustiger op de terrassen. En heb je ook nog eens een prachtig uitzicht over de werven. Deze dertiende-eeuwse wandelkades, ver onder straatniveau, zijn uniek in Nederland. Vroeger werden er goederen gelost en geladen, nu vind je er prachtige wandelpaden met hier en daar een atelier of werkplaats. En niet te vergeten héél veel terrassen.

Oudegracht Utrecht

421 MÉT VERLICHTING *Steppen by Night*

De avond is meestal niet het moment om nog eens lekker te gaan steppen. Maar bij Rhenen Outdoor wachten ze juist tot de schemer valt. Althans, als je deelneemt aan Steppen by Night, een steptocht door het donker waarbij je onderweg vragen moet beantwoorden. Gelukkig hebben de steps verlichting...

Boslandweg 29 Rhenen | 0317 – 74 12 42
www.rhenenoutdoor.nl

422 KAASBELEVING *Kinderkaas maken*

Dat kaas van melk wordt gemaakt weet je allang. Maar hoe gaat dat precies in zijn werk? Bij De Boerinn ontdek je het door het zelf te doen. Je maakt een belevingsroute langs alle plaatsen die met kaas te maken hebben en gaat daarna in een echte kaasmakerij aan de slag. En natuurlijk krijg je na afloop een mooi diploma!

Mijzijde 6 Kamerik | 0348 – 40 12 00
www.deboerinn.nl

423 GPS-SCHATZOEKEN *De schat van Cunera*

Als je in de buurt van Rhenen woont, heb je misschien wel eens van de heilige Cunera gehoord. De Engelse koningsdochter werd door koning Radboud van een groep bloeddorstige Hunnen gered, maar werd daarna door Radbouds jaloerse echtgenote gewurgd. Voor het zover was, schijnt Cunera nog net een schat begraven te hebben. Waar die ligt? Dat kun je zelf, met behulp van een gps-ontvanger, uitzoeken. Je gaat op zoek naar een aantal punten in het bos, voert opdrachten uit en krijgt als beloning een schatkaart. Nu de schat zelf nog...

Boslandweg 29 Rhenen
0317 – 74 12 42
www.rhenenoutdoor.nl

424 HOEZO FEEST?
Catharijneconvent

Welke heilige hoort bij jouw voornaam? Waarom valt Valentijnsdag op 14 februari en wat vieren we eigenlijk met Kerstmis, Pasen en Sinterklaas? In 'Feest!', een permanente tentoonstelling in het Catharijneconvent, ontdek je wat de betekenis is van belangrijke feestdagen. Je test je feestkennis op de digitale feestkalender en speelt een computerspel in een echte snackmuur. Als dat geen feestje wordt...

Lange Nieuwstraat 38 Utrecht
030 – 231 38 35
www.catharijneconvent.nl

425 DAGJE DIVA *Glamour-Make-up Party*

Zit je graag voor de spiegel? Hou je wel van een middagje tutten en wil je graag een keer worden opgemaakt als topmodel? Dan is de Glamour-Make-up Party je ideale feestje. Je wordt samen met je vriendinnen ontvangen met een glaasje champagne, waarna ervaren stylisten jullie omtoveren tot oogverblindende diva's. En natuurlijk gaan jullie na afloop allemaal op de foto.

Kapelweg 12 Amersfoort | 06 – 23 41 28 49
www.makeup-workshops.nl

426 RADDRAAIEN *De Koppelpoort*

De Koppelpoort is de trots van Amersfoort. De poort met zijn fraaie spitse torens bestaat uit twee delen. De landpoort hield vroeger ongewenste indringers tegen die Amersfoort vanaf de weg wilden binnenglippen; de waterpoort sloot de rivier de Eems af. Wanneer een vijandig schip de stad naderde, lieten de wachters met behulp van een rad een schot in het water zakken. Het bedienen van het rad (het zogenoemde raddraaien) was zulk zwaar werk dat de poortwachter dit klusje maar al te graag 'uitbesteedde' aan dieven en ander gespuis. Zo ontstond de term 'raddraaiers'.
www.vvvamersfoort.nl

427 KEUKENGEHEIMEN *Floris en Melle-wandeling*

Wat deden Floris en Melle in de Franse keuken? Je ontdekt het tijdens de Floris en Melle-wandeling, een wandeling met smartphone over de Amerongse Berg. Nadat je de Floris en Melle-app hebt gedownload, neemt het tweetal je mee naar 1920, het jaar waarin ze leefden. Je loopt langs het Berghuis, de Grafheuvel en de Eenzame Eik, hoort verhalen over historische gebeurtenissen en komt erachter hoe het gebied er bijna honderd jaar geleden uitzag. Overigens: de Franse Keuken hoort niet bij een restaurant, maar is een stuk bos bij de Amerongse Berg.
www.florisenmelle.nl

428 BOEMELEN *Trijntje Cornelia*

Het treintje van Bunschoten naar Spakenburg ziet eruit of het minstens een eeuw oud is. Toch rijdt de Trijntje Cornelia pas twee jaar. Tijdens een rit in het tweewagonstreintje boemel je langs de mooiste plekken in het vissersdorp Spakenburg en het boerendorp Bunschoten. Een nostalgische reis terug in de tijd.
Oude Schans 8 Bunschoten | 06 – 15 64 78 42
www.trijntjecornelia.nl

429 RABARBER- OF HARINGIJS *Roberto Gelato*

De Utrechtse ijssalon Roberto Gelato staat niet alleen bekend om zijn tongstrelende Italiaanse ijs (volgens sommigen het beste van Nederland), maar ook om zijn originele smaken. Zoals Wittevrouwen, met honing, kwark en krokante sesam. Dat Gelato wel van experimenteren houdt, blijkt uit de smaken van nieuwe ijssoorten zoals bier, spekkoek, rabarber, rode biet en haring. Voor de liefhebber!
Poortstraat 93 Utrecht | 030 – 273 31 14
www.lekkerijs.nl

430 PIERRE EN CARICE *Film Boulevard van Utrecht*

Ervoor omrijden gaat misschien te ver, maar als je toch in het centrum van Utrecht bent, is het leuk om even naar de Vinkenburgerstraat te lopen. Daar vind je de Utrechtse versie van de Walk of Fame, een stukje Hollywood waar je op speciale stoeptegels de namen van meer dan tweeduizend filmsterren kunt lezen. Op de Film Boulevard van Utrecht liggen de gesigneerde stoeptegels van regisseurs, acteurs en actrices die een Gouden Kalf hebben gewonnen. Zoals Carice van Houten, Pierre Bokma en Paul Verhoeven. Zelfs Rijk de Gooyer (die zijn Gouden Kalf na de uitreiking uit de taxi smeet) heeft een eigen tegel...

Tussen het Neude en de Oudegracht

431 3D-GOLFEN *GlowGolf Houten*

Minigolfen in het donker. Het lijkt vragen om moeilijkheden, maar op de overdekte minigolfbaan van GlowGolf Houten hoef je niet bang te zijn dat je je balletje kwijtraakt. Je mept je balletje door een waanzinnig decor dat helemaal in het teken staat van de onderwaterwereld. Fluorescerende blacklights zorgen ervoor dat de banen, de vissen, het koraal en zelfs de balletjes licht geven. Op zoek naar een extra uitdaging? Dan kun je ook golfen met een 3D-bril op. Plotseling lijkt het balletje boven het tapijt te zweven. Zie nu maar eens raak te slaan...

Meidoornkade 25 Houten | 030 – 636 07 77
www.glowgolf.nl/nl/houten

432 GROOTHEIDSWAAN *Pyramide van Austerlitz*

Piramides staan normaal gesproken in Egypte. Maar in de bossen bij Zeist vind je een wel heel verdwaald exemplaar: de Pyramide van Austerlitz. De driehoekige heuvel werd in 1804 aangelegd door de Franse generaal Marmont. Deze legerleider wilde zijn soldaten wat te doen geven (niets zo gevaarlijk als soldaten die zich vervelen) en maakte zo een monument voor keizer Napoleon, van wie hij een enorme fan was. De piramide staat er nog steeds, even voorbij een lunapark met speeltuin en botsauto's.

Zeisterweg 98 Woudenberg | 0344 – 49 14 21
www.pyramidevanausterlitz.nl

433 JEUGDLAB *Universiteitsmuseum Utrecht*

Wat gebeurt er als je de kranen van de douche opendraait of 'lekker' gaat zitten op de spijkerbank? Je ontdekt het in het Jeugdlab van het Universiteitsmuseum Utrecht, een plek waar alles net even anders is dan het lijkt. Treed in de voetsporen van bekende wetenschappers en ga zelf experimenteren. Je zintuigen en oude meetinstrumenten wijzen je de weg. Wie durft zijn hand in de snoepdoos te steken?
Lange Nieuwstraat 106 Utrecht
030 – 253 80 08
www.uu.nl/NL/universiteitsmuseum/Pages/default.aspx

434 EILAND IN HET BOS *Het Henschotermeer*

Wie nietsvermoedend door de bossen bij Woudenberg fietst, kan plotseling worden verrast door een eiland. Het eiland wordt omgeven door een waterplas met een mooi zandstrand: het Henschotermeer. Neem een van de voetbruggen naar het eiland, bouw je eigen zandkasteel of plons in de zwemplas. Als je de mensen wegdenkt, doen de witte stranden bijna tropisch aan...
De Heygraeff Woudenberg
www.recreatiemiddennederland.nl/terreinen/henschotermeer.html

435 OOG IN OOG MET DE BEUL *Spoorwegmuseum*

Enorme locomotieven uit de jaren twintig, hypermoderne hogesnelheidstreinen en prehistorische boemeltjes: in het Nederlands Spoorwegmuseum trekt de geschiedenis van de spoorwegen in sneltreinvaart voorbij. Je daalt af in een oude kolenmijn, bewondert de koninklijke wachtkamer uit 1892 en staat oog in oog met de Beul, de grootste stoomlocomotief die de NS ooit heeft gehad. Is je reislust nog niet bevredigd? Dan neem je plaats in de chique wagons van de Oriënt Express, waar ooit de graven en hertoginnen met uitzicht op de Donau dineerden. Oberrr?
Maliebaanstation Utrecht | 030 – 230 62 06
www.spoorwegmuseum.nl

436 FRUTSELKLUP

Zandfoort aan de Eem

Zandvoort aan Zee kent iedereen, maar ook Amersfoort heeft z'n eigen Zandfoort. Met een f, en zónder Noordzee, kwallen en zomerfiles. In de strandtent aan het riviertje de Eem kun je elke eerste en derde zondagmiddag van de maand terecht voor de KlupClub. Terwijl je ouders luieren of nietsdoen, leef jij je uit tijdens een portie Frutselklup: schminken, knutselen en spelletjes in het zand.

Eemlaan 100 Amersfoort

033 – 448 19 51 | www.zandfoort.nl

437 VOOR EN DOOR KINDEREN *Speelbos Nieuw Wulven*

Een groot fort met natuurlijke speeltoestellen en een waterspeelplaats, een vliegerweide waar je in bomen kunt klimmen en kunt vliegeren, en een klein dwaalbos waar je hutten kunt bouwen. Speelbos Nieuw Wulven is niet alleen speciaal voor kinderen aangelegd, maar ook grotendeels door kinderen bedacht. Bouw een dam op een van de ruige eilandjes van de Nieuw Wulvense waterlinie, waag de oversteek op de klimtouwenconstructie en strijk daarna neer voor een picknick in het oudste deel van het bos: de Romeinse notenakker.

www.utrechtyourway.nl/event/speelbos-nieuw-wulven

438 DRAAITAFELFEESTJE *Dj voor één dag*

Je kan een heel eind komen met zaklopen, koekhappen en spijkerpoepen. Maar voor een cool kinderfeest ga je langs bij mensen die er écht verstand van hebben: dj's. De draaitafelhelden van DJ School Utrecht weten niet alleen hoe ze een feestje zo snel mogelijk laten 'vlammen', maar leren jou ook nog eens in een mum van tijd hoe je zelf de blits maakt achter de draaitafels. Een typisch geval van dj voor één dag dus.

Saturnusstraat 60 Utrecht | 030 – 302 01 61

www.djschoolutrecht.nl/workshop-dj

439 NEUS AAN SNAVEL *DierenPark Amersfoort*

Als je de dieren echt van dichtbij wil zien (en dat wil bijna iedereen in de dierentuin), ben je in DierenPark Amersfoort aan het goede adres. Je staat met je neus tegen de snavel van een zwartvoetpinguïn, kijkt recht in de ogen van de giraffen (bezoekers van de Savanne staan op een hoger gelegen pad) of houdt een slang vast bij de Koele Knuffels. Gelukkig zijn de krokodillen en tijgers in de Stad der Oudheid iets verder weg...

Barchman Wuytierslaan 224 Amersfoort
033 – 422 71 00
www.dierenparkamersfoort.nl

440 18.000 BALLEN
KidZcity

KidZcity is het grootste indoor speel- en attractiepark van de Randstad. In een enorme loods aan de rand van Utrecht vind je genoeg attracties om je een dag lang te kunnen vermaken. Terwijl je ouders in het restaurant aan de cappuccino zitten, leef jij je uit in het reusachtige klimkasteel, de safaritrein of de Timekeeper: een kanon dat maar liefst 18.000 ballen kan afschieten.

Vlampijpstraat 79 Utrecht
030 – 242 00 42 | www.kidzcity.nl

441 VROLIJK MUSEUM *Museum Speelklok*

Museum Speelklok presenteert zich graag als het vrolijkste museum van Nederland, maar het is ook het meest lawaaiige. Pianola's, speeldozen en automatische orkesten zorgen voor een onophoudelijke klankenregen. Luister naar de zingende nachtegaal, bewonder de 'vioolspeler' (een machine die met behulp van 'muziekrollen' vijf violen bespeelt) en vergeet het beroemde roze konijn niet...

Steenweg 6 Utrecht | 030 – 231 27 89
www.museumspeelklok.nl

442   **MOBIELE BELEVING** *Lost in Time*

Sinds 2012 kun je in Utrecht (en daarna in andere steden) iets doen wat volgens de meeste wetenschappers niet kan: tijdreizen. De mobiele beleving Lost in Time neemt je mee op een zoektocht door de stad en door de tijd. Je krijgt een iPad mee met filmfragmenten die je terugvoeren naar 1302 en 1694, en maakt kennis met de jonge hacker Tijmen, die verdwaald is in de tijd. Samen met een professor (Freek de Jonge) zorg je ervoor dat hij met zijn tijdmachine de geschiedenis niet verder in de war schopt. Opdrachten, raadsels en nieuwe verhalen trekken je steeds verder het avontuur in...
www.lostintime.eu

443   **MEER DAN VIJFHONDERD KRAAMPJES** *De Utrechtse Bazaar*

Al meer dan dertig jaar vindt in de oude Bloemenveiling van Vleuten de Utrechtse Bazaar plaats. Op deze markt met meer dan vijfhonderd kraampjes kun je bijna alles kopen wat je maar kunt bedenken: van sieraden tot tweedehands boeken, van kleding tot antiek en van Turks brood tot mobieltjes uit Finland. Exotische geuren, artiesten en dj's zorgen voor een gezellig sfeertje.
Utrechtseweg 109 Utrecht
030 – 677 98 99
www.utrechtsebazaar.nl

444   **F16 OF STRAALJAGER?** *Militaire Luchtvaart Museum*

Je hoeft geen ijzervreter of oorlogsliefhebber te zijn om toch je ogen uit te kijken in het Militaire Luchtvaart Museum. Vliegtuigen, helikopters en uniformen vertellen het verhaal van de Nederlandse luchtmacht. Test in het Flying Centre of je talent hebt om F16-piloot te worden. Of doe de speurtocht Jachtvliegers. Misschien wel de eerste stap op het pad van straaljagerpiloot.
Kampweg 120 Soesterberg | 0346 – 35 60 00
www.militaireluchtvaartmuseum.nl

10 X ACTIVITEITEN- EN SPEELBOERDERIJEN

Maïsdoolhoven, koeientrampolines of een boerengolfweide: een boerderij met alleen maar dieren is alweer bijna ouderwets. Snuif de geur van het platteland op en leef je uit tussen loeiende koeien. Neem oude kleren mee!

445 BOERDERIJ ROKES ERF

Activiteitenboerderij met boerenbosgolf, klompenpad en maïsdoolhof.
Dwarsweg 1 Arrien | 0523 – 67 62 89 | www.rokeserf.nl

446 BOERENGOLFBOERDERIJ DE WOLF

Ravotten in de hooiberg, zwemmen in de maïsbak en golfen tussen het vee.
Coevorderweg 28 Stegeren | 0529 – 45 72 87 | www.boerengolfboerderij.nl

447 MAISDOOLHOF MALDEN

Bij de grootste maïsdoolhof van Nederland vind je ook oud-Hollandse spelen.
Westerkanaaldijk 7 Malden (Heumen) | 06 – 53 77 24 78
www.maisdoolhof.nl/malden

448 DE HEUVEL CULEMBORG

Kinderboerderij met een speeltuin en een Steunpunt Natuur en Milieu Educatie.
Weithusen 63 Culemborg | www.speeltuinculemborg.nl of www.nmeculemborg.nl

449 HET GEERTJE

Jonge geitjes zijn dé grote attractie op deze boerderij, waar je ook een ritje kan maken op een pony.
Geerweg 7 Zoeterwoude | 071 – 580 26 42 | www.hetgeertje.nl

450 HULLIE SPEELBOERDERIJ

Grote speelboerderij met een monorail, avonturengolf, een spinnenwebtoren en een klimvulkaan. En het Hullievolk, niet te vergeten.
Canadasweg 3a Uden | 0413 – 25 75 34 | http://hullie.nl

451 SPEELBOERDERIJ DE HOOIBERG

Skelterbanen, springkussens, wiebelende hangbruggen en suizende glijbanen. En boerderijdieren natuurlijk.
Bredasebaan 23 Bladel | 0497 – 38 05 92 | www.speelboerderij.nl

452 SPEEL- EN RECREATIEBOERDERIJ DE FLIEREFLUITER

Neem een duik in het buitenzwembad, klauter in het avonturendorp of zoek de uitgang in de kruipdoolhof.
Raarhoeksweg 49 Raalte | 0572 – 35 77 56 of 06 – 11 16 71 71
www.flierefluiterraalte.nl

453 STRUISVOGELBOEDERIJ VRIESWIJK

Bekijk de grootste en zwaarste vogel ter wereld of ga met een gps op zoek naar de holes van de boerengolfbaan.
Oude Maatsestraat 16 Didam | 0316 – 22 73 75 of 06 – 13 91 94 37
www.struisvogelboerderij.nl

454 SPEELBOERDERIJ DE VOSSENBERG

Binnenspeeltuin van 800 m², met een grote klimkooi en een knutsel-, timmer- en bouwruimte op de bovenverdieping.
Tilburgsebaan 42 Gilze | 0161 – 45 66 86 | www.devossenberg.net

455 TORENWACHTERS EN TORNADO'S *Domtoren Utrecht*

De Domtoren is de hoogste kerktoren van Nederland. Tijdens de bouw in 1321 klommen al veel Utrechtenaren stiekem omhoog, ondanks de enorme gaten in de ommuring. Tegenwoordig is het beklimmen van de toren wel veilig, maar voordat je op het hoogste uitkijkplatform – op 102 meter – staat, bent je wel 465 treden verder. Onderweg vertelt een gids spannende verhalen over torenwachters, bisschoppen en de grootste ramp die Utrecht ooit trof: de tornado van 1674. Deze wervelwind raasde in een kwartier over de stad en blies het schip tussen de Domtoren en de Domkerk compleet tegen de vlakte. Voorgoed.
Domplein 21 Utrecht | 030 – 236 00 10
www.domtoren.nl

456 HET FEESTJE VAN KOE NELLA *Camping 't Oortjeshek*

Koe Nella is nieuw op stal en kent nog niemand. Daarom organiseert boer Wibe een kennismakingsfeestje. Het feestje van koe Nella is een belevingstocht voor kinderen én hun ouders. Door middel van opdrachten ontmoet je allerlei dieren op de boerderij, in het weiland, in het bos en bij de sloot. En natuurlijk nodig je ze meteen voor Nella's feestje uit.
**Oortjespad 2 Kamerik | 0348 – 40 20 04 /
06 – 48 85 57 19 | www.campinghetoortjes-
hek.nl/kinderactiviteiten**

457 BATSCAN *Vleermuisboot Amersfoort*

Zijn vleermuizen bloeddorstige wezens? Na een tochtje op de vleermuisboot ontdek je hoe het echt zit. Vleermuiskenner Zomer Bruijn neemt je mee naar de verblijfplaatsen van het enige zoogdier dat kan vliegen. Onderweg hoor je de roep van de vleermuis met behulp van een batscan: een apparaatje dat ervoor zorgt dat onze oren het vleermuizengeluid ook kunnen opvangen. En natuurlijk fladderen de vleermuizen om je oren. Reserveren noodzakelijk.
033 – 465 46 36
www.amersfoort-rondvaarten.nl

458 ALIENS IN UTRECHT *Landingsbaan voor ufo's*

Stel dat er in de ruimte levende wezens bestaan. Stel dat die wezens slim genoeg zijn om ruimteschepen te bouwen, en stel dat ze hun kennismaking met planeet aarde uitgerekend in de provincie Utrecht willen beginnen. Dan zitten ze goed, die ruimtewezens. Want geloof het of niet, in de gemeente

Houten ligt sinds zes jaar de eerste landingsbaan voor ufo's van Nederland. Dankzij een uitgelichte, lichtblauwe betonnen plaat met een grote U weet iedere ufo-bestuurder waar hij/zij/het moet zijn.
Afrit A27 bij Houten ('De Staart')

459 LICHTVERSCHIJNSELEN *Trajectum Lumen*

Zodra de zon onder is, begint het centrum van Utrecht op een vreemde manier te veranderen. Plekken die eerst in schemer gehuld waren, lichten plotseling op. De lichtkunstroute Trajectum Lumen leidt je langs kunstwerken waarin licht de hoofdrol speelt:

tunnels waarin het licht van kleur verandert, boogbruggen waaronder een felblauwe gloed opkomt. En is die lichtcirkel boven de kerktoren echt of bedrog?
0900 – 128 87 32 | www.trajectumlumen.nl

460 EIGEN VERSNELLINGEN! *Vierpersoonsfiets*

Keihard trappen zonder vooruit te komen en bij de eerste bocht met z'n allen onderuitgaan: met z'n vieren op een fiets is zelden een lolletje. Tenzij je een rit maakt op de speciale familiefiets van Blik op de Wei. De

fiets is zo gebouwd dat iedere fietser z'n eigen versnellingen heeft. Wel eerst goed afspreken wie er stuurt...
Ringdijk 2e Bedijking 33 Mijdrecht
0297 – 53 23 02 | www.blikopdewei.nl

461 E-MAIL UIT DE OERTIJD *DinoBos*

Dinosauriërs zijn 65 miljoen jaar geleden uitgestorven. Maar in het DinoBos van DierenPark
Amersfoort vind je nog een aantal behoorlijk
levensechte exemplaren, die soms zelfs kunnen brullen of bewegen! Een wandeling door
het Bos voert je langs ruim zeventig reuzen-
reptielen, waaronder een twaalf meter hoge
Brachiosaurus. Vergelijk je eigen snelheid met
die van een dinosauriër op de dinorenbaan,
stuur een e-mail uit de oertijd of probeer het
dinoskelet in de groene tent weer in orde te
krijgen – een puzzel waar sommige volwassenen zomaar een jaar mee bezig zijn.
Barchman Wuytierslaan 224 Amersfoort
033 – 42 21 700
www.dierenparkamersfoort.nl/dinobos

462 WATERTRAPPEN *Fietsen onder straatniveau*

Utrecht laat zich vanaf het water van zijn
mooiste en groenste kant zien. Meters onder het straatniveau is het verkeersgeraas ver
weg. Ideaal voor een tochtje per waterfiets
dus. Je passeert de gevels van prachtige
grachtenpanden en fietst onder de typisch
Utrechtse consoles: kleine beeldhouw-
werkjes die onder elke lantaarnpaal zijn
bevestigd. Aan het einde geniet je van een
passende beloning op een van terrassen van
het Wed, Ledig Erf, Vismarkt of Oudegracht.
Oudegracht 167 Utrecht | 030 – 626 55 74
www.canal.nl/bike/nl/utrecht

463 DIGITALE BOSWACHTER *mp3-route Botshol*

Een boswachter die een privérondleiding
geeft en die je kan aan- en uitzetten als het
jou uitkomt. Dat is de digitale boswachter
van Natuurmonumenten. Hij kent de omgeving van Botshol (een moerasgebied tussen
Abcoude en Vinkeveen) op zijn duimpje en
leidt je via je mp3-speler langs de mooiste
plekjes. Een twaalf kilometer lange wandeling door een bijzonder stukje laagveen.
**www.natuurmonumenten.nl/content/mp3-
route-botshol**

464   BEWEGENDE BOOMSTAMMEN *Canopy Trail*

Tussen palen en boomkruinen hangt het spannendste touwbanencircuit van Midden-Nederland, de Canopy Trail. Op het hoogteparcours, dat zich tussen de acht en elf meter boven de grond bevindt, kom je de nodige hindernissen tegen. Bedwing de Birma-brug, waag je over het plankenpad of trotseer de bewegende boomstammen en het Paalbos. Niet omlaag kijken!

Soesterweg 556 Amersfoort
033 – 422 51 00
http://sro.nl

465   SNOWTUBING *Skicentrum Soesterberg*

Wel wintersportkriebels, maar geen zin om te skiën of te snowboarden? Dan kun je bij Skicentrum Soesterberg terecht voor de nieuwste wintersportrage: snowtubing. Je glijdt omlaag op een speciale band over de eerste permanente snowtubebaan van Europa. Klinkt misschien simpel, maar als je tube een beetje doorglijdt, zit je zo aan de 75 kilometer per uur! Duizelingwekkend hard dus.

Kerklaan 8 Soesterberg | 0346 – 35 26 74
www.skicentrumsoesterberg.nl

466   VAN NIJNTJE TOT HAVANCK *Dick Bruna Huis*

Ooit vertelde Dick Bruna zijn zoontje voor het slapengaan verhalen over een wit konijn in de tuin. Dat was het begin van Nijntje, Nederlands bekendste kinderboekenfiguur. In het Dick Bruna Huis, tegenover het Centraal Museum, zie je Nijntje tussen vriendjes als Betje Big en Boris Beer. Je ontdekt hoe lang Bruna bezig is voordat de lijnen precies goed op papier staan en ziet ook de boekomslagen die hij maakte voor detectives als *De Schaduw* en *James Bond*. Nijntje voor volwassenen dus.

Agnietenstraat 2 Utrecht | 030 – 236 23 62
www.dickbrunahuis.nl

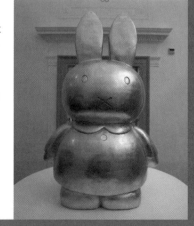

467 ETEN MET HET SEIZOEN *De Kinderkooktuin*

Je kan natuurlijk elke dag koken wat je in de supermarkt 'oogst'. Je kan ook langsgaan bij de Kinderkooktuin. Daar leer je niet alleen hoe je groenten en fruit zaait, plant en oogst, maar kook je ook nog eens een heerlijke maaltijd met seizoensgebonden biologische producten. Leuk idee voor een kinderfeestje.

Utrechtseweg 316 De Bilt
06 – 12 35 56 96
www.dekinderkooktuin.nl/workshops

468 NATUURVESTING *Fort Rijnauwen*

Verscholen tussen Zeist, Utrecht en Bunnik vind je Fort Rijnauwen, het grootste waterliniefort van Nederland. Het vestingwerk, dat ooit plaats bood aan 540 soldaten en 105 kanonnen, werd tijdens de Tweede Wereldoorlog als munitieopslag gebruikt en daarna min of meer vergeten. Daardoor groeide Fort Rijnauwen uit tot een waardevol natuurgebied, waar veel bedreigde planten en dieren zich thuis voelen. Op het fort worden geregeld speciale rondleidingen georganiseerd voor kinderen van vier tot tien jaar.

Rhijnauwenselaan Bunnik | 0900 – 128 87 32
www.fortrijnauwen.nl

469 AAN DE KANT! *Op de step door Amersfoort*

De binnenstad van Amersfoort is voor fietsers verboden terrein, maar gelukkig zijn er nog meer manieren om de stad te verkennen. Zoals de trendy sportstep van Dogatti. Bij de winkel vind je zes mooie steproutes, mét adressen waar je van je inspanningen kunt bijkomen.

Oliesteeg 10 Amersfoort
033 – 475 95 94
www.sportstep.nl

470 SPROOKJESSLOT *Kasteel de Haar*

Kasteel de Haar was eeuwenlang een ruïne. Maar toen eigenaar Etienne baron van Zuylen met de steenrijke Hélène de Rothschildt trouwde, had hij genoeg geld om zijn optrekje 'in stijl' te laten verbouwen. Architect Pierre Cuypers ontwierp een sprookjeskasteel waar de filmmakers van Disney hun vingers bij af zouden likken: een bakstenen slot met slotgracht, paleistuinen en indrukwekkende torens. Tijdens een (kinder)rondleiding kun je de gastenkamers zien, waar de kleinkinderen van de baron nog altijd hun etentjes geven.
Kasteellaan 1 Haarzuilens | 030 – 677 85 15
www.kasteeldehaar.nl

471 EILAND MET STER *Zwerfsteneneiland*

Rij je wel eens over de A12 van Utrecht richting Arnhem? Dan kun je ter hoogte van Maarn een waterplas met een vreemd eiland zien. Als je goed kijkt, zie je zelfs dat midden op het eiland een ster ligt. Deze ster is 'gemaakt' van de grootste collectie zwerfkeien van Nederland. De zwerfstenen werden gevonden toen de Nederlandse Spoorwegen op deze plaats zand afgroef. De Maarnse kunstschilder Peter Enter legde de stenen neer in de vorm van een kompasroos (een draaibare brug waarop locomotieven kunnen 'keren'). Mooi te zien vanuit de lucht, of tijdens een gratis rondleiding via de vvv Doorn.
0343 – 41 20 15
www.aardkundigewaarden.nl/zwerfsteneneiland

472 BEZEMRACE *Heksenpad Oostbroek*

Altijd al willen weten waar het favoriete geurkruid van de heks groeit? Dan moet je een keer het Heksenpad lopen, een nieuwe kinderroute over landgoed Oostbroek. De route voert je onder meer langs een kruidentuin en over een knuppelpad door het moeras. Onderweg kun je verschillende doe- en speelopdrachten uitvoeren. Je kan ook kiezen voor een bezemrace onder de fruitbomen – hét favoriete tijdverdrijf van echte heksen.
Bunnikseweg 39 De Bilt
030 – 220 55 55 | www.utrechtslandschap.nl/p3.php?RubriekID=4239

NOORD-HOLLAND

473 STRIPPARADIJS
Stripwinkel Lambiek

Lambiek, de oudste stripwinkel van Europa, is zo bekend dat je de winkel zelfs in stripboeken tegenkomt: Donald Duck waggelde een keer de winkel in om een praatje te maken met oprichter Kees Kousemaker. Nog altijd is Lambiek een paradijs voor liefhebbers van strips: van stokoude *Sjors en Sjimmie*'s tot gloednieuwe *Franka*'s en van de heldendaden van piloot Buck Danny tot de briljante meligheid van *DirkJan*. In de winkel zijn regelmatig exposities van jong striptalent.
Kerkstraat 132 Amsterdam | 020 – 626 75 43
www.lambiek.net

474 SPAGHETTI KNIPPEN *Café-restaurant Wilhelminadok*

De knaloranje gevel van het Wilhelminadok, aan de overkant van het IJ, kun je niet missen. Maar in 2005 keek de kapitein van een cruiseschip straal langs het gebouw. Hij ramde de voorsteven van zijn schip recht in de gevel – een ramp die alle voorpagina's haalde. Gelukkig is het restaurant de klap goed te boven gekomen. In de keuken wordt nog altijd met veel enthousiasme – maar zonder poeha – gekookt. Voor Pippi Langkousfans heeft Wilhelmina een bijzonder gerecht op de menukaart: spaghetti met een schaar.
Noordwal 1 Amsterdam | 020 – 632 37 01
www.wilhelmina-dok.nl

475 KEUKENBENDE *Magazzino*

Ben je een echte keukenprins of -prinses en wil je wel eens in een echte restaurantkeuken aan de slag? Bij Magazzino kun je je inschrijven voor een leuke en smakelijke middag (meestal op de tweede zondag van de maand). Terwijl je ouders in het restaurant borrelen of wijn proeven, ga jij aan de slag met de lekkerste gerechten uit de Italiaanse keuken. Je leert pasta vullen, grilt groenten, bakt focaccia en maakt je eigen ijs. Daarna genieten jullie samen van een heerlijk driegangenmenu van jouw hand.
Jollemanhof 19 Amsterdam | 020 – 419 89 78
www.magazzinoamsterdam.nl/keukenbende.php

476 FILMKANTINE *Het Ketelhuis*

Met een film in een XL-bioscoop en een XL-portie popcorn is natuurlijk niks mis. Maar voor een simpel middagje kinderfilm is er geen betere plaats dan het Ketelhuis. De 'kantine van de Nederlandse film' (in het Ketelhuis worden vaak premièrefeesten gegeven) is dé plaats voor de leukste, meest eigenwijze en origineelste jeugdfilms van Nederland. Check de Afdeling Jeugdzaken voor het wekelijkse aanbod.

Pazzanistraat 4 (Cultuurpark Westergasfabriek)
Amsterdam | 020 – 684 00 90
www.ketelhuis.nl

477 IJS- EN IJSKOUD *Xtra Cold Icebar*

Ben je een winters type en drink je je cola het liefst vers uit het vriesvak? Dan moet je absoluut naar de Xtra Cold Icebar. Nadat je een speciale thermocape en handschoenen hebt aangetrokken (de temperatuur binnen schommelt rond de -10 °C), stap je een café binnen waar alles van ijs is: de bar én de bank, de glazen en zelfs de open haard. Na een 'duik' in de 4D Ice Xperience – een reis langs de koudste plekken op aarde – kun je weer op temperatuur komen in de lounge.

Amstel 194-196 Amsterdam
020 – 320 57 00 | www.xtracold.com

478 KELDERSPROOKJES *Poppentheater de Zilveren Maan*

Poppenspeelster Jeannette Kuiper zocht al een tijdje naar een mooie plek voor haar voorstellingen. Tot ze op het sprookjesachtige Landgoed Elswout de ruïne van een aardappelkelder ontdekte. Met een hoop creativiteit (en 48 oude bioscoopstoelen) toverde ze de plek om tot een van de meest sprookjesachtige theaters van Nederland: Poppentheater de Zilveren Maan. In het theater kun je kijken naar spannende, mysterieuze, maar ook grappige voorstellingen in een traditionele poppenkast. Een heel bijzondere ervaring.

Elswoutslaan 28 Overveen | 06 – 22 94 62 90
www.poppentheaterdezilverenmaan.nl

479 SCHEEPSGEHEIMEN *Flessenscheepjes Museum*

Hoe krijg je die scheepjes in vredesnaam in de fles? Dat is dé vraag als je rondkijkt in het Flessenscheepjes Museum. Er staan meer dan duizend schepen-in-fles, van zeilreuzen tot walvisvaarders en van VOC-schepen tot reddingsboten. Je ontdekt hoe zeebonken de verveling tegengingen door tijdens lange zeereizen miniatuurscheepjes te maken. En gelukkig ontrafel je het geheim van de flessenscheepjesbouwer.
Paktuinen 23c Enkhuizen | 0228 – 31 85 83
www.flessenscheepjesmuseum.nl

480 LOOPBRUGGEN EN SCHIETGATEN *Spokk-lasergame*

Ze zullen het niet gauw toegeven, maar heel wat volwassenen zijn gek op laser-gamen. Sterker nog: zodra ze hun *space*-harnas hebben aangetrokken, veranderen veel onschuldige papa's en mama's in fanatieke sluipschutters. Bij Spokk-laser-game zul je weinig last van ze hebben. De harnassen en arena zijn namelijk op maat gemaakt voor kinderen van vijf tot zestien jaar! Na een instructie in de Fire Room sluip je de arena in en ga je op zoek naar geheime hoekjes, loopbruggen en schiet-gaten. Daarna is het een kwestie van raken of geraakt worden. Draag donkere kleren!
Noorddammerlaan 99 Amstelveen
020 – 345 65 10 | www.spokk.nl

481 ONDERWATERFEESTJE *Ik zie je op de bodem!*

Je kun je verjaardag natuurlijk in een hal met gekleurde ballen vieren, een clown dierenballonnen laten knopen of met je vrienden naar de geitenboerderij. Maar voor een echt origineel verjaardagsfeestje ga je naar het zwembad van Hotel Aker-sloot. Naar de bodem van het zwembad om precies te zijn, want daar speelt je feestje zich af. Nadat een van de begeleiders heeft uitgelegd hoe de duikuitrusting en het snorkelmateriaal werken, gaan jullie in twee teams aan de slag met een uitdagende opdracht: het bergen van een schat die op de bodem van het zwembad ligt. Voor wa-terratten van acht jaar of ouder.
Prins Hendrikstraat 47 Zaandam
075 – 631 42 63
http://holland.dive2gether.com

482 ROOFVOGELSHOW *Landgoed Hoenderdaell*

Dobberende krokodillen, rondspringende kangoeroes en emoes die plotseling je pad kruisen: op Landgoed Hoenderdaell kijk je je ogen uit. Betrap de ringstaartmaki's op de apenheuvel, bezoek het opvangverblijf van Stichting Leeuw, en vergeet niet om een kijkje te nemen in de roofvogeltuin.

Met een beetje geluk staat valkenier Karel net met zijn vogels klaar voor een spectaculaire roofvogelshow. Dagelijks om 12.00 en om 15.00 uur.

Van Ewijckskade 1 Anna Paulowna
0223 – 53 13 88
www.landgoedhoenderdaell.nl

483 ADEMBENEMDEND *Helikoptervlucht Hilversum*

Er zijn van die dingen die je minstens één keer in je leven gedaan moet hebben. Een helikoptervlucht maken bijvoorbeeld. Niet het goedkoopste gezinsuitje, maar als je je ouders lief aankijkt (en alvast een paar flitsende filmpjes op YouTube opzoekt) krijg je het misschien voor elkaar. Wentel door

het luchtruim boven Het Gooi of de Randstad en geniet van het adembenemende uitzicht. Misschien zie je je eigen huis wel vanuit de lucht...

Noodweg 49 Hilversum
www.helicopters.nl/Helikopters/Welkom.html

484 STOELRIEMEN VAST! *Draagvleugelboot IJmuiden*

De draagvleugelboot naar IJmuiden heeft wel wat van een vliegtuig. Voordat je vertrekt moet je je stoelriemen vastmaken en krijg je een video te zien. Daarna verheft de draagvleugelboot zich boven het water en schiet met speedbootsnelheid over het Noordzeekanaal. Je racet langs container-

vlaktes, reusachtige kranen en enorme fabrieken waarvan je niet wist dat ze bestonden. Voor je het weet sta je alweer in IJmuiden. Snel nog een keer!

Achter Centraal Station aan de Ruyterkade, steiger 14 Amsterdam | http://water.con-nexxion.nl/diensten/602/fast-flying-ferry/239

485 CD'TJE INZINGEN *Popster voor één dag*

Even in de huid kruipen van Adele, Will.i.am of Gers Pardoel? Bij studio VooDooVoX ontdek je hoe het is om drie uur lang een echte popster te zijn. Eerst ga je prachtig uitgedost op de foto. Daarna zoek je je favoriete liedjes uit en neem je, samen met je vrienden of vriendinnen, een cd op in een echte opnamestudio. Na afloop krijgen alle deelnemers een cd mee, in een flitsende hoes met jullie beste foto's.
Wateringweg 41 Haarlem | 023 – 785 04 88
www.popstervooreendag.nl

486 ZOMBIES EN GROOVES *Silverstone*

Ben je een echte gamer? Schiet je graag met een uzi op zombies of scheur je liever op een virtueel racecircuit? In de Arcadehal van partycenter Silverstone vind je de nieuwste, snelste en spectaculairste games. Zoals de Dance Dance Revolution (DDR) en de In the Groove 2 Dance Machine. Voor dansers met een snel reactievermogen.
Weerenweg 21-23 Zwanenburg
020 – 497 38 58 | www.silverstone.nl

487 DOE DE DIDGERIDOO *DidgeridooCentrum*

De *didgeridoo* (spreek uit als didzjurriedoe) is het bekendste instrument van de Aboriginals. Als je op de uitgeholde boomstam blaast, hoor je een laag geluid dat je helemaal in je buik voelt trillen. Tijdens een workshop (of feestje) bij het DidgeridooCentrum leer je hoe je een toon moet blazen. Je maakt je je eigen didgeridoo, die je daarna beschildert met Aboriginalsymbolen of eigen versieringen. En natuurlijk neem je je kunstwerk na afloop mee naar huis.
Karos 81 Hoorn | 0229 – 75 77 66 /
06 – 51 37 49 13 | www.didgeridoo-centrum.nl

488 OUD-HOLLANDS SNOEP *Bram en Aagje*

Grote kans dat jouw kamer groter is dan het kleinste snoepwinkeltje van Nederland. En een stuk moderner, want bij Bram en Aagje is de tijd stil blijven staan. Nou ja, niet helemaal, want de sigaren en sigaretten die Bram en Aagje verkochten hebben plaatsgemaakt voor oud-Hollands snoep. Zoals ulevellen, stroopsoldaatjes en Weesper moppen. De kans dat je zónder snoep naar buiten komt is nog kleiner dan het winkeltje. Heel klein dus!
Raadhuisstraat 21 Graft | 06 – 53 31 76 09
www.bramenaagje.nl

489 GRIEZELKERKERS *The Amsterdam Dungeon*

Wreedheid en een stevige portie ellende. In The Amsterdam Dungeon reis je terug naar de donkerste dagen uit de geschiedenis van Amsterdam. Je ziet de beul aan het werk in het martelkabinet, beleeft de dagelijkse ontberingen aan boord van een voc-schip en stuit op het lichaam van de crimineel Zwarte Jan. Niet voor fijngevoelige typetjes.

Rokin 78 Amsterdam | 020 – 530 85 00
www.thedungeons.com

490 SPOOKSLOT *Kasteelruïne van Brederode*

De ruïne van Brederode heeft heel wat meegemaakt. Het kasteel werd in 1573 door Spaanse soldaten in brand gestoken en geplunderd. Daarna verdwenen de resten van het kasteel steeds verder onder het stuifzand van de duinen. Jaren geleden werd de mooiste ruïne van Nederland uitgegraven en opgeknapt. Gelukkig niet te veel: het moest wel een ruïne blijven. Mooi te zien in de film *Snuf en het spookslot*, maar ook 'live' te bezichtigen.

Velserenderlaan 2 | Santpoort-Zuid
www.kastelenhollandzeeland.nl/brederode.htm

491 VLIEGTUIGEN KIJKEN *Panoramaterras Schiphol*

Het opstijgen is het allermooist, maar ook een goede landing mag er zijn. Vanaf het Panoramaterras Schiphol heb je prachtig zicht op alle Airbussen en Boeings die Amsterdam verlaten en binnenkomen. En op de vliegtuigspotters die met notitieboekje en verrekijker alle vluchten bijhouden.

Evert van de Beekstraat 202 Schiphol

492   1 NIEUW BERICHT *Sms-route Helderse Duinen*

Je kan natuurlijk braaf de richtingbordjes volgen. Maar je kan de Helderse duinen ook verkennen met behulp van je smartphone. De sms-route Helderse Duinen voert je door de spannendste stukjes van het gebied. Zoals de Donkere Duinen, de Grafelijkheidsduinen en Mariëndal. Onderweg kun je op verschillende punten een sms sturen. Daarna krijg je een sms-bericht terug met informatie over het landschap, de planten en dieren. Zorg voor een opgeladen accu. Vertrek vanaf bezoekerscentrum De Helderse Vallei.

Jan Verfailleweg 9-11 Den Helder
www.landschapnoordholland.nl/wandel-route/sms-route-door-de-helderse-duinen

493   OP ZOEK NAAR UTOPIA *De Schildpad*

Komt-ie terug of niet? Dat was een van de grote vragen tijdens het schrijven van dit boek. Lukt het Amsterdam-Zuid om ge-

noeg geld in te zamelen om de Schildpad in de stad te houden? Het enorme goudkleurige dier werd in 2011 in het gras gezet voor de beeldententoonstelling Art Zuid en was meteen zo populair dat de buurt het wilde kopen. Op de Apollolaan, kruising Beethovenstraat, kun je zien of dat gelukt is. Grappig detail: de Schildpad is op zoek naar het eiland Utopia: een niet bestaand paradijs, waar hij slechts met een slakkengangetje op af kruipt.

Apollolaan Amsterdam

494   DRIEDUBBELDIK *Dik Trom-QR-route*

Onderwijzer Johan Kievit vond de jeugdboeken uit zijn tijd veel te saai en te braaf. Daarom schreef hij zelf maar een boek over een dikke kwajongen: Dik Trom. Diks avonturen werden een paar jaar geleden verfilmd, en sinds kort is er zelfs een Dik Trom-QR-route. De route voert je langs alle plekken die iets met Dik Trom te maken hebben. Kom je bij een routepunt, dan kun je met je smartphone de QR-blokjescode lezen, en krijg je een fragment uit een van de boeken op je scherm. 'Wel, wel, wat een driedubbeldikke jongen is dat! Zoo'n dikzak heb ik nog nooit gezien!'

Zeevang | www.oneindignoordholland.nl/nl-NL/verhaal/578/dik-trom-oud-en-nieuw

495   SCHUILKERKEN EN HELDEN *De Alkmaar Code*

Vergis je niet: Mees en Thijs, de hoofd-personen van de Alkmaar Code, bestaan echt. Ze nemen je mee op een duizeling-wekkende speurtocht door de Alkmaarse geschiedenis. Je hoort spannende verhalen over schuilkerken en het Alkmaars Ontzet, ontmoet helden als Trijn en Maerten, en maakt kennis met uitvinder Cornelis Dreb-bel, de eerste bouwer van een onderzeeër. Stap voor stap ontrafel je de geheime code.
Waagplein 2 Alkmaar | 072 – 511 42 84
www.vvvhartvannoordholland.nl

496   IN DE GEEST VAN ANNIE M.G. *Praq in Waaidorp*

Nu staan de drie gele silo's midden op Stei-gereiland er nog werkeloos bij. Maar als alles goed gaat, worden de reuzen binnen-kort verbouwd tot de 'stoutste torens' van Amsterdam: het Annie M.G. Schmidt Huis. In het huis kun je niet alleen kijken naar een vaste tentoonstelling over het werk van Annie, maar vind je ook een theater en een bioscoop. Tot die tijd kun je naast de silo's vast in Anniestemming komen in res-taurant Praq in Waaidorp. In een knalrode loods met een geweldig zomerterras.
IJdijk 8 Amsterdam | 020 – 496 15 70
www.waaidorp.nl

497   VAN ALLE MARKTEN THUIS
Bazaar Beverwijk

De geuren opsnuiven van de Oosterse Markt, nieuwe games uitproberen in de Game Experience of een stapeltje twee-dehands strips scoren in de Kofferbak-markt: de Bazaar Beverwijk is al ruim dertig jaar de plaats waar je moet zijn als je op zoek bent naar antiek, hippe kleding, tropisch fruit en nog veel meer. Leuk om koopjes te jagen, rond te slenteren of exotische hapjes te proe-ven op het horecaplein. In de grootste overdekte markt van Europa.
Montageweg 35 Beverwijk
0251 – 26 26 26 | www.debazaar.nl

498 TRAMPOLINE XL *Bounz*

Ben je uitgekeken op de trampoline in de achtertuin? Zijn je springspieren aan een nieuwe uitdaging toe? Bij springparadijs Bounz vind je een gesloten 'veld' van 32 trampolines, waar je niet vanaf kan vallen.

Ideaal voor 'airobics', trefbal of coördinatietraining. Of een uurtje ouderwets op en neer stuiteren natuurlijk.
Willinklaan 3-5 Amsterdam | 020 – 611 44 81 www. bounz.nl

499 ZWOELE ZOMERAVONDEN *Blijburg*

Blijburg is het eerste echte stadstrand van Amsterdam. Het café-restaurant-strandpaviljoen laat al jaren zien dat je net zo goed aan het IJ onder een parasol kan zitten als aan de 'echte' kust. Een zandstrand met uitzicht over het water, kampvuurtjes,

kussens en lekker eten zorgen ervoor dat je Zandvoort algauw vergeet. Op fietsafstand van de binnenstad.
Muiderlaan 1001 Amsterdam | 020 – 416 03 30 www.blijburg.nl

500 ZWEMBAD IN DE AMSTEL *BadBuiten*

Je kan natuurlijk een kaartje kopen voor het tropisch zwemparadijs of een duik nemen in een bosvijver. Maar als je echt op een bijzondere plaats wil zwemmen, ga je naar het kantoor van Waternet, langs de Amstel. Daar vind je het eerste drijvende zwembad van Nederland: BadBuiten. Het

minizwembadje vraagt aandacht voor het millenniumdoel 'Schoon water voor iedereen'. Vreemd idee: je zwemt in verwarmd water, terwijl je tegelijkertijd in de Amstel drijft. Tot 23.00 uur geopend.
Korte Ouderkerkerdijk t.o. 7 Amsterdam 06 – 38 14 15 12 | www.badbuiten.nl

501 KOSTBARE SCHATTEN
Viking Informatiecentrum

Als je in de negende eeuw in de buurt van de kust woonde, kon je je kostbaarheden maar beter goed verstoppen. Want met een beetje pech werd je het slachtoffer van een Vikingrooftocht. Bij het Viking Informatiecentrum kom je alles te weten over deze woestelingen, die plunderend en moordend door Europa trokken. Je bewondert helmen, wapens en een schaalmodel van een echt Vikingschip. Even later sta je voor een raadsel dat nog veel 'kenners' bezighoudt: twee kostbare Vikingschatten, die per ongeluk in Wieringen zijn achtergebleven.

Havenweg 1 Den Oever | 0227 – 51 04 67
www.vikingen.nl

502 DUINMAGIËR *Bezoekerscentrum De Hoep*

Waar komt ons kraanwater vandaan? Hoe is het duinlandschap ontstaan en welke planten en dieren wonen in het gebied van het Provinciaal Waterleidingbedrijf Noord-Holland (PWN)? In Bezoekerscentrum De Hoep ontdek je alles over water en de Noord-Hollandse natuur. Je neust rond in de vlindertuin, bewondert de vogelobservatiewand en bekijkt de duinen door de ogen van de duinmagiër. Met behulp van spannende opdrachten en een kaart ontdek je de geheime plekken in de duinen.

Johannisweg 2 Castricum | www.pwn.nl/
PuurNatuur/BezoekersCentra/DeHoep

503 LEVEND PAARDENMUSEUM *De Hollandsche Manege*

Aan de rand van het Amsterdamse Vondelpark vind je de mooiste stadsmanege van Europa: de Hollandsche Manege. Het stijlvolle gebouw werd op het nippertje van de sloop gered en vormt nu een levend paardenmuseum, waar je ook terecht kan voor paard- en ponyrijden en springlessen. Gietijzeren stallen, vergulde spiegels en statige paardenhoofden zorgen voor een perfect filmdecor.

Vondelstraat 140 Amsterdam | 020 – 618 09 42
www.dehollandschemanege.nl

504 VIP-SPOTTING *Madame Tussauds*

Marie Grosholz had wat je noemt een vreemde hobby. Tijdens de Franse revolutie raapte ze de hoofden van terechtgestelde misdadigers op om er wassen afgietsels van te maken. Dat deed ze zo goed dat haar verzameling algauw uitgroeide tot een bezienswaardigheid. Tegenwoordig staan er bij Madame Tussauds geen misdadigers meer, maar beroemdheden. Zoals Justin Bieber, Lady Gaga en 'mooiste man ter wereld' Robert Pattinson. Gerard Joling onthulde zelfs voor de tweede keer in zijn carrière zijn wassen evenbeeld. 'Maak me gek!'

Dam 20 Amsterdam | 020 – 522 10 10
www.madametussauds.com/Amsterdam

505 HUILENDE TORENS *Kinderstadswandeling Amsterdam*

Tijdens de Kinderstadswandeling Amsterdam komen de verhalen los! Je ontdekt waarom de stad op palen werd gebouwd, hoe het paleis op de Dam terechtkwam en wat Napoleon eigenlijk in Amsterdam deed. Avontuurlijke zeemannen en huilende torens duiken op in sterke (maar waar gebeurde!) verhalen. Voor groepen van minimaal tien kinderen.

Postjeskade 115-1 Amsterdam
020 – 616 60 55 | www.prettycitytours.com

506 ROGGEN AAIEN *Zeeaquarium*

Roggen aaien, tropische vissen bewonderen of kijken hoe snel piranha's hun maaltijd wegwerken: in het Zeeaquarium maak je het leven van veel zeebewoners van dichtbij mee. De tweehonderddertig soorten vissen leven niet alleen in een omgeving die erg op hun 'huis' lijkt, maar zwemmen ook nog eens in vers zeewater, dat met tankwagens uit Zeeland wordt aangevoerd. In 44 prachtige aquaria.

Van der Wijckplein 16 Bergen aan Zee
072 – 581 29 28 | www.zeeaquarium.nl

507 MONSTERACHTIG LEKKER *De Bijenstal*

Bij de Bijenstal kom je alles te weten over bijen. Je ziet hoe de imker de honing uit de raten haalt, ontdekt de verschillen tussen de werksters (de vrouwtjes), de darren (de mannetjes) en de koningin, en maakt een ritje in treinenpark de Bijrijder. Nog steeds nieuwsgierig? Dan kun je op afspraak ook langskomen om insecten te eten. Op het menu staan niet alleen bijenpoppen, maar ook krekels, sprinkhanen en meelwormen. Monsterachtig lekker, noemen ze dat bij de Bijenstal.

**Oosteinde 41 Opperdoes | 0227 – 54 01 16
www.bijenstal.nl**

508 IN DUEL MET THEO BOS *Olympic Experience*

De gouden oefening van Epke Zonderland, het olympisch record waarmee Ranomi Kromowidjojo de 100 meter vrije slag won en de smash waarmee het Nederlandse volleybalteam olympisch goud veroverde. In de Olympic Experience beleef je alle hoogtepunten uit de Nederlandse sportgeschiedenis. Je maakt een interactieve reis langs onderdelen als Sport & Wetenschap en de Schatkamer en meet je krachten met bekende topsporters. Zoals wielrenner Theo Bos. Goed vooraf trainen dus.

**Olympisch Stadion 2 Amsterdam
020 – 671 11 15 | www.olympischstadion.nl**

509 SPIONNEN GEZOCHT *Hexos*

Het Nationaal Opsporingsinstituut (Noi92) is op zoek naar nieuw talent. Spionnentalent om precies te zijn, want Noi92 zoekt kinderen die niet terugdeinzen voor een smerig zaakje. Je probeert een partijtje gestolen Rembrandts te onderscheppen, gaat op zoek naar een spion in de machinekamer van een gekaapte onderzeeër en bindt de strijd aan met Antonio Provenzano, een maffiabaas die de politie steeds te snel af is. Gelukkig begeleidt het Opsporingsinstituut jou en je team per mail en telefoon.

**Amsterdam | 020 – 696 79 57
www.hexos.net**

510 ZEG HET MET BLOEMEN
Zomerbloemen Pluktuin

Met een boeketje van de bloemist is natuurlijk niks mis. Maar het is nog leuker als je zelf je zomerboeket samenstelt. In de open kas van Anne-Marie Fontijn pluk en knip je in recordtijd een prachtig boeket bij elkaar. Daarna kun je testen of je ook nog talent hebt voor bloemschikken. Aan het aanbod zal het in elk geval niet liggen: in de tuin staan meer dan tachtig soorten bloemen, waaronder veel bijzondere soorten!
Amsteldijk-Zuid 183b Nes aan de Amstel
06 – 20 43 45 41 | www.zomerbloemenpluktuin.nl

511 PUBLIEK GEZOCHT *Tv-opname bijwonen*

Leuk, zo'n nieuwe aflevering van *Voetbal International*, *Echt Waar?* of *Take me Out*. Maar het is nog leuker als je zelf, in het publiek, de uitzending kan bijwonen. Op het Mediapark in Hilversum worden het hele jaar door programma's opgenomen waarbij publiek nodig is. Dé kans om een kijkje te nemen in de keuken van je favoriete tv-programma.
Hilversum | www.nationalemediasite.nl/uitzendingbijwonen.php

512 LOGEERKUSSEN *Staalman*

Een knuffelbeer met een eigen website en een levensgroot standbeeld. Dat is Staalman. De Rotterdamse kunstenaar Florentijn Hofman (bekend van badeenden op reuzenformaat) bedacht de elf meter hoge beer samen met jongeren uit de buurt. Het kussen onder de arm van de beer heeft niets met de winterslaap te maken, maar met de opknapbeurt die de wijk kortgeleden onderging. Veel bewoners moesten daardoor tijdelijk ergens anders wonen. Een echt logeerkussen dus.
Staalmanpark, tegenover Ottho Heldringstraat 13
Amsterdam | www.destaalman.nl

513 ONDERGRONDS VERMAAK *TunFun*

Een stad als Amsterdam heeft niet dagelijks een verkeerstunnel over. Maar tien jaar geleden stond er onder het Mr. Visserplein ineens een enorme ruimte leeg. Advocaat Adriaan van Hoogstraten en econoom Edward van den Marel toverden de tunnel om tot een 'indoorpretpark'. Waar ooit auto's voorbijraasden kun je je nu uitleven in skatekarts, klimkastelen, opblaassurvivalbaan Underworld of voetbalkooi de Panna Pit. Echte TunFun dus.
Mr. Visserplein 7 Amsterdam
020 – 689 43 00 | www.tunfun.nl

514 HET BELOOFDE VARKENSLAND *In gesprek met varkens*

Varkens zijn slimme en leuke dieren, maar ze hebben hun uiterlijk niet mee. Bij het Beloofde Varkensland ontdek je dat varkens niet alleen een heel goede neus hebben (in Frankrijk sporen ze in de bossen truffels op), maar ook aanhankelijk en speels zijn. Je maakt kennis met vaste bewoners als Miss Piggy en Billie Bofkont en staat oog in oog met Miss Universe, Wilde Sjouk en Mokkeltje. Wil je echt met een varken 'in gesprek' gaan, dan kies je natuurlijk voor een varkensmassage.
Bovenkerkerweg 132 Amstelveen
www.familiebofkont.nl

515 PARFUM EN THEE *Naardermeer Live*

Het Naardermeer mag dan ons oudste beschermde natuurgebied zijn, op het meer zelf kun je niet komen. Tenzij je je opgeeft voor Naardermeer Live, een avontuurlijke vaartocht met opdrachtjes op het water. Je vangt waterbeestjes, komt alles te weten over de aalscholverkolonie en maakt een eigen parfum met bestanddelen uit de natuur. En natuurlijk sluit je af met een pot Naardermeerthee van vers geplukte munt.
035 – 655 99 55
www.natuurmonumenten.nl/naardermeer

516 FOSSIELEN MAKEN *Geologisch Museum Hofland*

Fossielen vind je meestal in de grond, maar bij Museum Hofland kun je ze zelf maken. Althans: als je het museum afhuurt voor een Geo-Partijtje. Je krijgt een rondleiding door het museum, kiest een bijzondere steen uit de stenenbak en leeft je uit op een honderd procent uniek fossiel. Dé kans om eindelijk met de pootafdruk van een dino thuis te komen.
Hilversumseweg 51 Laren | 035 – 538 25 20
www.geologischmuseumhofland.nl

517 VISJE ERBIJ *Palingsoundmuseum*

Nick & Simon, Jan Smit en de 3J's: Volendam is dé hitfabriek van Nederland. In het Palingsoundmuseum kom je alles te weten over de muziek uit Volendam. Je duikt terug in de tijd dat BZN, The Cats en Piet Veerman de ene na de andere hit scoorden, ontmoet muzikale families en gaat op zoek naar de geheimen achter het Volendamse succes. Overigens: de term 'palingsound' ontstond doordat de managers van The Cats vaak een pondje paling naar de zender meenamen om hun artiesten op de radio gedraaid te krijgen. Slimme jongens, die Volendammers...

Slobbeland 19 Volendam | 0299 – 36 33 73
www.smitbokkum.nl/palingsoundmuseum

518 TAARTLUST *De Taart van mijn Tante*

Het rommelt in je buik. Zomaar ineens: onbedwingbare zin in taart. Geen fabrieksgeval uit de koelvitrine, maar een bontgekleurde feesttaart met alles erop en eraan. Roze of lichtblauw, in hartvorm, ouderwets rond of als een toren met etages. Tijd voor een bezoek aan de Taart van mijn Tante...

Ferdinand Bolstraat 10 Amsterdam
020 – 776 46 00 | www.detaart.com

519 PAMPUS XPERIENCE *Forteiland Pampus*

Iemand die 'voor Pampus ligt', is er meestal niet best aan toe. Dat was vroeger al niet anders. Bij het forteiland, aangelegd om Amsterdam te beschermen tegen aanvallen vanaf de Zuiderzee, wachtten vroeger de Oost-Indiëvaarders tot ze met 'scheepskamelen' naar het ondiepe water konden worden getild. Lag je voor Pampus, dan kon dat wel even duren. Tegenwoordig kun je het eiland – zonder lange wachttijden – met je eigen bootje of per veerboot bezoeken. Je kan ook kiezen voor de Pampus Xperience, een spannende tocht langs kanonsgaten, donkere gangen en soldatenvertrekken.

0294 – 26 23 26 | www.pampus.nl

520 AMBACHT-STRIPPENKAART *Landgoed De Bonte Belevenis*

Hoe gaat bierbrouwen in z'n werk, wat gebeurt er in een papierschepperij en hoe wordt zeep gemaakt? Op Landgoed De Bonte Belevenis maak je kennis met oude, maar nog niet helemaal vergeten ambachten. Zoals kaarsen maken, distilleren en zeep zieden. Liever zelf aan de slag? Met de Ambacht-Strippenkaart leer je de kneepjes van verschillende ambachten in een mum van tijd. Giet zelf een zeepje, maak een kaarsje en schep je eigen papier. Het resultaat neem je natuurlijk mee naar huis!
Rommelpot 11 Den Hoorn, Texel
0222 – 31 41 80
www.landgoeddebontebelevenis.nl

521 FORTENGOLF *Bastion Turfpoort*

Naarden Vesting is niet de meest voor de hand liggende plaats voor een potje golf. Maar op Bastion Turfpoort kun je terecht voor een pittige variant op boerengolf: fortengolf. Je speelt tussen de kogelvangers, boven op de kazematten en zelfs in de duistere luistergang. Maar pas op: drillsergeant Van Beveren levert bij elke hole commentaar...
Westwalstraat 6 Naarden | 035 – 694 54 59
www.vestingmuseum.nl

522 BOEKWINKELBIOSCOOP *Helden en Boeven*

In kinderboekenwinkel Helden en Boeven vind je niet alleen kasten vol kinderboeken, maar is ook nog eens elke week wat bijzonders te doen: van filmvoorstellingen tot voorleesmiddagen en van workshops tot een knutselclub. Echt een plek voor helden en boeven dus.
Bosboom Toussaintstraat 27 Amsterdam
020 – 427 44 07 | www.heldenboeven.nl

523 SPOKEN HELPEN *The English Ghost*

Normaal zijn de duinen tussen Wijk aan Zee en Egmond 's nachts een en al rust. Maar op heel sombere avonden kun je wel eens The English Ghost tegenkomen. Deze Engelse piloot kon tijdens de Tweede Wereldoorlog zijn missie niet uitvoeren, en spookt daardoor tot in de eeuwigheid rond. Tijdens het interactieve gps-spel The English Ghost pro-beren jij en je team de missie alsnog af te maken. Gewapend met een gps-ontvanger stort je je in een reeks stoere opdrachten, maar... je hebt maar drie uur de tijd.
Voorstraat 83, 1e etage Egmond aan Zee
072 – 507 28 99 / 06 – 47 01 10 17
www.experienceaanzee.nl/kids-xperience/
interactief-kids-gps-spel/

524 PIZZA'S BOUWEN *Kinderkookkafé*

Koekjes bakken, een pizza 'bouwen', of een zelfgemaakt soepje serveren: in het Kinderkookkafé leer je hoe het er in een echt restaurant aan toe gaat, zonder dat je last hebt van ongeduldige gasten. Je kookt je eigen gerechten, maar helpt ook met barkeepen, menukaarten schrijven of afrekenen aan de kassa. Voor verjaardagsfeestjes en op open inschrijving.
Vondelpark 6B (Overtoom 325) Amsterdam
020 – 625 32 57 | www.kinderkookkafe.nl

525 ZELFGEMAAKTE KANDELAAR *Smeden met Vuurspetters*

Mooi gezicht: een smid die gloeiend heet metaal in model 'slaat'. Maar het is nog leuker als je zelf achter het vuur van een echte smidse staat. Bij Smeden met Vuurspetters smeed je zelf stoere ijzeren voorwerpen, zoals een briefopener, een mesje of een kandelaar. En omdat je van zo'n middagje smeden flinke honger krijgt, ga je na afloop heerlijk pannenkoeken eten bij de buren.
Havenstraat 300 Huizen | 06 – 47 24 63 53
www.vuurspetters.nl

526 THEATRAAL TAFELEN *Pasta e Basta*

Pasta, en daarmee uit! De naam van Nederlands muzikaalste restaurant, Pasta e Basta, is een beetje misleidend. Want niet de Italiaanse gerechten, maar de zingende obers en serveersters vormen het 'hoofdgerecht' van een avondje tafelen. Liefdes-duetten, operafragmenten en stukken musical: ze draaien er hun hand niet voor om. Tenzij daar net een dienblad op rust natuurlijk.
Nieuwe Spiegelstraat 8 Amsterdam
020 – 422 22 22 | www.pastaebasta.nl

527 SCHIP IN ZICHT! *De Amsterdam*

Ooit was voc-schip De Amsterdam de trots van de Nederlandse scheepvaart. Dat duurde niet lang, want het schip verging tijdens zijn eerste reis in 1749. In de nagebouwde Amsterdam, naast het Scheepvaartmuseum, kun je zien hoe zeelieden in de tijd van de voc leefden en werkten. Je tuurt door kanonsgaten, kijkt rond in de donkere ruimen en bewondert de masten waar beginnende matrozen in moesten klimmen – hoogtevrees of niet!
Kattenburgerplein 1 Amsterdam | 020 – 523 22 22
www.hetscheepvaartmuseum.nl

528 DRIJVENDE TORENS *Museumschip Kasteel Vlotburg*

Niet schrikken als je in de buurt van Alkmaar ineens een drijvend kasteel ziet. Je bent niet gek geworden, maar je kijkt naar Kasteel Vlotburg, een reizend museumschip met torens en kantelen. Op dit kasteelschip, dat 's zomers van stad naar stad vaart, kun je zien hoe mensen in de middeleeuwen leefden, wat ze aten en wat voor kleding ze droegen. Je reist terug naar de tijd van ridders, jonkvrouwen en heldhaftige strijders, maar staat ook stil bij het dagelijks leven van de knechten en de meiden.
Vogelezang 28 Alkmaar
www.vlotburg.nl

529 BACK TO 1911 *Elektrische Museumtram*

Tijdens een ritje in de Elektrische Museumtramlijn Amsterdam reis je terug naar de tijd van houten bankjes en conducteurs met een kaartjestang. De felgekleurde wagonnetjes zijn uit alle windstreken afkomstig. Sommige reden in Wenen rond, andere boemelden door Praag of bungelden achter de Amsterdamse paardentram. Echte museumstukken dus.
Amstelveenseweg 264 Amsterdam
020 – 673 75 38 | www.museumtramlijn.org

10 X PANNENKOEKENHUIZEN EN -BOTEN

Hans-en-grietjehuisjes, boerderijen in het bos of cafés met wagenwielen aan de muur: in Nederland hoef je nooit lang naar een pannenkoekenhuis te zoeken. Of naar een pannenkoekenschip. Een rondreis langs tien bijzondere adressen.

530 PANNENKOEKENRESTAURANT DE DUIVELSBERG

In een oude herberg midden in natuurreservaat De Duivelsberg. De pannenkoeken worden gebakken naar een vijftig jaar oud familierecept.
Duivelsberg 1 Berg en Dal | 024   684 14 39 | www.duivelsberg.nl

531 PANNENKOEKENHUIS DE VUURSCHE BOER

Het beroemdste pannenkoekenhuis in hét pannenkoekendorp van Nederland: Lage Vuursche.
Dorpsstraat 34-36 Lage Vuursche | 035 – 666 82 13 | www.devuurscheboer.nl

532 SPEELPARADIJS PANNENKOEKENHUIS VOORST

Bij het enige attractie-pannenkoekenhuis van Nederland vind je onder meer botsauto's, een zweefmolen en een klimtoren.
Wilhelminaweg 2 Voorst | 0575 – 50 24 44 | www.pannenkoekenhuisvoorst.nl

533 PANNENKOEKENBOOT NIJMEGEN

Onbeperkt pannenkoeken eten tijdens een vaartocht over de Waal. Je hebt precies een uur de tijd.
Waalkade t/o Casino Nijmegen | 024 – 360 12 62
www.pannenkoekenboot.nl/locaties/nijmegen.aspx

534 PANNENKOEKENHUIS LEERSUMS LAARSJE

Een van de beste pannenkoekhuizen van Nederland. Liefhebbers van hartig proberen Pannenkoek Laarsje.
Kerkplein 6 Leersum | 0343 – 45 39 67 | www.leersumslaarsje.nl

535 HET PANNEKOECKERSHUYS

Pannenkoeken eten in themakamers zoals de Koningskamer, de Heksenschuur van Eucalyptus en het Koeckersbos.
Ruiterspoor 71 Den Hout | 0162 – 45 50 36 | www.koeckers.nl

536 PANNENKOEKENHUIS 'T SPROOKJESHOF

Wordt bediend door een goede fee of boze heks. Sprookjesachtig!
Maasdijk 12 Appeltern | 0487 – 50 23 39 | www.t-sprookjeshof.nl

537 PANNENKOEKENHUIS GENIETEN

Genieten midden in de natuur vlak bij het strand.
Evert Wijtemaweg 5 Den Haag | 070 – 325 71 25
www.pannenkoekenhuisgenieten.nl

538 PANNENKOEKENHUIS UPSTAIRS AMSTERDAM

Het kleinste pannenkoekenrestaurant van Europa heeft slechts vier tafels.
Grimburgwal 2 Amsterdam | 020 – 626 56 03 | http://upstairspannenkoeken.nl

539 PANNENKOEKENHUIS D'OLLE SMIDSE

Bak een pannenkoekentaart in deze oude smederij.
Hoofdweg 115 Midwolda | 0597 – 55 15 46 | www.dollesmidse.nl

540 ONDERGRONDS UITKIJKPUNT *Noord/Zuidlijn Amsterdam*

De Noord/Zuidlijn is het duurste stukje metrolijn van Nederland. Toch weten zelfs de meeste Amsterdammers niet wat er precies onder de grond gebeurt. In het ondergronds Uitkijkpunt kun je zelf tot ruim acht meter diepte afdalen. Je neemt een kijkje in de bouwput en ziet hoe de bouw van metrostation Rokin stap voor stap vordert. Misschien vang je wel een glimp op van Molly, de tunnelboormachine.

Rokin Amsterdam | www.amsterdam.nl/ noordzuidlijn/uitkijkpunt

541 GASTROL IN *GTST* *Beeld en Geluid Experience*

Zelf het journaal presenteren, onder luid applaus afdalen in een showbizzdecor of radio maken in het enige echte Top 2000 Café: in de Beeld en Geluid Experience beleef je de media vóór en achter de schermen. Je wordt ondergedompeld in zestig jaar tv-geschiedenis, maakt een wilde ontdekkingstocht door de natuur en test je talenten als vj. Laat je meevoeren in de bedrieglijke wereld van special effects, ontmoet Q en Q en Ti Ta Tovenaar en strijk neer in de bioscoopzaal. Ssst...

Media Park, Sumatralaan 45 Hilversum 035 – 677 55 55 | www.beeldengeluid.nl

542 BABYBIOS *Cinemum*

Als baby kun je deze tekst nog niet lezen, en heb je ook geen behoefte aan zoiets groots als een bioscoop. Maar je kersverse ouders waarschijnlijk wel. Goed nieuws: in Amsterdam staat de eerste babybios. Of liever gezegd: de eerste bios voor ouders met een baby. Binnen is het licht gedimd, het geluid staat zacht en je krijgt een extra stoel voor je baby. Nog belangrijker: niemand doet moeilijk over in- en uitlopen. Nu maar hopen dat die luier tot de ontknoping droog blijft...

Haarlemmerdijk 161 Amsterdam www.cinemum.nl

543 POLDER MET KAMELEN *Dijk te Kijk*

Bij Schoorl, net onder Petten, liggen de hoogste duinen van Nederland. Maar gek genoeg valt er daarna een flink gat. Dat gat werd twee eeuwen geleden opgevuld met een enorme dijk: de Hondsbossche Zeewering. In bezoekerscentrum Dijk te Kijk ben je getuige van de eeuwenlange strijd tussen dijkenbouwers en de zee. Je gaat met een verrekijker en een logboek de dijk op en ervaart hoe het is om zelf dijkwachter te zijn. Na afloop kun je genieten van een prachtig uitzicht over zee, duinmeren en een polder met kamelen.

Strandweg 4 Petten | 0226 – 38 14 55
www.hhnk.nl/actueel/educatie_en/
educatie_en/recreatie/dijk_te_kijk

544 AVONTURIER OF WAAGHALS *De Klimvallei*

Ben jij een avonturier, een hoogvlieger of een waaghals? Dat is de vraag als je gaat klimmen in De Klimvallei. In het ecoklimpark aan de rand van Den Helder heb je de keuze uit drie lussen met verschillende moeilijkheidsgraden: van goed te doen tot zwaar. Trek je integraalgordel aan, zet je eerste stappen omhoog en zwier als Tarzan of Jane tussen de bomen. Minimale lengte 1 meter 30.

Jan Verfailleweg Den Helder
06 – 19 60 15 00 | www.deklimvallei.nl

545 WORLD OF AJAX *Amsterdam ArenA*

Trouwe Ajaxfans moesten kort na de opening niets weten van de Amsterdam ArenA ('een sfeerloze bunker') maar inmiddels is de sporttempel niet meer uit de stad weg te denken. Tijdens een World of Ajax-inlooptour ontdek je alle verborgen plekken van het indrukwekkende stadion. Je staat op de hoofdtribune, ziet het veld door de ogen van keeper Kenneth Vermeer en neemt een kijkje achter de deuren die normaal voor publiek gesloten blijven. Zoals de spelerstunnel en de kleedkamer.

ArenA Boulevard 1 Amsterdam
020 – 311 13 36
www.amsterdamarena.nl/world_of_ajax

546 ROKENDE AUTOWRAKKEN *Q.Zone Lasergame*

Op het eerste gezicht lijkt het riool van de Q.Zone verlaten. Maar dan voel je dat je wordt bekeken. Waarschijnlijk een vijand die jou als slachtoffer heeft uitgekozen. Voorzichtig sluip je door de ruïnes van een verwoeste stad. Elk moment kan er iemand achter de rokende autowrakken vandaan springen. Gelukkig staat je Laser Gun op scherp...

IJsselmeerstraat 314 Huizen | 035 – 52 87 078
http://coronel.nl/lasergame/index.html

547 HOLLE BOOM *Kraantje Lek*

Een ooievaar die pasgeboren kinderen 'bezorgt': grote mensen vertellen soms de grootst mogelijke onzin. Maar het kan altijd erger! In de buurt van Haarlem kregen kinderen vroeger te horen dat baby's in de 'holle boom' ter wereld kwamen. Ouders konden de boom zelfs aanwijzen: een reusachtige iep bij restaurant Kraantje Lek. De beroemde boom (Lennaert Nijgh en Godfried Bomans schreven er verhalen over) is inmiddels vervangen door een bronzen exemplaar. Restaurant en terrassen staan er nog steeds. Aan de voet van het duin De Blinkert.

Duinlustweg 22 Overveen | 023 – 524 12 66 / 023 – 524 82 54 | www.kraantjelek.nl

548 ZWEINSTEIN AAN DE ZEEDIJK *Professor Mordechai Mardoek*

Plannen voor een tovenaarscarrière, maar nog niet helemaal klaar voor Zweinstein? Dan kun je als beginnende tovenaarsleerling je geluk ook beproeven bij de toverschool van professor Mordechai Mardoek. Daar schaven toekomstige tovenaars elke zaterdagmiddag om 16.00 uur aan hun toverkunst. De professor neemt leerlingen aan die blijk hebben gegeven van magische kwaliteiten, en maakt hen in de torenkamer vertrouwd met de belangrijkste tovenaarsgeheimen. Van vier tot elf jaar.

Zeedijk 24 Amsterdam
020 – 625 56 85 / 06 – 51 05 36 04
www.casablanca-amsterdam.nl/variete/
toverschool.php

549 LEKKERSTE MUSEUM *De oude bakkerij*

Alleen de geur bij de ingang is al voldoende reden om een bezoek te brengen aan De oude bakkerij in Medemblik. In het museum zie je stap voor stap hoe de bakkers vroeger hun brood en taarten bakten. Je komt erachter hoe marsepein en chocolade worden gemaakt, loopt langs de gebakskisten en snuift de geuren op uit de bakkerij, waar regelmatig oude ambachten worden gedemonstreerd. Misschien wel het lekkerste museum van Nederland.

Nieuwstraat 8 Medemblik
0227 – 54 50 14
www.deoudebakkerij.nl

550 STRANDSFEERTJE *Hannekes Boom*

Vlak bij een van de duurste stukjes van Amsterdam (het Oosterdokseiland) staat een strandtent. Geen echte natuurlijk, want voor de Noordzee moet je nog zo'n dertig kilometer rijden. Maar in café-restaurant Hannekes Boom ademt elke plank, stoel en tafel de sfeer van het strand uit. Het restaurant dankt zijn naam aan de drijvende boomstam, waarmee vroeger 's nachts de stad voor schepen kon worden afgesloten. Die werd door ene Hanneke vast- en losgemaakt.

Dijksgracht 4 Amsterdam | 020 – 419 98 20
www.hannekesboom.nl

551 VERGETEN PRODUCTEN *Albert Heijn-Museumwinkel*

Ene Albert Heijn nam in 1887 de kruideniers-zaak van zijn vader Jan over. Dat was het begin van de grootste supermarktketen van Nederland: AH. In de Albert Heijn-Museum-winkel zie je de allereerste versie van de win-kel die het begrip voetbalplaatjes een nieuwe betekenis gaf. Je ontdekt hoe een kruidenier er ruim een eeuw geleden uitzag en snuffelt rond tussen lang vergeten producten.

Kalverringdijk 5 Zaandam | 075 – 616 96 19

552 MIDDAGJE BOOMERANGEN *Callantsoog*

Als je echt een keer de ruimte wil hebben voor je vlieger, moet je naar Callantsoog. Daar vind je het breedste én witste strand van Neder-land: ideaal voor een zandkasteel zo groot als een bankstel, een middagje boomerangen of andere sporten waar je je op een vol strand liever niet aan waagt. Potje rugby?

Callantsoog

553 BEWEGENDE VERBEELDING *Fantastisch Kinderfilm Festival*

Hou je van film en zet je graag je eigen fanta-sie aan het werk? Dan mag je het Fantastisch Kinderfilm Festival niet missen. Je ziet niet alleen films die je verbeelding prikkelen, maar ontmoet ook andere kinderen in een wonderlijke wereld van beeld en geluid. In tien filmhuizen door het hele land.

www.fantastischkinderfilmfestival.nl

554 IJSJE KOPEN *Pisa*

Je kan natuurlijk wachten tot het zomervakantie is. Tot je ouders zo vaak 'ik verveel me' hebben gehoord dat ze je meesleuren naar het Scheldeplein. Maar als je in Amsterdam woont, heb je eigenlijk geen excuus nodig om op de fiets te springen naar de beste ijssalon van Nederland, Pisa. Dé plaats voor Italiaans ijs zoals ze dat in het zuiden hebben bedacht. Van passievruchten- tot dropijs.

Scheldeplein, voor de RAI Amsterdam

555 DASSEN EN BOOMMARTERS *Natuurbrug Zanderij Crailoo*

Voor dieren is het normaal om van het ene naar het andere natuurgebied te lopen. Maar wat als er tussen de natuurgebieden een grote weg loopt? Dan heb je een ecoduct nodig. Tussen Hilversum en Bussum vind je de langste natuurbrug ter wereld. Natuurbrug Zanderij Crailoo overspant niet alleen een provinciale weg, maar ook een spoorlijn, een bedrijventerrein en een vallei met sportvelden. Reeën, dassen en boommarters maken er druk gebruik van, maar je mag er gelukkig ook overheen lopen, fietsen en paardrijden.

Tussen de Naarderweg en Sportpark Crailoo Hilversum

556 STOERE ROLSTOELERS *Robinson Crusoe*

Als je in een rolstoel zit, kun je 'stoere' watersporten als zeilen en kanoën meestal wel vergeten. Tenzij je een bezoek brengt aan het eilandje Robinson Crusoe in de Loosdrechtse Plassen. Daar zijn de watersportmaterialen aangepast aan verschillende beperkingen en kun je je boot zowel met een helmstok als met een joystick besturen. Er staat zelfs een tillift op de steiger.

0228 – 35 07 56 | www.robinson-crusoe.nl

557 GELUID TEKENEN *Klankspeeltuin*

Een muziekstuk maken door op verlichte vloertegels te stappen, geluid tekenen met de Xenax of klanken vormen door aan een van de ballen van de SonOrb te draaien. Bij de Klankspeeltuin, een onderdeel van het Muziekgebouw aan 't IJ, maak je spelenderwijs muziek met slimme klankinstallaties. Na afloop kun je het resultaat aan je ouders laten horen.

Piet Heinkade 1 Amsterdam | 020 – 788 2016 www.muziekgebouw.nl

558 OP ZOEK NAAR HET ZWAARD *Kasteel Radboud*

Graaf Floris V van Holland had nogal wat moeite met opstandige bewoners. Daarom bouwde hij een aantal dwangburchten, waarvan er nog maar één overeind staat. Tijdens een bezoek aan Kasteel Radboud waan je je terug in de donkere middeleeuwen. Je daalt af naar de sombere gevangenis, ontdekt de verborgen ruimtes in het kasteel en gaat op zoek naar het zwaard van Floris V.

Oudevaartsgat 8 Medemblik | 0227 – 54 19 60
www.kasteelradboud.nl

559 SPEELKELDER *Restaurant LEUK*

Bij restaurant LEUK is de kans op een leuke avond behoorlijk groot. Want nadat jij je eten achter de kiezen hebt (je ouders beginnen dan waarschijnlijk net aan hun voorafje), trek je je terug in een coole speelkelder waar je van alles kan doen: gamen, knutselen, duploën, spelen in het winkeltje of ijsjes bestellen. Een typisch geval van leuk dus.

Kapelstraat 32 Bussum | 035 – 698 04 50
www.restaurantleuk.nl

560 VIERPERSOONSBORD *Het Kleine Weeshuis*

In Het Kleine Weeshuis, een speciale kinderattractie van het Amsterdam Museum, stap je vier eeuwen terug in de tijd. Je ontmoet weesjongen Jurriaan, en kijkt rond in de eetzalen, slaapzalen en leslokalen van het oude Burgerweeshuis. Kruip in de huid van de vroegere bewoners, ontdek hoe je met z'n vieren van één bord eet of leer schrijven met een ganzenveer. Op een steenworp van de winkels in de Kalverstraat.

Kalverstraat 92 Amsterdam | 020 – 523 18 22
http://hetkleineweeshuis.amsterdammuseum.nl

561 POPPENTHEATER *Hilverts Hofje*

Als je met je ouders in Hilversum aan het shoppen bent, moet je eens een kijkje nemen in de kelders van shoppingcenter Hilvertshof. Daar vind je Hilverts Hofje, een poppentheater voor kinderen en volwassenen. Janine en Rob Numan toverden de vroegere magazijnruimte om tot een sfeervolle kasteelkelder. Een superspot voor liefhebbers van spannend, vrolijk of griezelig poppentheater (van 4 tot 10 jaar). **Groest 86 Hilversum | 035 – 526 41 94 www.gooisch-poppentheater.nl/Hilverts%20 Hofje.html**

562 HEIDERITTEN *De Shetlanderij*

Ben je gek op paarden en heb je al wat rijervaring? Bij de Shetlanderij kun je je samen met je vader of moeder opgeven voor een prachtige rondrit over de Hilversumse hei. Een shetlandpony voert je in twee uur langs de mooiste plekjes. Je ouders hoeven niet bang te zijn dat ze voor gek zitten op een pony, want zij rijden op IJslanders, regelrechte afstammelingen van het Europese oerpaard. Heel stoer dus. **Nieuwe Loosdrechtsedijk 136 Nieuw Loosdrecht | 035 – 582 35 23 / 06 – 27 57 50 19 www.shetlanderij.nl**

563 STUNTEN MET DE ZWAARTEKRACHT *NEMO*

Als een schip verrijst het NEMO uit het water van het IJ. Maar het bijzondere gebouw is slechts bijzaak. In het grootste sciencecenter van Nederland maak je een spannende reis door een wereld vol wetenschap en technologie. Je leidt bliksem naar je hand, doet een leugendetectortest, neemt een ruimtedouche en stunt wat met de zwaartekracht. Eindelijk een museum waar je niet van de knopjes af hoeft te blijven. **Oosterdok 2 Amsterdam | 020 – 531 32 33 www.e-nemo.nl**

564 CONTAINERRIDE *Nederlands Scheepvaartmuseum*

Een zeereis maken in de zeventiende eeuw. In het Scheepvaartmuseum is het geen probleem. Je neemt plaats achter de riemen van een heel bijzondere roeiboot, ontmoet admiraal Michiel de Ruyter en maakt een storm op volle zee mee. Luister naar de hartslag van een levensgrote walvis, ontdek hoe schilders vroeger een zeeslag vastlegden, of maak een containerride. Tijdens deze reis beleef je de Amsterdamse haven vanuit de binnenkant van een container. Je wordt vanuit een vrachtschip in de haven getakeld, in een vrachtwagen geladen en bij de winkel afgeleverd. Een heel vreemde ervaring...

Kattenburgerplein 1 Amsterdam
020 – 523 22 22 | www.scheepvaartmuseum.nl

565 TULPENGEKTE *Fluwels Tulpenland*

Wat hebben tulpen met Turkse sultans te maken? En waarom waren tulpenbollen vierhonderd jaar geleden evenveel waard als een Amsterdams grachtenhuis? Bij Fluwels Tulpenland hoor je het verhaal van de tulp in geuren en kleuren. Je bezoekt het woeste hooggebergte van de Himalaya (de oorsprong van de tulp) en daalt af naar de paleistuinen van Suleiman de Grote. Deze sultan was zo verzot op tulpen dat hij al zijn buitenlandse gasten een bloem meegaf. Dwalend door het zeventiende-eeuwse Amsterdam zie je hoe de tulpengekte uitbreekt. Daarna bewonder je het grootste bloembollengebied ter wereld: de kop van Noord-Holland.

Belkmerweg 65 Sint Maartensvlotbrug
0224 – 56 25 55 | www.fluwelstulpenland.nl

566 LORI VAN BLAUWE BERGEN *Van Blanckendaell Park*

In het Van Blanckendaell Park vind je niet alleen dieren uit alle delen van de wereld, maar ook een museum dat het vroegere boerderijleven belicht. Bewonder de smidse, een compleet ingerichte huiskamer en een antieke washoek met wastobbe. Of ga op zoek naar de pinché-apen (makkelijk te herkennen aan hun lange witte haar) en de Lori van Blauwe Bergen, een papegaai in bijna alle kleuren van de regenboog. Na afloop uitrazen in de speeltuin.
Veilingweg 9 Tuitjenhorn
0226 – 33 29 40
www.blanckendaellpark.nl

567 BABYOLIFANTJE *Artis*

Kronkelende slangen en waggelende pinguïns. Kwallen die als parachutisten in het aquarium hangen of een buffel die met woest geweld op een autoband inbeukt. In Artis, de oudste dierentuin van Nederland, kom je ogen en oren tekort. In het dierenpark vind je niet alleen negenhonderd verschillende diersoorten, maar ook historische gebouwen zoals het Apenhuis en het Vogelhuis. En de Roofdierengalerij natuurlijk.
Plantage Kerklaan 38-40 Amsterdam
0900 – 27 84 796 | www.artis.nl

568 AFVALBEELDENPARK *Beeldenzoo*

Dierentuin Artis mag dan negenhonderd verschillende diersoorten huisvesten, de wonderlijkste dieren vind je net buiten de dierentuin. In het kleine ZOO'tje, tussen de parkeerplaats en de Nijlpaardenbrug, staat een groepje primitieve, van afval gemaakte fantasiedieren – van een blikken dino tot een houten paard. Leuk als je even bent uitgekeken op de echte dieren.
Plantage Kerklaan Amsterdam

569 FANTASIELANDSCHAP *Het Nollenproject*

Vlak bij station Den Helder vind je een verrassend fantasielandschap: de Nollen. Voormalig kraanmachinist en kunstenaar Ruud van de Wint (bekend van schilderingen in de Tweede Kamer) werkte maar liefst 25 jaar aan dit kunstproject. Hij bedacht beeldhouwwerken en gebouwtjes die pre-cies passen bij de lichtval en de sfeer van het duinlandschap. Een route leidt je langs bijna verborgen schilderingen, een ondergrondse gang en geheimzinnige binnenduintjes.

Burgemeester Ritmeesterweg 10 Den Helder
0223 – 66 02 00 | www.projectdenollen.nl

570 GROMMIGE GRUF *Kinderboekwinkel*

Van *Geronimo Stilton* tot *Grommige Gruf* en van Francine Oomens *Hoe overleef ik mijn...*-reeks tot de kinderhorror van Paul van Loon: de Kinderboekwinkel is een paradijs voor leesgrage kinderen (en ouders op zoek naar een goed cadeau!). Met meer dan zevenduizend titels is je slaagkans bijna honderd procent.

Rozengracht 34 Amsterdam
www.kinderboekwinkel.nl

571 STERKE VERHALEN *Kaap Skil*

Sterke verhalen, aangespoelde reddingsboeien en spannende duikvondsten. Kaap Skil is een museum van jutters en zeelui. In het museum vind je niet alleen juttersvoorwerpen en scheepswrakken, maar ook een maquette van de Reede van Texel. In deze nagebouwde lig- en ankerplaats waan je je terug in de tijd van de voc. Met speciale kijkers kun je inzoomen op de honderden schepen die ruim driehonderd jaar geleden voor de kust van Texel lagen. In een spannend gebouw van hergebruikt hout.

Heemskerckstraat 9 Oudeschild
0222 – 31 49 56 | www.texelsmaritiem.nl

572 BOOTJE, BOOMPJE, BEESTJE *Woonbootmuseum*

Jaren geleden merkte woonbootbewoner Vincent van Loon dat veel voorbijgangers nieuwsgierig waren naar het interieur van zijn schip. Hij besloot zijn woonboot, een voormalig vrachtschip uit 1914, open te stellen voor publiek. Aan boord zie je hoe slim woonbootbewoners met hun ruimte moeten omspringen. Je ontdekt hoe het afvalwater wordt afgevoerd, gluurt binnen in de bedstee en ziet zelfs de klinknagels waarmee de staalplaten van het schip aan elkaar zijn genageld.

Prinsengracht 296 K Amsterdam
020 – 427 07 50 | www.houseboatmuseum.nl

573 TEST JE CHOCOTALENT *Verkade Paviljoen*

Je bent nog niet binnen, maar het water loopt je al in de mond. Logisch, want het Verkade Paviljoen is nog altijd het hart

van cacaostad Zaandam. Een spectaculaire loopbrug voert je binnen in de wereld van chocolade en biscuit. Je ziet de beroemde meisjes van Verkade aan het werk en ontdekt stap voor stap hoe chocolade wordt gemaakt – van cacaoboon tot ingepakte reep. Nog niet verzadigd? Test dan hoe jij het zou doen als meisje (of jongen) van Verkade: ben je rijp voor de lopende band of eindigt je carrière bij de voordeur? **Schansend 7 Zaandam | 075 616 28 62 www.verkadepaviljoen.nl**

574 TROPISCH SFEERTJE *Stadstrand De Oerkap*

De 21-jarige student Joao Ricardo had een krankzinnig plan. Hij bedacht dat het leuk zou zijn om in hartje Haarlem een strandtent te beginnen en hij kreeg het nog voor elkaar ook. Bij De Oerkap kun je in de zomermaanden genieten van lekker eten en drinken, filmavonden, voetbaltoernooitjes en bandjes. Zand, kleine palmbomen en een houten strandtent zorgen voor een tropisch sfeertje. De zee moet je er zelf een beetje bij denken. **Harmenjansweg 95 Haarlem www.oerkap.nl**

575 TASSENDETECTIVE

Tassenmuseum Hendrikje

Antiekhandelaarster Hendrikje Ivo is gek op tassen. In 35 jaar verzamelde ze er genoeg om een heel museum mee te vullen. Tijdens een speurtocht door Tassenmuseum Hendrikje neemt Natasja de tassendetective je mee naar de meest bijzondere tassen. Zoals de avondtas die Madonna droeg tijdens de première van de film *Evita*. Of een met kristalstenen versierde tas in de vorm van een cupcake, bekend uit de film *Sex and the City*.

Herengracht 573 Amsterdam | 020 – 524 64 52 www.tassenmuseum.nl

576 GROTE GYMZAAL *Jeugdtheater Krakeling*

Bewegen is gezond. In elk geval: dat vonden de initiatiefnemers van de turnhallen, een gymnastieklokaal voor basisscholen in hartje Amsterdam. De grote gymzaal werd ruim dertig jaar geleden verbouwd tot het enige echte jeugdtheater in Nederland. In Theater Krakeling kun je genieten van toneel en dansvoorstellingen, maar ook van poppen- en muziektheater. Voor peuters tot bijna-volwassenen

Nieuwe Passeerdersstraat 1 Amsterdam
020 – 624 51 23 | http://krakeling.cramgo.net

577 GEZOND EN GRAPPIG *Meneer Paprika*

Aafke de Vries en Gonneke van der Vijver hadden het helemaal gehad met de flauwe gerechten die vaak op een kindermenu staan. Ze bedachten een lunchcafé in speelgoedwinkel Toyzon, waar je niet alleen terecht kan voor simpele, lekkere, gezonde en grappige gerechten, maar waar kinderen hun gerechten (soms) zelf kunnen samenstellen en bereiden. Overigens: meneer Paprika heeft niets met groente te maken, maar is een van de karakters uit het boek *Deesje* van Joke van Leeuwen. Wordt binnenkort verfilmd!

Koningstraat 19-21 Haarlem | 023 – 531 59 72
www.meneerpaprika.nl

578 GLOWGOLF MET BEWEGING *De Avontuurfabriek*

Tijdens een potje glowgolfen bij de Avontuurfabriek is alles net even anders. Om te beginnen is de negen holesindoorbaan in het duister gehuld. Nou ja: bijna, want je kleren, de stick en het balletje lichten op. Bovendien bewegen sommige objecten op de baan. Je bedwingt de bewegende klapbrug, trotseert Bulder, het bewegende kanon en slaat je balletje voorbij Bruno, de haai met de bewegende bek. Een uitdagend potje midgetgolfen.

Industrieweg 12 Nieuw-Loosdrecht
035 – 582 80 00
www.avontuurfabriekvoorkids.nl

579 MODERNE CIRCUSTECHNIEKEN *Circus Elleboog*

Geboren clowns, beginnende trapezewerkers en acrobaten in spe: bij Circus Elleboog krijg je spelenderwijs alle moderne circustechnieken onder de knie: van koorddansen tot eenwieleren en van lopen op een bal tot jongleren met bordjes. Niet thuis uitproberen!

Laan van Spartaan 4 Amsterdam
020 – 626 93 70 | www.elleboog.nl

580   KIJKJE IN DE KLEEDKAMER *Ajax Experience*

Als Ajax je club niet is, en je Amsterdam het liefst '010' noemt, kun je het Rembrandtplein beter links laten liggen. Daar vind je sinds kort de Ajax Experience, een voetbalbelevenis in het vroegere kantoor van de Amsterdamsche Bank. Je ontmoet clubhelden uit heden en verleden, ontdekt het belang van snelheid, techniek en tactiek of bekijkt een wedstrijd in de bioscoop. Ga op de foto met een beker uit de prijzenkast en gluur ook even binnen in de belangrijkste ruimte van de club: de kleedkamer.

Herengracht 595 Amsterdam

www.ajax.nl/Ajax-Experience/Preview.htm

581   STERWANDELING *Naarden Vesting*

Er zijn in Nederland tientallen vestingsteden, maar de mooiste is zonder enige twijfel Naarden. De vestingmuren staan nog altijd overeind, en ook de dubbele grachtengordel en de zes bastions hebben de strijd overleefd. Tijdens een wandeling langs de vestingwerken kun je mooi zien dat de vesting in de vorm van een ster is aangelegd. Met een beetje geluk wordt er net een van de kanonnen afgevuurd...

Westwalstraat 6 Naarden

035 – 694 54 59 | www.vestingmuseum.nl

582   OOSTERSE KAMER *Rondleiding Tuschinski*

Wie vindt dat grote bioscopen steeds meer op vliegvelden lijken, moet eens een tijdreis maken naar 1921. In dat jaar verrees in de Duivelshoek (een beruchte achterbuurt vlak bij de Amsterdamse Munt) een indrukwekkend bioscooppaleis: Tuschinski. Tijdens een rondleiding door het chique gebouw reis je terug naar de beginjaren van het theater. Je ziet de oosterse kamer waar verliefde stelletjes zich konden verstoppen en luistert naar het enorme huisorgel, dat vroeger de stomme films live begeleidde. Een rondleiding vol verhalen.

Reguliersbreestraat 26-34 Amsterdam

0900 – 1458 | www.pathe.nl/artikel/36-tuschinski-rondleiding

583 VARENDE VUURTOREN *Lichtschip Texel*

De No.10 Texel is het oudste lichtschip van Nederland. Aan boord van het schip waan je je terug in de tijd van varende vuurtorens en gevaarlijke zandbanken. Je ziet de beperkte ruimte waarin de bemanning weken doorbracht en je raakt verzeild in een ziedende storm. Golven beuken tegen de romp en het schip trekt steeds harder aan het anker... Te zien in de oude rijkswerf Willemsoord.

Weststraat 73 Den Helder | 06 – 15 61 31 28
www.texel-no10.de

584 ONDERZEEBOOT TONIJN *Marinemuseum Den Helder*

In het Marinemuseum Den Helder duik je in het heden en verleden van de Nederlandse marine. Je stapt aan boord van ramschip De Schorpioen, bedient zelf het geschut of ervaart de windkracht van de 3D-radar. Stap op het brughuis van wapenfregat De Ruyter en daal in elk geval even af naar het ruim van onderzeeboot Tonijn. Toen dit schip nog onder de zeespiegel dobberde, zaten hier soms 67 bemanningsleden wekenlang op een kluitje. Geen plek om ruzie met elkaar te krijgen!

Hoofdgracht 3 Den Helder | 0223 – 65 75 34
www.defensie.nl/marinemuseum

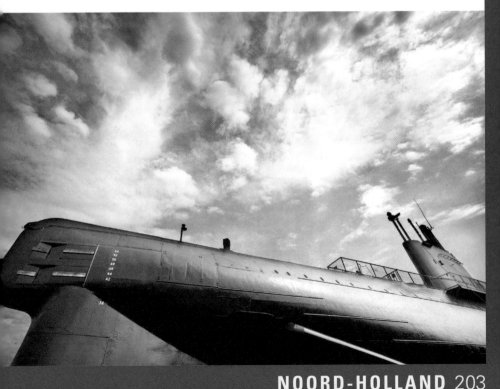

585 MEGASPEELPARADIJS *Linneaushof*

Je hebt speeltuinen en je hebt Linneaushof, Europa's grootste speeltuin. Niet de plek om stilletjes weg te dromen op een wipkip, wel een megaspeelparadijs waar je kan kiezen uit meer dan driehonderdvijftig speeltoestellen en attracties. Van het elf meter hoge Piratennest tot waterspeeltuin De Oase, van hobbelfietsen tot minigolf en van het trampoline- en luchtkussencentrum tot de superglijbaan.

Rijksstraatweg 4 Bennebroek
023 – 584 76 24 | www.linnaeushof.nl

586 KINDER KUNST UITLEEN *Galerie Akku*

Galerie Akku is een schatkamer voor kinderen die even iets anders aan de muur willen dan K3 of Ajax. Bij de Amsterdamse Kinder Kunst Uitleen kun je kunst bekijken, lenen en kopen. Zoals kindertekeningen uit Bolivia, Cuba, Sri Lanka en Rusland. Een deel van de opbrengst gaat naar Colourful Children, een stichting die verstandelijk gehandicapte kinderen in India ondersteunt.

Richard Holstraat 4 hs Amsterdam
06 – 44 61 28 42 | www.galerieakku.com

587 BOZE BRIEF *Czaar Peterhuisje*

In 1697 kreeg Zaandam er een paar weken lang een heel beroemde bewoner bij. De Russische tsaar Peter was zo onder de indruk van de Nederlandse scheepsbouw, dat hij hier het vak van scheepstimmerman kwam leren. In zijn vroegere huisje, dat is gebouwd van oud scheepshout, vind je veel herinneringen aan zijn verblijf. Zoals een origineel dodenmasker en een boze brief van een Zaanse ambtenaar (Zaandam had nog vijf cent belasting van de Russische tsaar tegoed). Het bedrag is nog steeds niet betaald...

Krimp 23 Zaandam | 075 – 616 03 90
www.zaansmuseum.nl

588   RONDKIJKEN ÍN EEN DIAMANT *Diamantmuseum Amsterdam*

Het toppunt van blingbling. Het favoriete speeltje van veel rijke fotomodellen of de koningin onder de edelstenen. Diamanten spreken enorm tot de verbeelding. In het Diamantmuseum Amsterdam ontdek je hoe belangrijk de diamanthandel voor Amsterdam is geweest. Je maakt een reis door de geschiedenis en ziet stap voor stap hoe een ruwe diamant in een oogverblindende edelsteen verandert. In de Diamond Experience kun je zelfs rondkijken in het hart van een diamant.

Paulus Potterstraat 8 Amsterdam
020 – 305 53 00
www.diamantmuseumamsterdam.nl

589   GEHEIMEN VOOR JE OREN *Het Concertgebouw*

Hoe klinkt een orkaan? Welk geluid maakt een huis en wat hoor je als je verliefd bent? Je ontdekt het tijdens Geheimen voor je Oren, een serie muziekvoorstellingen voor kinderen van vier tot twaalf jaar. Je maakt een wonderlijke ontdekkingstocht door de wereld van muziek, hoort de meesterwerken van toen en nu, en luistert naar grappige muziek en spannende verhalen. Gelukkig hoef je niet stil in je stoel te blijven zitten...

Concertgebouwplein 10 Amsterdam
0900 – 671 83 45 | www.concertgebouw.nl

590   MOOIE MIX *Speelpark Oud Valkeveen*

Speelpark Oud Valkeveen is al 88 jaar een topper onder de schoolreisjes. Logisch, want in het park vind je een mooie mix tussen 'ouderwetse' en eigentijdse attracties. Hijs de zeilen op Piratika Eiland, maak een ontdekkingsreis door de Incatempel of voel wat de zwaartekracht met je doet tijdens een Vrije val. Als je bent uitgeraasd, kun je bijkomen op het eigen strand aan het Gooimeer.

Oud Huizerweg 2 Naarden | 035 – 694 42 23
www.oudvalkeveen.nl

591 DRIJVEND DIERENASIEL *De Poezenboot*

In het Singel vind je het enige drijvende dierenasiel van Nederland: de Poezenboot. Het opvangadres voor afgedankte en weggelopen katten bevindt zich in een speciaal gebouwde ark. Denk goed na voor je aan boord stapt: katten zonder baasje kunnen je heel zielig aankijken! Voor baasjes met serieuze huisdierplannen dus!

Singel 38G Amsterdam | 020 – 625 87 94
http://kinder.poezenboot.nl

592 RUSTGEVEND EFFECT *Koe Knuffelen*

De melkkoeien van De Kastanjehoeve zijn niet alleen gek op gras, maar ook op knuffelen. Tijdens een middagje Koe Knuffelen maak je kennis met hun verschillende karakters en eigenaardigheden. Je ontdekt dat koeien op de meeste mensen een rustgevend effect hebben en stapt in opperste beste knuffelstemming weer uit de wei.

Beets 100 Beets | 0299 – 40 34 87
www.kastanje-hoeve.nl/koeknuffel.asp

593 ÉÉN MILJOEN MENSEN *Het Vondelpark*

Picknicken, joggen en trommelen. Je hond uitlaten, een speelfilm opnemen of klimmen in een omgevallen boom. Is er iets wat je niét in het Vondelpark kan doen? Het antwoord is ja. Sinds 2011 is er een barbecueverbod. Logisch, want Nederlands populairste groenstrook wordt elk jaar door één miljoen mensen bezocht, dus is het een hele kunst om het statige park netjes te houden. Luister naar een van de gratis concerten in het Vondelpark Openlucht Theater, speur naar de echte Picasso, of ga op zoek naar een strookje gras waar niet wordt gevoetbald. Tijd voor een ouderwetse picknick....

Amsterdam

594 KUNST- EN VLIEGWERK *Sfeerboederij Jan Cees Lont*

Het zijn roofvogels. Niet zomaar roofvogels, maar bewoners van sfeerboederij Jan Cees Lont. Tijdens een roofvogelmiddag zie je ze van grote hoogte naar beneden suizen. Je ontdekt hoe een valk op de loer vliegt, waarom een valkeniersknoop niet meer los wil en welke geheimen braakballen hebben.

Terdiek 23 Nieuwe Niedorp | 0226 – 41 1259
www.janceeslont.nl

595 HET ACHTERHUIS *Anne Frank Huis*

Elf jaar was Anne Frank toen de Tweede Wereldoorlog uitbrak. Ze verborg zich voor de huiszoekingen van de Duitsers samen met haar vader, moeder en zus en een andere familie in een verborgen ruimte achter een boekenkast – het Achterhuis. In het Anne Frank Huis zie je waar beide joodse families ondergedoken zaten. Via posters, foto's en teksten maak je kennis met het dagelijkse leven van de acht onderduikers. In het voorhuis is een tentoonstelling over de Jodenvervolging in de Tweede Wereldoorlog en een expositie tegen racisme.

Prinsengracht 263 Amsterdam
020 – 556 71 05 | www.annefrank.org

596 SPEEDY GONZALEZ *Race Planet for Kids*

Stel, je bent helemaal gek van racen en nog geen twaalf jaar. In de auto van je ouders mag je alleen maar met een slakkengangetje over de parkeerplaats. Geen nood: bij Race Planet for Kids Amsterdam kruip je achter het stuur van een elektrische 'formule 1-wagen' en scheur je als een echte coureur over het asfalt. Is je snelheidsbehoefte nog niet bevredigd? Dan roetsj je daarna vanuit de witte bergen over de sleebaan omlaag.

Herwijk 10 Amsterdam | 020 – 611 11 20
www.raceplanet.nl/kids

597 SLALOMMEN IN VELZEN *Snow Planet*

Leren skiën gaat, net als lopen en fietsen, met vallen en opstaan. Voordat je mooi slalommend naar beneden suist, ben je

tientallen malen onderuitgegaan. Gelukkig hoef je dat niet in een Oostenrijkse skiklas te doen, maar kun je eerst oefenen op de banen van Velsen-Zuid, de langste indoor-piste van Nederland. Bij Snow Planet kun je je – ook als het veel te warm is om zelfs maar aan sneeuw te dénken – uitleven op winterse sporten zoals skiën en snowboarden. En après-ski natuurlijk.

Heuvelweg 6-8 Velsen | 0255 – 54 58 48
www.snowplanet.nl

598 KEIZERLIJK HORLOGE *Reddingmuseum Dorus Rijkers*

Beukende golven, gestrande schepen en specta-culaire reddingsacties. In het Nationaal Redding-museum Dorus Rijkers kom je alles te weten over 'overleven' op het water. Je bewondert de mo-torreddingboot Twenthe, die tijdens de Tweede Wereldoorlog schipbreukelingen hielp, ontdekt wat de search- en rescue-diensten van de marine en luchtmacht doen en gaat op zoek naar het horloge van Dorus Rijkers. Deze reddingswerker kreeg in 1888 het horloge van de Duitse keizer als dank voor een reddingsactie bij een Duits schip waar hij maar liefst drie dagen mee bezig was!

Willemsoord 60G Den Helder | 0223 – 61 83 20
www.reddingmuseum.nl

599 RESTAURANTBIOS *Elefante Bianco*

Marco Borsato schijnt er wel eens een pizza te eten, maar ook kinderen komen er graag. Logisch, want Elefante Bianco is al verschillende malen uitgeroepen tot het meest kindvriendelijke restaurant van Noord-Holland. Terwijl je ouders genie-ten van prachtige gerechten uit Toscane, Umbrië, Parma en Padua, kun jij chillen in een aparte kinderbios en speelruimte. Van woensdag tot en met zondag is er zelfs een professionele oppas.

Naarderstraat 15 Laren | 035 – 531 34 67
www.elefante-bianco.nl

600 CHRIS DE POTVIS *Fort Kijkduin*

Belegeringen en veldslagen meemaken, een kijkje nemen in de diamantgracht of de oven zien waarin kanonskogels (voor het afvuren) gloeiend heet werden ge-maakt. Een bezoek aan Fort Kijkduin voert je terug naar de tijd dat ruim zevenhonderd soldaten de kust voor Den Helder bewaak-ten. Je verkent het torpedostation, dwaalt rond in het voormalige kruitmagazijn of daalt af naar een van de aquaria in de on-dergrondse gewelven. Zoals de oude water-kelder, waar het skelet van Chris de potvis rust. Of de aaibak, waar je kan voelen hoe een anemoon je vastgrijpt...

Admiraal Verhuellplein 1 Huisduinen
0223 – 61 23 66 | www.fortkijkduin.nl

601 RODDELS OF FEITEN *Persmuseum*

Je eigen tienertijdschrift samenstellen, de voorpagina van een krant ontwerpen of flitsende nieuwsfoto's uitzoeken. Tijdens een kinderworkshop in het persmuseum kom je niet alleen alles te weten over de pers, maar ga je zelf als journalist aan de slag. Je verzamelt leuke verhalen over dieren, sport of filmsterren (of games, merkkleding en snoep) en denkt na over de vraag waarmee jouw tijdschrift de meeste kopers lokt: roddels of feiten?

Zeeburgerkade 10 Amsterdam | 020 – 692 88 10
www.persmuseum.nl/kinderworkshops

602 SLOOTJES EN RIETKRAGEN

Kanoën door het Wormer- en Jisperveld

Het Wormer- en Jisperveld is een prachtig veenweidereservaat. Ideaal voor een kanotocht tussen boerenslootjes, weilanden en weidevogels. Vanaf juni vormen de rietkragen een groene 'muur' tussen de weilanden waar je bijna niet doorheen kan kijken. Kanoroute via www.natuurmonumenten.nl. Kano's te huur bij Kanocentrum Arjan Bloem.

Poelweg 1B Wormer | 075 – 621 88 05

603 62.000 KILOMETER FILM *EYE*

Een schatkamer vol filmmateriaal, een bioscoop met vier zalen en een van de mooiste terrassen aan het IJ: het nieuwe filmmuseum EYE heeft het allemaal. In het spannende gebouw tegenover CS – met als bijnamen De Witte Schelp en De Knipoog – vind je niet alleen 62.000 kilometer film, maar ook een enorme collectie foto's, affiches en soundtracks. In de Basement, een gratis permanente tentoonstelling, kun je fragmenten bekijken van bekende Nederlandse en buitenlandse films. Speel een filmquiz in een van de Pods, onderga een filmbeeldenbombardement in het Panorama of zak met een afstandsbediening weg op een driezitsbank. Het lijkt wel of je thuis bent...

IJpromenade 1 Amsterdam | 020 – 589 14 00
http://eyefilm.nl

604 SPLASH ZONE *Floating Dutchman*

Is het een bus? Een boot? Een vermomd legervaartuig? Als je voor het eerst de Floa-

ting Dutchman ziet drijven, denk je algauw aan een ongeluk. Toch doet de amfibiebus precies waarvoor hij ontworpen is: rijden op het land en varen als een rondvaartboot. De bus rijdt van Schiphol naar de Splash Zone bij NEMO, glijdt vanaf een speciaal gebouwde hellingbaan het water in en dobbert daarna nog 45 minuten door de Amsterdamse grachten. Opstappen kan bij Lovers Van Gogh Café, tegenover Prins Hendrikkade 25.
Prins Hendrikkade Amsterdam
020 – 530 10 90 | www.lovers.nl

605 KINDERWINKELROUTE *Haarlem Stijl Kinderen*

Met je ouders winkelen kan heel vermoeiend zijn. Want net als jij een etalage met games, sneakers of chocoladetaarten hebt gespot, zien zij aan de overkant van de straat een antiekwinkeltje met schattige serviezen. Of nog erger. Dat zal je in Haarlem niet overkomen. Althans niet als je van tevoren de kinderwinkelroute Haarlem Stijl Kinderen downloadt. Je loopt langs een van de grootste speelgoedwarenhuizen van Nederland, passeert een tachtig jaar oude knutselwinkel en schiet naar binnen in een boetiek met hippe tweedehands merkkleding. Houden je ouders het nog een beetje vol?
www.haarlemmarketing.nl/over_haarlem/
folders/winkelroutes/

606 BOEMELEN MET BELLO *Historische driehoek*

Na een uitstapje in de historische driehoek is de eenentwintigste eeuw een en al haast en drukte. Want de tocht, per veerboot, stoomtram en trein, is een van de meest ouderwetse reisjes die je door Nederland kan maken. Je begint in Enkhuizen, waar je aan boord stapt van het jarenvijftig-motorschip Friesland. In Medemblik staat een glimmend gepoetste locomotief klaar voor de reis naar Hoorn. Houten banken, antieke stationnetjes en een puffende stoomtrein voeren je mee naar het begin van de vorige eeuw. In Hoorn neem je de trein terug naar Enkhuizen. Neem je fototoestel mee!
0229 – 21 48 62 | www.museumstoomtram.nl

607 VLOTTEN, VLONDERS EN VISSEN *Jeugdland*

Een kasteelhut bouwen van afvalhout, broodjes bakken of geitjes voeren op de kinderboerderij: Jeugdland is al meer dan vijftig jaar dé speelplek voor Amsterdam-Oost en omstreken. De avonturenspeelplaats werd twee jaar geleden opnieuw ingericht met een waterspeelplaats, een natuurbelevingswand, wiebelbruggetjes en een tunnel. Een geweldige plek om te klimmen en te timmeren. En flink vies te worden natuurlijk.

Valentijnkade 131 Amsterdam
020 – 665 98 85 | www.oost.amsterdam.nl/
wonen-leven/wonen-leven/sport/jeugdland

608 VINGERSCAN *Holle Bolle Boom*

Een lekkende toren van Pisa, een water plassende Manneke Pis en een Big Ben die je met waterstralen beschiet. In de Holle Bolle Plons, het natte deel van attractiepark Holle Bolle Boom, beleef je absoluut een spetterende dag. Maak een speurtocht tussen de hoge appelkisten in het bui-tengedeelte en zweef met de dertig meter lange kabelbaan over het water. Of glij in het donker naar beneden in de Holle Bolle Boom. Wie durft?

Bongerdlaan 3 Tuitjenhorn | 0226 – 39 06 20
www.hollebolleboom.nl

609 OP DE FOTO IN KLEDERDRACHT *Foto de Boer*

Als je mensen in klederdracht wil zien, moet je naar dorpen als Urk, Staphorst of Spakenburg. Of naar Foto de Boer in Volendam. Daar kun je je laten fotograferen in de Volendammer mode van honderd jaar geleden. Je gaat op zoek naar de juiste maat klompen, trekt een wijde pofbroek aan (als je een jongen bent) of zet een muts van gaas op (als meisje). Vissersboot en haringkar op de achtergrond en het plaatje is helemaal af.

Haven 82 Volendam | 0299 – 36 36 07
www.fotoinvolendamkostuum.nl

610 LICHTEN PAKKEN *Speeltuin De Veilige Haven*

Een computerspel dat je buiten kan spelen. Dat is de grote troef van Speeltuin De Veilige Haven. In de grootste speeltuin van Kennemerland vind je niet alleen zo'n tachtig speeltoestellen (waaronder klimtoren De Alien), maar ook de spectaculaire NEOS, een interactief speeltoestel dat kinderen en volwassenen moeiteloos aan het bewegen krijgt. Je danst patronen na, probeert oplichtende lichten te pakken en test je snelheid en reactievermogen. Eindelijk een computerspel waar geen enkele ouder moeilijk over doet.
Heerenduinweg 6a IJmuiden
0255 – 51 80 77 | www.deveiligehaven.nl

611 WILDPLASKUNST *Les Pisseurs d'Amsterdam*

Zomaar ergens buiten plassen ('wildplassen') is verboden. Je kan er zelfs een boete van € 120,- voor krijgen. Maar onder een viaduct in Amsterdam-Zuidoost staan zes mannen zonder enige schaamte te wateren. De plassende mannen, een kunstwerk van Pascale Tayou, zijn een knipoog naar Manneken Pis (Tayou woont in Brussel, en kan het plassende manneke dus wel dromen). Als het 's winters vriest, vallen de mannen stil. 's Zomers zorgen hun stralen voor een klaterende fontein. Best vrolijk eigenlijk...
Tegenover Gooioord aan het Guldenkruispad Amsterdam

612 OP DE TAST *Ervaringstocht in het donker*

Langs een marktkraam lopen zonder iets te zien, een park op de tast doorkruisen of de dansvloer van de disco zien te vinden – in het pikkedonker. Tijdens de ervaringstocht In het Donker Gezien ontdek je hoe blinden en slechtzienden onze wereld beleven. Je loopt langs levensechte opstellingen in een aardedonkere kerk in Velsen-Noord. En hoewel je reuk en gehoor algauw op scherp staan, is het nog knap lastig om nergens tegen aan te botsen. Gelukkig krijg je een taststok en aanwijzingen van een gids.
Grote Hout of Koningsweg 35-37 Velsen-Noord | www.inhetdonkergezien.nl

613 LUNCHEN IN DE TRAM *De Amsterdamsche Tram*

Een paar jaar geleden zag Edwin Weigert op een zijspoor in Amsterdam een stokoude tram staan. Het voertuig leek rijp voor de sloop, maar Weigert had een beter idee. Hij liet de verroeste, vergane tram opknappen tot een mooie lunchroom in jarendertigstijl, waar je terecht kan voor verse smoothies, minipizza's, salades en broodjes. Langs de spoorbogen ten zuiden van station Amsterdam Sloterdijk.
Carrascoplein 10 Amsterdam | 06 – 42 60 14 02
www.deamsterdamschetram.nl

614 KARAOKE-BATTLE *Zuiderzeemuseum*

Een Enkhuizer zeilmakerij, een kapper uit Zwaag en een boerenleenbank uit Baard: in het Zuiderzeemuseum zie je hoe het leven er honderd jaar geleden langs het IJsselmeer uitzag. Je snuift de geur op van de Peperzolder, ontdekt wat een leugenbank is en leert om met een kroontjespen te schrijven. Doe De Grote Zuiderzeequiz en speel de wedstrijd tussen VV IJsselmeervogels en SV Spakenburg na op de voetbaltafel. Of daag je vrienden uit voor een karaoke-battle voor de haven van Volendam: wie kan het best meezingen met Jan Smit of de 3J's?

Sluisweg 1 Enkhuizen | 0228 – 35 11 11
www.zuiderzeemuseum.nl

615 SPEKTAKEL TROEF *Lovers Powerzone*

Je tegenstander met een voltreffer uitschakelen, een strike gooien op een *glow in the dark*-bowlingbaan of dekking zoeken voor een laseraanval in de onderwaterwereld. Na een bezoek aan Lovers Powerzone staat het zweet je gegarandeerd in de handen. Doorsta een beschieting door de patrijspoorten, luister naar onderwatergeluiden en sonar en zoek bijtijds dekking achter olievaten en motoren. Na afloop bijkomen met pannenkoeken of een borrel op het terras.

Ruyterkade 153 Amsterdam
www.loverspowerzone.nl

616 HAVEN- & NOORDZEERONDVAART
IJmuidense Rondvaart Maatschappij

Twee pieren van honderden meters lang, een forteiland in de monding van het Noordzeekanaal en een indrukwekkend sluizencomplex: IJmuiden is de poort naar de havens van Amsterdam. De IJmuidense Rondvaart Maatschappij biedt je de kans om dit bedrijvige havengebied vanaf het water te zien. Je vaart langs de visafslag, de Duitse duikbootbunker en de verkeerstoren, passeert het Forteiland en glijdt door de sluizen de haven uit. Bij gunstig weer maak je zelfs een rondje op de Noordzee.

0255 – 511 676 (kantoor) / 06 – 51 59 89 17
(boot) | www.ijmuidenserondvaart.nl

617 HUISKAMERGEHEIMEN
Joods Historisch kindermuseum

Wat is koosjer eten? Wat vieren joden op Sjabbat en hoe klinkt klezmermuziek? Je ontdekt het in het JHM Kindermuseum. In dit museum, dat is ingericht als een huis van een joodse familie, maak je op een speelse manier kennis met het joodse leven. De website brengt je vast in de stemming.

Nieuwe Amstelstraat 1 Amsterdam
020 531 03 10 | www.jhmkindermuseum.nl

618 SNOEPJESKUNST *Papabubble*

Papabubble is meer dan alleen een snoepjeswinkel. De winkel, die in Barcelona en Tokio al veel fans heeft, presenteert zijn snoepjes als echte kunstwerken. De kleurrijke lolly's, pillows en rocks worden met de hand gemaakt – een kunststukje dat je binnen in de winkel van A tot Z kan volgen. Je kan ook snoepjes met een persoonlijke boodschap, een naam of een simpel logo laten maken.

Haarlemmerdijk 70 Amsterdam
020 – 626 26 62 | www.papabubble.nl

619 TRAM OF UFO? *Controversy Tram Inn*

Als je op het platteland van Noord-Holland plotseling twee trams ziet staan, ben je waarschijnlijk in Hoogwoud. Daar vind je een van de vreemdste pensions van Nederland. De Controversy Tram Inn bestaat uit twee afgedankte trams die zijn omgetoverd tot gastenverblijven. De trams zijn het resultaat van een uit de hand gelopen hobby. Gastheer en -vrouw Frank en Irma Appel zijn gek op alles wat rijdt en vliegt. Op het erf staan ook nog een vliegtuig, een ufo en een Mexicaans ingericht treinstel. Mét jacuzzi!

Koningspade 36 Hoogwoud | 0226 – 35 26 93
www.controversy.nl

620 BLOKARTEN *Wijk aan Zee*

Blokarten, de strandsport die een paar jaar geleden uit Nieuw-Zeeland is komen overwaaien, staat garant voor flink wat fun en spektakel. Met een beetje wind zeil je algauw met een gangetje van zo'n vijftig kilometer over het strand. Bij Wijk aan Zee is het strand breed genoeg om veilig over de verharde stukken te racen. De instructeurs van Summit Sport leren je in nog geen vijf minuten hoe je een blokart bestuurt en optimaal gebruikmaakt van de wind. **Strand Wijk aan Zee | 023 – 526 70 80 www.summitsports.nl**

621 100% JEUGDSENTIMENT *Museum van de Twintigste Eeuw*

De twintigste eeuw is nog maar net afgelopen, maar er is al een museum dat verbaasd terugkijkt. Het Museum van de Twintigste Eeuw staat vol met voorwerpen die ongemerkt uit ons dagelijks leven zijn verdwenen, zoals de poef, de telefoon met draaischijf en de zwart-wit-tv. In het museum vind je niet alleen een klaslokaal met leesplankjes en houten schooltassen, maar ook verschillende winkeltjes. Zoals de kruidenier, waar kinderen in de rij stonden voor ulevellen, salmiak en laurierstokjes. **Krententuin 24 (Oostereiland) Hoorn 0229 – 21 40 01 | www.museumhoorn.nl**

622 VADERTJE TIJD *Sprookjeswonderland*

'Zeven kleine geitjes hebbuh pech,' zingt de wolf voor het huis van de zeven kleine geitjes. Even verderop steekt Klein Duimpje zijn hoofd boven de rand van een Zevenmijlslaars. In Sprookjeswonderland loop je van het ene sprookje naar het andere. Je maakt een ritje in de Dobberbootjes en bezoekt kasteel Violinde, waar je de sprookjesmusical over een verwend prinsesje kan bijwonen. Vergeet niet om langs te gaan bij het Tijdhuis, waar Vadertje Tijd ervoor zorgt dat de trollen de tijd niet verder in de war schoppen. **Kooizandweg 9 Enkhuizen | 0228 – 31 78 53 www.sprookjeswonderland.nl**

623   INKOPERS BEGLUREN *Bloemenveiling Aalsmeer*

De bloemenveiling van Aalsmeer is een van de grootste bloemenveilingen ter wereld. Dagelijks worden er tientallen miljoenen bloemen en planten verhandeld. Vanaf een speciale galerij kun je zien hoe dat in zijn werk gaat. Je ziet tientallen trekkers met bloemenkarren binnenrijden, voelt de spanning stijgen in de afmijnzalen en gluurt naar de inkopers die vanaf de tribunes zakendoen. Nog een vrachtwagentje dahlia's erbij?

Legmeerdijk 313 Aalsmeer | 0297 – 39 21 85/ 0297 – 39 80 50 | www.floraholland.com/nl/ overfloraholland/BezoekVeiling/Aalsmeer/ Pages/Vestigingbezoeken.aspx

624   WADDENWEETJES *Ecomare Texel*

Hoe zijn de Waddeneilanden ontstaan? Wat is de Razende Bol en wat zijn de belangrijkste bewoners van de duinen van Texel? Het antwoord op deze vragen vind je in Ecomare, een informatiecentrum over Texel, de Wadden- en de Noordzee. In de zeehondenopvang, een onderdeel van Ecomare, kun je zien hoe gestrande zeehonden aansterken voordat ze weer in de Waddenzee worden uitgezet.

Ruijslaan 92 De Koog, Texel | 0222 – 31 77 41 www.ecomare.nl

625 MOLSHOOP *MAK Blokweer*

Molshopen kunnen behoorlijk irritant zijn. Maar in de Molshoop, een half ondergronds gebouwd bezoekerscentrum, zie je de natuur op z'n puurst. Je ziet het gezuiverde water door het inkijkvenster in de Molshoop of kijkt door het landschapsvenster uit over het gebied. Kruip door de mollengang van Maks de Mol en beleef wat hij meemaakt als hij door het landschap graaft. Maak kennis met zeldzame huisdierrassen, ga op zoek naar waterbeestjes en doe interessante proefjes in Maks' ondergrondse Ontdeklab. Misschien word je wel ingenieur van Maks...

Kloosterhout 1-2 Blokker | 0229 – 26 63 44
www.mak-blokweer.nl

626 INGERICHTE BUNKER *Forteiland IJmuiden*

Normaal zijn bezoekers niet welkom op het Forteiland IJmuiden. Gelukkig opent het forteiland, onderdeel van de Stelling van Amsterdam, elke maand zijn deuren voor publiek. Je kijkt rond in een volledig ingerichte Duitse bunker, ziet een groot deel van het vroegere fort en geniet van een fantastisch uitzicht over zee, havens en hoogovens. De boot naar het forteiland vertrekt van de kop van de haven in IJmuiden.

www.fortijmuiden.nl

627 FUTURE BOWLEN *Sport- en Partycentrum de Kegel Amstelveen*

Hoe ziet een bowlingbaan er in de toekomst uit? Je ontdekt het bij Sport- en Partycentrum de Kegel Amstelveen. Daar kun je op vrijdag- en zaterdagavond terecht voor een potje *future bowlen*: een swingende avond met spectaculaire licht- en geluidseffecten, live-vj, fluorescerende bowlingbanen en bowlingballen. Strike!

Bovenkerkerweg 81 Amstelveen
020 – 645 55 57 | www.dekegel.nl

628 KOPEREN MONSTER *Museum De Cruquius*

Een rook uitbrakend monster, een krachtpatser en een wonder van negentiende-eeuwse techniek. Hoe je het gemaal De Cruquius ook omschrijft, de enorme stoommachine waarmee de Haarlemmermeer anderhalve eeuw geleden droog werd gepompt, blijft indrukwekkend. De Machinistentocht leidt je langs alle bijzondere spullen van het museum. Op zondagmiddag kun je kijken naar het rollenspel *Sabotage op De Cruquius*.

Cruquiusdijk 27 Cruquius | 023 – 528 57 04
www.museumdecruquius.nl

629 DECOR BEKLIMMEN *Klimwand Spaarnwoude*

Als je vanuit indoorskibaan Snow Planet het recreatiegebied Spaarnwoude in loopt, kun je de klimwand bijna niet missen. De hoogste buitenmuur van ons land is niet alleen een begrip uit de tv-geschiedenis (het vreemd ogende bouwwerk was wekelijks te zien in het satirische nieuwsprogramma *Keek op de Week*), maar is ook nog eens een fantastische klimmuur. Ontwerper Frans de Wit bootste een rotswand uit de Ardennen na, maar zorgde ook voor uitdagende en minder lastige routes. Alleen toegestaan met brevet of onder begeleiding.
www.spaarnwoude.nl

630 BOEKETJE OF FRUITSHAKE? *Zelfpluktuin*

Je moet er een beetje talent voor hebben, zelf je boeket samenstellen. In de zelfpluktuin van Willem en Trudy Boersen heb je de bloemen in elk geval voor het grijpen. Geen bloemschiktalenten? In de vruchtenboomgaard even verderop kun je – in het juiste seizoen – ook een heerlijke bosvruchtensalade, vruchtencompote of fruitshake bij elkaar rapen.
Middellandseweg 4 Oudeschild, Texel
0222 – 31 50 80 | www.zelfpluktuin.info

631 MINIGOLFEN BIJ BLACKLIGHT *Glowgolf*

Oosteinderweg 247c Aalsmeer
0297 – 36 11 14 | www.glowgolf.nl

Je kun je verjaardagsfeestje natuurlijk op de minigolfbaan vieren. Maar je kan ook kiezen voor de hippe versie: glowgolf. Dit spel speelt zich af op een indoorbaan, met figuren die in het blacklight oplichten. Je baant je een weg door de onderwaterwereld, probeert je balletje tussen de dino's door in de holes te mikken en eindigt met een potje glowgolf in de jungle. Draag witte kleding voor zo veel mogelijk 'glow'!

632 WIE BIEDT ER MEER? *Broeker Veiling*

Of je je groenten nou bij de supermarkt of bij de groenteboer koopt, elke komkommer of prei komt eerst langs de groenteveiling. Die veiling werd uitgevonden in het Noord-Hollandse dorp Broek op Langedijk. Tijdens een bezoek aan het houten veilinggebouw (dat op negentienhonderd houten palen rust) ontdek je hoe je een partijtje goedkope groente op de kop tikt. Neem plaats in de veilingbankjes, zet de veilingklok stil en bepaal zelf de prijs van de aangeboden groenten. Misschien word je wel handelaar van de dag...

Museumweg 2 Broek op Langedijk
0226 – 31 38 07 | www.broekerveiling.nl

633 HARNASSEN EN HELLEBAARDEN *Muiderslot*

Het Muiderslot is een ridderslot met alles erop en eraan: stoere, metersdikke muren, naargeestige kerkers, harnassen en hellebaarden. Tijdens een bezoek aan het kasteel maak je kennis met alle onderdelen van het ridderleven. Je komt erachter wie de vijanden van graaf Floris V waren, laat je fotograferen als jonkvrouw of schildknaap, en speelt het spannende Toernooispel. Als je alle stickers en stempels hebt verzameld, word je in de jachtkamer tot ridder geslagen.

Herengracht 1 Muiden | 0294 – 25 62 62
www.muiderslot.nl

634 DOE-HET-ZELFVEREN *Pontjesroute*

Vaarten en ophaalbruggetjes, bloembollen en stolpboerderijen: tijdens de Pontjesroute fiets je niet alleen door een landschap dat aan oud-Hollandse wandposters doet denken, maar steek je ook heel wat water over. Onderweg vaar je maar liefst vijfmaal per veerpont naar de overkant. Twee keer moet je jezelf overvaren door aan een lier te draaien. Een typisch geval van doe-het-zelfveren dus!

Bewegwijzerd, start onder andere bij station Castricum
www.alkmaarder-enuitgeestermeer.nl, klik op 'routes'

die het ge...
Het zijn meestal geen vlotte en sociale standaard...
Dat spreekt mij erg aan.
Er moet wel gepiekerd en gepeinsd worden.' Martha

woede

ik kom

wanhoop

Leef i...

verlangen

driedub...

ZUID-HOLLAND

635 HUWELIJKSAANZOEKEN *Walk of Love*

Wil je verkering vragen maar weet je niet hoe? Of wil je gewoon een keer lachen om de dwaze dingen die (andere) verliefde mensen tegen elkaar zeggen? In de Walk of Love, een stukje boulevard in de Haagse badplaats Kijkduin, liggen de liefdesverklaringen aan je voeten. Of liever gezegd eronder, want in het wegdek hebben tientallen Nederlanders een liefdestegel met een romantische tekst laten neerleggen: zwijmelgedichten, liefdesverklaringen en zelfs huwelijksaanzoeken.
Jij bent mijn alles!
Kijkduin Den Haag | www.walkoflove.nl

636 VERGETEN PIRATENSCHAT *De Jutterskeet van Ome Jan*

Autobanden, reddingsvesten, flessen-met-brief en een complete bruinvis. Ome Jan, de bekendste jutter van Zuid-Holland, kijkt nergens meer van op. In zijn juttershut, gemaakt van aangespoeld materiaal, vind je alle schatten die hij in de loop der jaren langs de vloedlijn heeft aangetroffen. Je kan ook zelf als jutter aan de slag gaan of met een metaaldetector het strand af zoeken naar een vergeten piratenschat. Als je goed zoekt, krijg je een juttersdiploma.
Zuiderstrand Den Haag | www.jutterskeet.nl

637 GIFKIKKERS EN UILVLINDERS *Vlinders aan de Vliet*

Het is tropisch warm. Je baant je een weg door de jungle. Vlinders in de bontste kleuren fladderen om je heen. Nee, je bent niet in het tropisch regenwoud, maar in Vlinders aan de Vliet. In deze junglevlindertuin leven niet alleen vijftienhonderd tropische dagvlinders, maar vind je ook junglebewoners zoals gifkikkers, zaagschildpadden en maanvissen. De dwergkrokodillen zitten gelukkig veilig achter glas.
Veursestraatweg 195b Leidschendam
06 – 13 66 88 33 | www.vlindersaandevliet.nl

638 KOOKSCHORT VOOR *Junior Kookgoot*

Ben je een fan van het kookprogramma *Junior Masterchef*? In de Junior Kookgoot bind je zelf je koksschort voor, voor een restaurantmaaltijd met alles erop en eraan. Samen met familieleden, vriendjes en vriendinnetjes ga je aan de slag in een echte restaurantkeuken. Je stort je op voorgerechten, hoofdgerechten en toetjes en proeft daarna het resultaat in een spannend theaterrestaurant. Een feestmaal om nooit meer te vergeten.
Baan 44 Rotterdam | 010 – 213 03 30
http://rotterdam.heksenkethel.nl/thema/49/uit/junior-kookgoot

639 KLIMAVONTUUR *Monte Cervino*

De omgeving van Rotterdam is zo plat als een dubbeltje, maar vlak bij Bergschenhoek steekt een indrukwekkende rots de lucht in. De Monte Cervino biedt klimmers alle uitdagingen die je ook in de echte bergen vindt: loodrechte- en overhangende wanden, stukken rots met veel uitsteeksels en bijna gladde rotswanden. Voor gevorderde en beginnende klimmers.

Hoeksekade 141 Bergschenhoek | 010 – 522 10 92
www.montecervino.nl/informatie.html

640 UITWAAIEN & ZWAAIEN *Het SS Rotterdam*

Frank Sinatra zong er, kroonprinses Beatrix maakte er de eerste zeereis mee en prins Reinier en prinses Gracia stapten in Monaco aan boord: het SS Rotterdam, het grootste in Nederland gebouwde passagiersschip, heeft een rijke geschiedenis. Tijdens een bezoek aan het schip reis je terug naar de hoogtijdagen van de Holland-Amerikalijn. Kies je voor de Uit- waaien & Zwaaien Tour, dan mag je rondkijken in de kapiteinshut, de radiokamer en de kaartenkamer. Je stapt het stuurhuis binnen, bezoekt de hooggelegen brug en reist in een paar minuten van Rotterdam naar New York. Wie zei dat varen langzaam ging?

3e Katendrechtsehoofd 25 Rotterdam
010 – 288 66 66 | www.ssrotterdam.nl

641 ARME MEEUW *Feyenoord Museum*

Feyenoordkeeper Eddie Treijtel had een goede uittrap. Zo goed dat hij tijdens de wedstrijd Sparta-Feyenoord een meeuw uit de lucht schoot. De meeuw is een van de topstukken uit het Feyenoord Home of History. Het museum vertelt het verhaal van de club met de trouwste supporters én het mooiste clublied. Je ziet de vele prijzen die Feyenoord won, en staat even stil bij het brilletje van Joop van Daele. De bril van deze middenvelder werd tijdens de wedstrijd om de wereldbeker (Feyenoord-Estudiantes) door tegenstander Pachame in tweeën gebroken. De scheidsrechter zag weer eens niks...

Van Zandvlietplein Rotterdam
www.feyenoord.nl/pages/feyenoordcontent/
S2/supporters_feyenoord_museum.aspx

642 DUIK IN DE MAAS *Splashtours*

Niet schrikken als je bus plotseling het water in rijdt! De knalgele amfibiebussen van Splashtours zijn ontworpen om te rijden én te varen. Je begint met een rondrit langs de mooiste plekjes van Rotterdam. Daarna is het tijd voor de 'splash': een spectaculaire duik in de Maas, waarna je bus verandert in een rondvaartboot. Spetterende ervaring voor jong en oud!

Leuvehaven 1 Rotterdam | 010 – 436 94 91
www.splashtours.nl

643 CONTAINERS HIJSEN *Professor Plons*

Professor Plons wil op wereldreis, maar voor hij met zijn vrienden uit kan varen, moet er nog heel wat gebeuren. Gelukkig kun jij daarbij helpen. In de kinder-doe-expo Professor Plons, onderdeel van het Maritiem Museum, ontdek je wat er allemaal komt kijken bij het maken van een zeereis. Je maakt zelf wind, luistert naar sterke verhalen, hijst containers aan boord en kookt een maaltje in de kombuis. En aan boord van het schip van de professor maak je kennis met de échte museumcollectie.

Leuvehaven 1 Rotterdam | 010 – 413 26 80
www.maritiemmuseum.nl

644 DERTIG NESTEN *Ooievaarsdorp Het Liesveld*

Vijftig jaar geleden waren er in Nederland bijna geen ooievaars meer. Om de bedreigde vogelsoort te helpen riep de Vogelbescherming Ooievaarsdorp Het Liesveld in het leven: een plek waar ooievaars in alle rust konden eten, leven en broeden. Inmiddels voelen de vogels zich overal in Nederland thuis en broeden er zelfs vogels in een Amsterdams stadspark.

Tussen maart en augustus telt het gebied ruim dertig bewoonde nesten!

Wilgenweg 3 Groot-Ammers | 0184 – 60 26 16
www.streekcentrum.nl

645 GIFMENGSTER *Stedelijk museum De Lakenhal*

Wat aten de Spanjaarden vlak voordat ze uit Leiden werden verjaagd? Waarom was het spinnenwiel zo belangrijk voor de stad en wie was de Zangeres zonder Naam? In het stedelijk museum De Lakenhal duik je in de geschiedenis van Leiden. Je bewondert beroemde schilderijen en maakt kennis met Goeie Mie. Deze wasvrouw – tegenwoordig beter bekend als de Leidse gifmengster – leek altijd voor iedereen klaar te staan, maar was in werkelijkheid heel wat minder onschuldig. Na 23 moorden liep ze tegen de lamp en verdween ze, als eerste seriemoordenares van Nederland, achter de tralies. **Oude Singel 28-32 Leiden | 071 – 516 53 60 www.lakenhal.nl**

646 JE EIGEN KAASJE *Kijk- en Kaasboerderij Van der Werf*

Dat kaas van melk wordt gemaakt is vast geen nieuws voor je. Maar hoe het precies in zijn werk gaat, weet je waarschijnlijk niet. Of liever gezegd: nog niet, want bij Kijk- en Kaasboerderij Van der Werf kun je uitgebreid in de kaaskeuken rondkijken. Je ontdekt hoe de melk van de roodbonte koeien wordt omgezet in wrongel, en maakt daarna onder leiding van de boerin een overheerlijk vers kaasje. *Say cheese!* **Middelburgseweg 8 Reeuwijk | 0182 – 39 32 71 www.kijkenkaasboerderijvanderwerf.nl**

647 BLAZEN OF KIJKEN? *De Glasblazerij*

Er zijn van die dingen waaraan je pas kan beginnen als je bijna volwassen bent. Glasblazen bijvoorbeeld. Voor een workshop bij De Glasblazerij in Leerdam moet je minimaal zestien zijn, maar dan heb je ook wat. Een ervaren glasblazer leert je hoe je uit heet vloeibaar glas een kleurrijke vaas of bol blaast. Nog te jong? Dan kun je in het glaslab zien hoe kunstenaars en ontwerpers met het hete glas experimenteren. **Sundsvall 2 Leerdam | 0345 – 61 49 60 www.deglasblazerij.nl**

648 KIDS ONLY *Het Van Kinderen Museum*

Vind je het saai om in een museum altijd naar het werk van volwassenen te kijken? Dan moet je een keer naar het Van Kinderen Museum. In het museum hangt (of staat) alleen werk van kinderen. Wil je zelf met een schilderij of tekening in de schijnwerpers staan? Dan kun je op woensdag- of zondagmiddag werken aan een kunstwerk, tekst of gedicht. Voor kinderen en jongeren van zes tot zestien. **Waldeck Pyrmontkade 116 Den Haag 070 – 345 44 01 | www.hetvankinderenmuseum.nl**

649 ZAKKENDRAGERS *Delfshaven*

Oude pakhuizen, prachtige ophaalbruggen en donkerbruine cafés: Delfshaven is een van de weinige buurten van Rotterdam die de bombardementen in 1940 overleefde. Hoewel de galerieën en hippe winkeltjes snel oprukken, krijg je hier een aardig idee hoe Rotterdam er in vorige eeuwen moet hebben uitgezien. Sta in elk geval even stil bij het zakkendragershuisje (Voorstraat 13). In dit voormalige gildehuis beslisten de zakkendragers met een dobbelsteen wie er een nieuw vrachtje mocht dragen.
Voorstraat Rotterdam

650 WINTERFUN *Strijkijzer werpen*

Is het alweer hartje winter? En vriest het dat het kraakt? Kijk dan voor de grap eens op de website van de Moordrechtse IJs-club. Met een beetje geluk wordt daar een wedstrijd georganiseerd die inmiddels beroemd is in heel Nederland: strijkijzer werpen. Kijk hoe de deelnemers het strijkijzer zo lang mogelijk over het ijs laten doorglijden en stap daarna zelf het ijs op voor een ouderwetse schaatstocht. Of een portie koek-en-zopie natuurlijk.
Leliestraat 72 Moordrecht
www.moordrechtseijsclub.nl

651 RITJE TUSSEN DE BOMEN *Attractiepark Duinrell*

Je schaduw achterlaten in het schaduwhuis, luchtfietsen over hooggelegen rails of met boot en al omlaag storten in het schuimende water van de Splash: in Attractiepark Duinrell komt iedereen aan zijn trekken. Ga finaal over de kop in de Waterspin, duik vanaf het hoogste punt van Zuid-Holland in de rodelbaan omlaag of klim in de boomhut van Ricks avonturenburcht. Nog moed en energie over? Dan moet je zeker een ritje 'tussen de bomen' maken in de Dragonfly: een gloednieuwe familieachtbaan waar elke bocht een nieuwe uitdaging is.
Duinrell 1 Wassenaar | 070 – 515 52 55
www.duinrell.nl

652 BACKFLIP OF AIR *Skateland Rotterdam*

Een backflip (salto achterover), een air (hoge sprong) of een ouderwets stukje grinden (dwars over een trapleuning of stoeprand glijden): in Skateland Rotterdam, een van de grootste skateparken van Nederland, kun je alle kanten op. In het park vind je niet alleen een uitdagend skateboardparcours, maar ook een inline-/ BMX-park (in 2007 uitgeroepen tot het vetste BMX-park van Nederland) en kiddieland: een aparte zone voor wat minder ervaren skaters. In de voormalige koffiefabriek van Nestlé.

Piekstraat 45 Rotterdam | 010 – 290 98 90
www.skateland.nl

653 CHICK MET SNOR *Lof der Zoetheid*

Anastasia de Ruyter vindt het leven veel te kort om vies te eten. En bij moeder Elena stroomt pure chocolade door haar aderen. Samen runnen ze het Lof der Zoetheid. In dit paradijs kun je binnenstappen voor ontbijt, lunch en 'zoete zaken': taarten waarvan het water je in de mond loopt of repen die smelten op je tong. Op het damestoilet kun je jezelf met snor fotograferen. Misschien word je wel 'chick met snor' van de maand.

Noordplein 1 Rotterdam | 010 – 265 00 70
www.lofderzoetheid.com

654 LEVENSECHT *Omniversum*

Afdalen in het binnenste van een cel. Rondkijken in het oog van een tornado of zonder parachute van een steile klif springen: in het Omniversum maak je avonturen mee die in het échte leven niet mogelijk zijn. De spectaculaire grootbeeldfilms worden vertoond op een koepelscherm dat zo groot is als een half voetbalveld, en ook het geluid trilt tot in je voetzolen door. Gelukkig is het maar een film en zit je veilig in het theater...

President Kennedylaan 5 Den Haag
0900 – 666 48 37 | www.omniversum.nl

655 SLAPEN IN DE DIERGAARDE *zoocamp*

Weet je blindelings de weg in de dierentuin en kun je het dagje met de dierverzorger intussen wel dromen? Dan kun je 's zomers in Diergaarde Blijdorp terecht voor de spannendste dierentuinervaring van Nederland: de zoocamp! Je zet je tent op bij het kamelenperk, roostert spiesjes op de barbecue en verzamelt moed voor het onbetwiste hoogtepunt: een expeditie door de donkerste hoekjes van Blijdorp.

Blijdorplaan 8 Rotterdam | 010 – 443 14 95
www.rotterdamzoo.nl

656 DE KRAAN VAN NEDERLAND *Expo Haringvliet*

Tussen twee Zuid-Hollandse eilanden ligt de grootste waterkraan van Nederland, het Haringvliet. Deze voormalige 'zeearm' voert een groot deel van het rivierwater van de Rijn, Maas en Waal af naar zee. Om te zorgen dat het zeewater bij storm niet in ons land terugstroomt, is het Haringvliet met twee enorme 'waterdeuren' afgesloten: de Haringvlietsluizen. Bij Expo Haring-vliet kun je een kijkje nemen in het één kilometer lange sluizencomplex. Je daalt af in de onderaardse bouwwerken en bekijkt de enorme machinekamers die nodig zijn om de deuren te kunnen bewegen. Een heel interessant uitje.

Haringvlietplein 3 Stellendam
www.expoharingvliet.nl

657 NEDERLAND IN ÉÉN UUR *Madurodam*

Hoe laat je elke dag 150.000 mensen van een vliegveld vertrekken? En hoe was het om scheepsjongen te zijn in de zeventiende eeuw? In Madurodam hoor je de verhalen achter typisch Nederlandse 'verschijnselen' zoals de voc, de Deltawerken en Schiphol. Je stapt over Boeing 747's op miniatuurformaat, ziet een voc-schip dat elk moment kan uitvaren en spot een windsurfer die naast de Zeelandbrug het water op gaat. Laad zelf containers op een vrachtschip, maak je eigen lichtshow in het theater en check hoe een schoonmaakster buitenaards leven ontdekt bij Planetarium Eisinga.

George Maduroplein 1 Den Haag
070 – 416 24 00 | www.madurodam.nl

658 NAMAAKKOE MELKEN *Ontdekhoek*

Vind je het leuk om nieuwe ontdekkingen te doen en ga je graag met je handen aan de slag? Dan ben je in de Ontdekhoek aan het goede adres. Je ziet zelfgemaakte foto's op papier verschijnen in de donkere kamer, leert hoe je een namaakkoe melkt en ontdekt hoe je in een mum van tijd zelf aardappelchips maakt. Een ontdekkingstocht die naar meer smaakt!
Crooswijkseweg 36 Rotterdam
010 – 414 31 03 | www.ontdekhoek.nl

659 PUBLIEK VERZEKERD *Bungeejumpen van de Pier*

Beneden, aan de voet van de kraan, leek het nog leuk. Maar als je klaarstaat voor de sprong, kun je een lichte aanval van paniek toch niet meer onderdrukken. Logisch, want onder je gaapt een gat van zestig meter. Een gat waarin je straks – vrijwillig – omlaag suist voor een duizelingwekkende vrije val, waarna je bouncend aan het elastiek boven het water tot stilstand komt. Als je adrenaline hier niet van gaat stromen...
Boulevard Scheveningen Den Haag
070 – 350 68 63 | www.bungy.nl

660 SPEURNEUS OF STRATEEG *Waterstratego*

Fietsen, lezen, vragen beantwoorden en gps'en: tijdens een rondje Waterstratego moet je een hoop dingen tegelijk doen. Je geeft eerst op de website aan of je een cultuurhapper, speurneus of strateeg bent, en gaat daarna op pad voor een verrassende fietstocht langs de Oude Rijn. Volg trekschuitschipper Rietheuvel langs het Jaagpad in 1840, of reis met schipper Storij naar Delfshaven in het jaar 1700. Vergeet niet de extra vragen te beantwoorden.
www.waterstratego.nl

661 ZEELUI EN WATERRATTEN *Kids Marina*

Leuk, schepen kijken in de Rotterdamse haven. Maar het is veel leuker als je zelf een schip mag besturen. In de minihaven van Kids Marina kan het. Nadat de havenmeester de regels op het water heeft uitgelegd, mag je zelf de kajuit in. Je kruipt achter het stuurwiel van een brandweerboot, loodst een politieboot door de golven of staat aan het roer van een stoere sleepboot. Perfect uitje voor zeelui en waterratten.
Grotekerkplein (tegenover Laurenskerk) Rotterdam | 010 – 753 72 42 | www.kidsmarina.nl

662 COOLE DAG *Drievliet*

Je bent net binnen in Familiepark Drievliet en het duizelt je nu al. Wat te doen? Een ritje op de wildemuisachtbaan De Kopermijn om erin te komen? Chillen in de draaiende kopjes van de Theeleut? Of rondkijken in de spannende onderwaterwereld van koraaleiland Lol Atol? Trouwens: de loopingachtbaan Formule X ziet er heel uitdagend uit. En een tocht per boomstam in de kolkende Jungle River wil je ook niet missen. Eén ding weet je in elk geval zeker: dit wordt een heel coole dag.
Laan van 's-Gravenmade Den Haag
070 – 399 93 05 | www.drievliet.nl

663 BLIKVANGER *Torenmuseum*

Als je het stadje Goedereede binnenrijdt, kun je de bakstenen toren niet missen. De voormalige vuurtoren (vroeger werd er 's nachts boven op de toren een groot kolenvuur gestookt) overleefde flink wat branden, plus de sloop van de kerk die vroeger aan de toren vastzat. In het Toren-museum vind je onder andere een verzameling antieke scheepsmodellen en een van de grootste carillons van Nederland. Vanaf het dak heb je een prachtig uitzicht over het stadje, het eiland en de Noordzee.
Kerkpad 9 Goedereede | 0187 – 49 37 96
www.torenmuseum.nl

664 EIGEN MOESTUIN *Villa Augustus*

De oude watertoren aan het Wantij is nog altijd een blikvanger in Dordrecht. Het kasteelachtige bouwwerk, dat vroeger werd gebruikt als opslagplaats voor water, werd jaren geleden omgetoverd tot een van de sfeervolste hotel-restaurants van Nederland. In het marktcafé, midden in de villa, kun je niet alleen lekkere taartjes eten, maar kun je ook terecht voor zelfgemaakte pasta, bloemen en serviesgoed. En groente uit eigen moestuin natuurlijk.
Oranjelaan 7 Dordrecht | 078 – 639 31 11
www.villa-augustus.nl

665 WEKKER ZETTEN! *Zeevissen*

Vergeleken met beroepsvissers is het uitslapen, maar toch: als je mee wil met een echte vissersboot moet je wel een beetje bijtijds opstaan. Het schip vertrekt om 8.00 uur vanuit de tweede binnenhaven van Scheveningen (in het café kun je al om 6.00 uur terecht). Eenmaal op zee gooi je je hengel uit en kijk je hoeveel kabeljauw, schar en wijting je op een dag kan binnenhalen. Van 1 oktober tot en met 31 mei.
Dr. Lelykade 3 Den Haag | 070 – 354 11 22
www.rederij-trip.nl

666 BEULSZWAARDEN EN BRANDIJZERS
Museum de Gevangenpoort

Cornelis de Witt werd er gefolterd. De kamerheer van prins Maurits zat er vast wegens roofmoord en spion Abraham de Wicquefort wist eruit te ontsnappen. Museum de Gevangenpoort heeft heel wat beroemde gevangenen zien langskomen. Tijdens een bezoek aan de eeuwenoude gevangenis reis je terug naar de tijd dat gevangenen vroeg of laat met de beul kennismaakten. Je gluurt binnen in de Pijnkelder en de Treurkamer, en ziet schandborden, beulszwaarden en brandijzers. Gelukkig ben je 'slechts op bezoek'...
Buitenhof 33 Den Haag | 070 – 346 08 61
www.gevangenpoort.nl

667 PAPIRIA *Kinderboekenmuseum*

Papiria, een literair luilekkerland in het Kinderboekenmuseum, wordt bedreigd door de inktvraat. Alleen jij kan dit allesverslindende monster tegenhouden. Gewapend met je fantasie en een Slurper ga je op avontuur. Je doolt door het Diepe Denkersdal en ontmoet schrijvers, tekenaars én verhaalfiguren. Schrijf griezelverhalen met Paul van Loon, werk met Flo aan je eigen stripverhaal of ga de rapstrijd aan met rapper Winnie. Zo groeit de verzameling verhalen die Papiria nodig heeft om de Inktvraat te verslaan.

Prins Willem-Alexanderhof 5 Den Haag
070 – 333 96 66
www.kinderboekenmuseum.nl / www.papiria.nl

10 X ORIGINELE KINDERFEESTEN

Met koekhappen, een speurtocht of een dagje in een ballenbak is niks mis. Maar soms wil wel eens echt knallen op je kinderfeest. Bijvoorbeeld als je tien wordt of indruk wil maken op je grote liefde. Tien ideeën voor een bijzonder kinderfeestje.

668 KINDERFEESTJE DIERENVERZORGER

Maak samen met de dierenverzorger het bed op van Calimero, de grootste olifant van Europa.
Beekse Bergen 1 Hilvarenbeek | 0900 – 0200 | http://originelekinderfeestjes.nl

669 STRETCHED LIMO

In deze achtpersoons stretched limousine maak je absoluut de blits. 75 euro per uur inclusief chauffeur!
Edisonweg 46 IJsselstein | 030 – 294 35 15 | www.silverline.nl

670 ZELF EEN ANIMATIEFILM MAKEN

Maak je eigen variant op *Wallace & Gromit*, *Buurman en Buurman* en *Pingu*. Het resultaat krijg je mee op dvd.
Media Park, Sumatralaan 45 Hilversum | 035 – 677 54 44
www.beeldengeluid.nl/kinderfeestjes

671 KERKERFEEST AMSTERDAM DUNGEON

Exclusief griezelen in de donkerste en engste kerkers van Amsterdam. Met groepsfoto!
Rokin 78 Amsterdam | 020 – 530 85 00
www.the-dungeons.nl/amsterdam/nl/groups-days-out/birthday-parties.htm

672 MY SNEAKER PARTY

Pimp je eigen sneakers met gekleurde veters, buttons, textielstiften en meer.
Overschiestraat 61 Amsterdam | 06 – 11 62 02 67 | www.mygreatestparty.com

673 KNAL-FEEST

Trek je labjas aan en kom knallen, schuimen en sissen in het Continium.
Museumplein 2 Kerkrade | 045 – 567 60 50 | www.continium.nl

674 ROOFVOGELFEEST

Vlieg zelf met de kerkuil of laat een torenvalk op je hoofd landen.
06 – 13 17 93 35 | www.roofvogelsenuilen.nl/kinderfeestje

675 MEGA NERD PARTY

Plunder de klerenkast van je ouders en ga op de foto als wereldvreemde boeken-
wurm, studiebol of computerfreak.
Griftstraat 8 Apeldoorn | 06 – 48 59 42 52 | www.glamourkidz.nl/nerd.htm

676 KINDERCHOCOLADEWORKSHOP

Dompel zelfgemaakte fudge- en marsepeinfiguren in een chocobad.
Franseplaats 1 Nijmegen | 024 – 323 43 60
www.chocobreak.com/index.php/workshops

677 MY SOCCER PARTY

Speel op een vijf-tegen-vijf veld op de beroemdste grasmat van Nederland, in de
Amsterdam ArenA.
Overschiestraat 61 Amsterdam | 06 – 11 62 02 67 | www.mygreatestparty.com

678   **STRUINTAS** *De Zeetoren*

Kostbare schelpen opsporen in de Van Dix-hoorndriehoek of vossenkeutels spotten in de duinen: in de natuur rond de Zeetoren valt van alles te ontdekken. Zeker als je op pad gaat met de speciale struintas die je bij de Zeetoren kan huren. Gewapend met een kompas, een loepje, zoekkaarten en een doe-het-zelfvlieger ga je op expeditie. Goede jacht!

Helmweg 7 Hoek van Holland
0174 – 38 34 15 | www.zeetoren.nl

679   **OUDERWETS RAMMELEN** *Lijn 10*

Ben je even niet in Rotterdam geweest en wil je weten welke bijzondere gebouwen erbij zijn gekomen? Dan moet je een rondrit maken in lijn 10, de toeristische tramlijn van Rotterdam. Je rijdt langs hypermoderne wolkenkrabbers, tuft door het stadscentrum en passeert sfeervolle, oude stukjes stad. In een ouderwets rammelende tram uit 1929.

www.lijn10.nl

680   **SPROOKJES OP DE TRAP** *Beelden aan Zee*

Hans en Grietje vóór en na het vetmesten. Een haringeter, een ballerina en een huilende reus. Nergens staan zo veel vreemde sprookjesfiguren bij elkaar als op de boulevard van Scheveningen. Ze horen bij het mooiste beeldenmuseum van Nederland: Beelden aan Zee. Binnen staan nog zes-honderd grappige, bijzondere, vreemde, abstracte of juist heel menselijke beelden. Zoals Light of the Moon: een reusachtige bronzen scherf in de vorm van een gezicht. Achter het museum in de duinen.

Harteveltstraat 1 Den Haag | 070 – 358 58 57
www.beeldenaanzee.nl

681   **STOOKOLIE EN TEER** *Havenrondvaart*

De tijden dat heel Rotterdam naar stook-olie rook liggen achter ons. Toch is Rotterdam nog altijd scheepvaartstad nummer één. Tijdens een 75 minuten durende havenrondvaart passeer je enorme contai-nerterminals, cruiseschepen zo groot als torenflats en havenkranen boven kerkto-renhoogte. Vanaf het water heb je prachtig zicht op de kantoorreuzen van Rotterdam.

Willemsplein 85 Rotterdam | 010 – 275 99 88
www.spido.nl

682 OPTISCHE ILLUSIES *Escher in het Paleis*

Vogels die in vissen veranderen, stijgende trappen die beneden uitkomen en water dat omhoog stroomt: als er een wedstrijd in bedriegen had bestaan, was tekenaar Maurits Cornelis Escher de onbetwiste nummer één. In Escher in het Paleis maak je kennis met beroemde werken, zoals *De Waterval* en *Dag en Nacht*. Puzzel met je ogen in de interactieve tentoonstelling 'Optische Illusie, wat is dat?' En breng het werk van Escher met touchscreens in beweging. Of kijk hoe je groter dan je ouders kan worden en leg het resultaat meteen op foto vast!
Lange Voorhout 74 Den Haag
www.escherinhetpaleis.nl

683 DRAKEN EN STERRENREGENS *Vuurwerkfestival Scheveningen*

Prachtig, een knetterend vuurwerk met alles erop en eraan. Alleen jammer dat je meestal tot oudjaar moet wachten. In Scheveningen hebben ze er wat op gevonden. Tijdens het vuurwerkfestival kun je drie avonden genieten van de kunsten van professionele vuurwerkmakers. Je bewondert fonteinen en draken, luistert naar donderslagen en sissende pijlen, en ziet neerdalende sterrenregens en oogverblindende single shots. De beste show wordt bekroond met de Vuurwerk Trofee.
www.vuurwerkscheveningen.nl

684 VULKAANUITBARSTING *Museon*

Een vulkaan zien uitbarsten. De oerknal meebeleven of ontdekken waarom dinosauriërs nog altijd bestaan. In het Museon maak je spelenderwijs kennis met cultuur, wetenschap en techniek. Je doet proefjes in het WaterLAB, duikt in het mysterieuze leven van de diepzee en staat oog in oog met verre voorouders. Indrukwekkend!
Stadhouderslaan 37 Den Haag
070 – 338 13 38 | www.museon.nl

685 SNELLER DAN HET LICHT *Active Game Zone*

Met je voeten een symfonie van Beethoven spelen, een vuurbal ontwijken of je eigen projectie laten sporten in de 3D-videogame Eyeplay. In de Active Game Zone, een interactieve spellenruimte in De Uithof, gaan fitness, gaming en entertainment perfect samen. Speel een spelletje lasersquash, klauter omhoog op een draaiende klimmuur of probeer zo snel mogelijk de lichten uit te schakelen op de T-Wall. Dé kans om sneller te zijn dan het licht.
Jaap Edenweg 10 Den Haag
0900 – 33 84 84 63 | www.deuithof.nl

686 TIJD EN OGEN TEKORT *Miniworld Rotterdam*

Treinen denderen over de rails, vrachtwagens brengen hun lading naar de haven en auto's duiken de Maastunnel in. In Miniworld Rotterdam kom je niet alleen ogen tekort, maar vooral ook tijd. Logisch, want een dag duurt maar 24 minuten. Dan valt de nacht in Nederlands grootste overdekte miniatuurwereld. Bewonder de kubuswoningen, zoek naar bekenden op een druk strand of bekijk hoe Rotterdam er voor de oorlog uitzag. Als je je in het bevolkingsregister inschrijft, kun je zelf een poppetje in de miniatuurwereld plaatsen.

Weena 745 Rotterdam | 010 – 240 05 01
www.miniworldrotterdam.com

687 GRATIS REMBRANDT *Straatnamenmuseum*

Het Straatnamenmuseum doet niet aan kassa's, suppoosten en beveiligingscamera's. Toch hangen overal werken van beroemde schilders, zoals Rembrandt, Rubens, Jan Steen en Frans Hals. De schilderijen hangen gewoon buiten op straat, in de Schilderswijk in Den Haag. In elke straat die naar een schilder is vernoemd, hangt een schilderij van diezelfde schilder. Niet het échte werk natuurlijk, maar een mooie reproductie. Op de website kun je vast door de verschillende 'zalen' lopen van 's werelds grootste openluchtmuseum van Hollandse meesters.
Schilderswijk Den Haag
www.straatnaammuseum.nl

688 WANDELDUINEN EN HAGEDISSEN *Stoere Stuivertocht*

Hoe wek je 'dood' mos tot leven? Waar gaan wandelduinen naartoe en hoe ontsnapt een zandhagedis uit de klauwen van een vos? Tijdens de Stoere Stuivertocht kom je alles te weten over de planten en dieren in boswachterij Hollands Duin.

Speurend en ravottend zoek je je een weg door beschutte bossen en golvende duinen. Een spannende natuurontdekkingstocht voor kinderen van zes tot tien jaar. **www.staatsbosbeheer.nl, kijk bij 'Activiteiten'**

689 GOUDEN PLATEN *Rock Art*

Herman Brood, Doe Maar, de Golden Earring en Ali B. In Rock Art ontmoet je de pophelden waar je ouders mee groot zijn geworden en sta je ook oog in oog met de Nederlandse sterren van nu. Je bewondert gouden platen, concertposters en afgerag-

de gitaren, komt alles te weten over piratenzenders en ontdekt waarom Den Haag de beatstad van Nederland is. Anouk, Kane en Di-Rect kunnen erover meepraten. **Zekkenstraat 42 Hoek van Holland 0174 – 38 41 03 | www.rockart.nl**

690 KLIMTOREN *Wiebel Biebel*

Grappige foto op de website van Wiebel Biebel: twee volwassen mannen klauteren in een klimrek dat duidelijk voor kinderen bedoeld is. De broers Marco en Edward Laros waren in hun jeugd altijd in de polder aan het spelen en bedachten daarom een speelparadijs waar kinderen al hun energie

kwijt kunnen. Leef je uit op de trampolines, klauter omhoog in de hoogste klimtoren van Nederland of roetsj van de rodelbaan omlaag. In het recreatiegebied Zegerloot-Zuid. **De Bijlen 4 Alphen aan den Rijn | 0172 – 47 21 57/ 06 – 30 531 430 | www.wiebelbiebel.nl**

691 RUIMTECOWBOYS *Space Expo*

Wat is een zwart gat? Hoe ziet de aarde er vanuit de ruimte uit en hoe houdt een astronaut zichzelf overeind als de raket wordt gelanceerd? In Space Expo, een permanente ruimtevaarttentoonstelling in Noordwijk, krijg je antwoord op al je ruimtevaartvragen. Je ziet hoe echte

sterren worden geboren, bewondert een replica van de eerste maanlander en dwaalt langs verre planeten en prachtige melkwegstelsels. Een reis door de ruimte in anderhalf uur. **Keplerlaan 3 Noordwijk 0900 – 87 65 43 21 | www.space-expo.nl**

692 VIEZE DINGEN *Polderkoldertocht*

Je staat er vast niet bij stil hoeveel een varken poept. Of waarom de melk van een koe wit is. Maar tijdens de Polderkoldertocht kom je alles (dus ook heel vieze dingen) te weten over boerderijdieren, boeren en boerderijproducten. Een tocht met gekke vragen en boerenwijsheden dwars door de polder.

Galgweg 5 Hazerswoude
06 – 51 27 28 08 | www.jeudeboer.nl

693 KASTANJES EN KANONNEN *Vestingwandeling Gorinchem*

Beschietingen, inslaande kanonskogels, Spaanse veroveraars en woeste watergeuzen: de vestingwallen van Gorinchem hebben heel wat meegemaakt. Tijdens een stadswandeling over de wallen zie je de spannendste plekjes van de vroegere vesting. Je loopt langs kanonnen en kruitmagazijnen, maar passeert ook kastanjebomen en molens. Vanaf de wallen heb je een mooi uitzicht over het water en Slot Loevestein. Informatie bij vvv Zuid-Holland Zuid.

Grote Markt 17 Gorinchem
0183 – 63 15 25 | www.vvv-webshop.nl

694 KUNST KIJKEN *Onderzeebootloods*

Is het een spannende filmlocatie? Een museum of een oude scheepshal? De onderzeebootloods is het alle drie! De leegstaande onderzeebootloods op het RDM-terrein werd drie jaar geleden omgetoverd tot de grootste expositieruimte van Nederland. Waar vroeger duikboten in elkaar werden gelast, kun je nu elke zomer kijken naar een grote tentoonstelling van museum Boijmans Van Beuningen. De Aqualiner brengt je er vanuit het centrum in recordtijd naartoe.

RDM-straat 1 Rotterdam
www.onderzeebootloods.nl

695 VERDACHTE STERFGEVALLEN *De Grimmige Gruwelloop*

Verdachte sterfgevallen, voortvluchtige gifmengsters en openbare terechtstellingen: tijdens de Grimmige Gruwelloop, een wandeling door het zeventiende-eeuwse Leiden, komen de gruwelijkheden in sneltreinvaart voorbij. Kruip in de huid van seriemoordenares Marie de Slegte. Of maak kennis met een strenge politieman en een meedogenloze schout. Je zult zien: de sfeer is heel snel grimmig!

Stationsweg 41 Leiden | 071 – 516 60 00
http://portal.leiden.nl/nl/toerisme_vrije_tijd

696 ZOMERBOEMELTJE *De IJsjestram*

In de tram mag je meestal geen ijs eten, maar in de IJsjestram is dat juist de bedoeling. Terwijl een gids je allerlei wetenswaardigheden over de stad vertelt, geniet je van een heerlijke sorbet met vanille-ijs en fruit. Je boemelt langs terrassen, huizenhoge cruiseschepen en kantoorreuzen waarvan je de top niet eens kan zien. Niet na afloop om een ijsje bedelen...

Boezemstraat 188 Rotterdam | 010 – 414 80 79 | www.brazzo.nl

697 SWINGEND DAGJE *North Sea Jazz Kids*

Levende jazzlegendes en aanstormend talent. Scheurende saxofoons en roffelende drumsolo's. North Sea Jazz is hét jazzfestival van Nederland. Ook voor kinderen, want het festival heeft elk jaar een flitsend programma voor jonge bezoekers: North Sea Jazz Kids. Je ziet jonge jazzmuzikanten in actie, maakt zelf muziek of muziekinstrumenten en danst op de nieuwste jazz, r&b en hip-hop. Een swingend dagje in Ahoy.

Rotterdam | www.northseajazz.com/nl/north-sea-jazz-kids

698 JE EIGEN KUNSTWERK *Villa Zebra*

De kunstwerken van anderen bewonderen kun je nog je hele leven. Maar in Villa Zebra ga je vooral zelf aan de slag. Je maakt een spannende verkenningstocht door het museum, laat je fantasie prikkelen door vreemde installaties en dieren of leeft je uit tijdens een van de workshops. Voor alle beginnende kunstenaars van drie tot twaalf.

Stieltjesstraat 21 Rotterdam | 010 – 241 17 17 http://villazebra.nl

699 TRAPKAJAK *Bollenstreek per boot*

De Bollenstreek is in het voorjaar het kleurigste gebied van Nederland. En de mooiste manier om de streek te verkennen is per boot. Bijvoorbeeld in een van de bijzondere Hobie kayaks die je bij Annemieke's Pluktuin kan huren. In plaats van met een peddel beweeg je de boot door te trappen. Een echte trapkajak dus.
Haarlemmerstraat 17 Hillegom | 06 – 53 83 99 79
www.annemiekespluktuin.nl

700 POLDERHORROR *Laagste punt van Nederland*

Zonder dijken zou het laagste punt van Nederland meteen onderlopen. En niet zo'n klein beetje ook, want de Zuidplaspolder (ten noordoosten van Nieuwerkerk aan den IJssel) ligt bijna zeven meter onder de 'normale' waterhoogte: het Normaal Amsterdams Peil. Een monument laat zien hoe ver het water bij een overstroming boven je hoofd komt. Best angstaanjagend, als je erover nadenkt.
Parallelweg-Zuid 215, tussen Nieuwerkerk aan den IJssel en Moordrecht

701 PICKNICK AAN DE PLAS *Picknick Company*

Leuk, zo'n spontane picknick. Maar tegen de tijd dat jij en je ouders alle spullen bij elkaar hebben gezocht, is de grootste lol er vaak al vanaf. Gelukkig is er de Picknick Company. Daar kun je via de website je ideale picknickmand samenstellen: een Meaty, H-Ice Tea of Love de Luxe voor je vader of moeder en een kidz-versie voor jezelf. Vervolgens zoek je een picknickplekje langs de Kralingse Plas (waar je de manden kan ophalen). Het leven is een picknick, zeggen ze bij de Picknick Company.
Kralingseweg 35 Rotterdam
06 – 15 96 07 06 | www.picknickaandeplas.nl

702 GIERENDE BANDEN *Plaswijckpark*

Lynxen betrappen in het lynxenbos, waterstralen ontwijken in de havenspeeltuin of griezelen op de spookzolder: in Plaswijckpark is voor iedereen iets te doen! Bewonder de klimkunsten van de rode neusberen, bekijk het park vanuit de hooggelegen kabelbaan of scheur met gierende banden door de verkeerstuin. Niet te hard, anders word je geflitst...

Ringdijk 20 Rotterdam | 010 – 418 18 36
www.plaswijckpark.nl

703 UITSTAPJE NAAR 2035 *FutureLand*

In de Noordzee wordt hard gewerkt aan de aanleg van de tweede Maasvlakte. Bij FutureLand, het informatiecentrum van Maasvlakte 2, zie én ervaar je hoe dit toekomstige stukje Nederland eruit komt te zien. Je staat zelf aan het stuurwiel en laat nieuw land uit de zee omhoogrijzen. Of je maakt een uitstapje naar het jaar 2035, als het gebied volledig in gebruik is. Neem plaats in de Future Flight Experience, scheer over schepen, havens en containerkranen of geniet van het schitterende uitzicht vanaf het Panorama Deck.

Europaweg 902 Maasvlakte Rotterdam
010 – 252 25 20
www.maasvlakte2.com/nl/futureland

704 VIPS SPOTTEN *Binnenhof*

Geheime besprekingen in het torenkamertje. Ministers die haastig uit een limo (of van de fiets) stappen. Politici die tegen elkaar roepen dat ze 'normaal' moeten doen en cameraploegen op jacht naar nieuws. Het Binnenhof is het politieke hart van Nederland. Leuk om vips te spotten of een blik te werpen op de belangrijkste zolderkamer van Nederland: het Torentje.

Hofweg 1 Den Haag | 070 – 364 61 44
www.prodemos.nl

705 WIE HELPT DETECTIVE TONY? *Mystery Golf*

Een misdaad oplossen tijdens een spelletje minigolf. Bij Tony's Mysterygolf is het de normaalste zaak van de wereld. Je stapt een baan op met achttien holes, die oplichten in geheimzinnig blacklight. Algauw ben je een akelig zaakje op het spoor: Diva Laguna is ontvoerd en detective Tony moet haar zien te vinden. Stap voor stap help je Tony om de zangeres te bevrijden.

Vlasbaan 1 Leiderdorp | 071 – 542 41 42
www.mysterygolf.nl

706 PSSST! *De Fluisterheuvel*

Op het eerste gezicht ziet de Fluisterheuvel eruit als een gewoon speelveldje met twee voetbaldoelen. Alleen zijn de doelen een tikje vreemd. Ze zijn halfrond en aan de achterkant hangt geen net maar staat een heuveltje. Bovendien vormen de doelen een soort fluistertelefoon. Kunstenaar Jan Willem Wartena bedacht een manier om geluid naar een dertig meter verderop gelegen punt te richten. Als jij in het ene heuveltje fluistert, kun je vriendje of vriendinnetje bij het andere heuveltje je dus prima verstaan. Als er tenminste niet net een doelpunt wordt gescoord...

Camerlingstraat Delft
www.fluisterheuvel.nl

707 OP ZOEK NAAR DE SFINX *Vermeer Centrum Delft*

Johannes Vermeer is een van de beroemdste schilders van de gouden eeuw. Maar lange tijd was er bijna niets over zijn leven bekend. De schilder heeft daarom de bijnaam de *Sfinx van Delft* gekregen. Tijdens een speurtocht bij het Vermeer Centrum Delft kom je heel wat geheimen over de schilder te weten. Je neemt een kijkje door de camera obscura, leert hoe je vroeger verf maakte en ontdekt welke liefdesboodschappen de meester in zijn schilderijen verwerkte.

Voldersgracht 21 Delft | 015 – 213 85 88
http://vermeerdelft.nl

708 TERUG NAAR SCHEVENINGEN *Panorama Mesdag*

Panorama Mesdag is niet alleen het grootste schilderij van Nederland, het is ook een van de weinige plekken waar je als bezoeker midden in een schilderij kan stappen. Landschapsschilder H.W. Mesdag werkte ruim vier maanden aan de schildering, die de toeschouwers helemaal omringt: een impressie van het vissersdorp Scheveningen zoals dat er rond 1880 uitzag. Mét krijsende meeuwen.

Zeestraat 65 Den Haag | 070 – 310 66 65
http://panorama-mesdag.com

709 DE WIND IN JE ZEILEN *Blokarten*

Lekker, zo'n stormachtige strandwandeling. Maar als je echt de kracht van de wind wil voelen, moet je een keer in een zeilwagen over het Vuurtorenstrand jakkeren. De karts van Roots aan Zee zijn voorzien van een groot zeil, dat je algauw met vijftig kilometer per uur over het strand duwt. Spektakel dus.

Groenedijk 34 Ouddorp
06 – 54 32 11 86 | www.rootsaanzee.nl

710 SURVIVALLEN OF SUPPEN *Outdoor Valley*

In het natuurgebied bij de Rottemeren vind je het grootste survivalpark van Nederland: Outdoor Valley. De ideale plek voor een actief dagje kanoën, mountainbiken en survivallen. Verleg je grenzen op het avonturenparcours, knoop je eigen vlot of ga een middagje Stand Up Paddle Boarden (oftewel SUP'pen). Bij deze razendsnel groeiende sport sta je rechtop op een surfboard en beweeg je je board met een peddel door het water. Ziet er net zo makkelijk uit als het is.
Hoeksekade 141 Bergschenhoek
010 – 522 13 80
www.outdoorvalley.nl/particulieren

711 FORMULE 1-WAGENS *Recreatieoord Binnenmaas*

Zeg een paar keer achter elkaar 'Binnenbedijkte Maas' en je begrijpt waarom iedereen het gebied Binnenmaas noemt. Ook recreatieoord Binnenmaas, een groot familiepark in de Hoeksche Waard, houdt het simpel. Een korte naam, maar genoeg attracties om een dag mee te vullen. Zoals (mini)formule 1-wagens, een midgetgolfbaan en een prachtige kinderboerderij. Zoef van een van de grote waterglijbanen in het openluchtzwembad, probeer langs de obstakels op het natuurlijke wandelpad te komen of stap in een kano voor een tocht over de Binnenmaas. Sorry: de Binnenbedijkte Maas.
Vrouwehuisjesweg 7a Mijnsheerenland
0186 – 60 18 94
www.recreatieoordbinnenmaas.nl

712 BEZEMEN EN GLIJDEN *Curlingbaan Zoetermeer*

Curling, een winterse kruising tussen bowlen en jeu de boules, ziet er niet al te moeilijk uit. Maar vergis je niet: voor je de granieten stenen naar de juist plek laat glijden, heb je wel een paar afzwaaiers achter de rug. Tijdens een clinic op de Curlingbaan Zoetermeer maak je kennis met de basistechnieken en spelregels. Je leert hoe je de stenen met een flauwe bocht (*curl*) over het ijs slingert, en wat de functie is van de bezem. Daarna ga je in twee teams het ijs op voor een wedstrijdje in nauwkeurigheid.

Van der Hagenstraat 20, ingang west Zoetermeer | 079 – 330 50 65 / 06 – 48 93 97 39
www.curlingbaan.nl

713 NAAR DE HAAIEN *Sea Life Scheveningen*

Op het strand van Scheveningen zul je niet snel een haai tegenkomen. Tenzij je naar binnen gaat bij Sea Life. Daar zwemmen diepzeemonsters als de haai, de koraalduivel en de kongeraal op een paar centimeter afstand voorbij. Je ontmoet de gevlekte lipvis, die zulke sterke tanden heeft dat hij de schaal van een krab kan breken, en staat oog in oog met de zonnevis, die van voren zo smal is dat zijn prooi hem meestal te laat ziet. In de onderwatertunnel staar je plotseling in de opengesperde kaken van een haai. Gelukkig zit er dik glas tussen.

Strandweg 13 Den Haag | 070 – 354 21 00
www.visitsealife.com/scheveningen

714 HEKS OF GEEN HEKS? *De Heksenwaag*

Wie in de middeleeuwen het weer voorspelde of kruidenbrouwseltjes maakte werd al gauw voor heks aangezien. Gelukkig waren er twee manieren om je onschuld te bewijzen: op de brandstapel (als je goed brandde was je achteraf toch geen heks) of bij de Heksenwaag in Oudewater. In dit gebouw werden van hekserij beschuldigde vrouwen op een grote weegschaal gewogen. Sloeg de weegschaal uit, dan waren ze onschuldig (iemand met een normaal gewicht is te zwaar om op een bezem te kunnen rondvliegen). Laat je ook wegen en ontvang het Certificaet van Weginghe: het enige, echte bewijs dat je géén heks bent...

Leeuweringerstraat 2 Oudewater
0348 – 56 34 00 | www.heksenwaag.nl

715 PERSOONLIJKHEIDSTEST *De Wonderkamers*

Je eigen track mixen in de muziekstudio's. Door het museum razen in video's van één minuut of een kijkje nemen in het atelier van een kunstenaar. In de Wonderkamers van het Gemeentemuseum Den Haag is alles anders. De kunstwerken hangen niet keurig naast elkaar aan de muur, maar staan in verschillende kamers met een eigen onderwerp. Luister naar verhalen die worden verteld door spannende Arabische voorwerpen, ontdek wat kunstwerken eigenlijk waard zijn en bewonder jezelf in een paskamer met heel veel spiegels. Als voorproefje kun je op de website de wonderkamerpersoonlijkheidstest doen.

Stadhouderslaan 41 Den Haag
070 – 338 11 11 | www.wonderkamers.nl

716   ZONDVLOEDBESTENDIG *De Ark van Noach*

Aannemer Johan Huiberts wil laten zien dat de zondvloed uit de Bijbel echt heeft plaatsgevonden. Daarom bouwde hij de Ark van Noach. Aan boord van het grootste houten schip ter wereld zie je hoe Noach en zijn gezin geleefd hebben. Je luistert naar eeuwenoude Bijbelverhalen en bewondert zestienhonderd dieren – opgezet én levend – waaronder Huiberts' labrador Sam. Mocht er een nieuwe zondvloed komen, dan hoef je je niet te vervelen: aan boord zijn twee grote amfitheaters, filmzalen en een restaurant.

Ter hoogte van Maastraat 12 Dordrecht
078 – 613 45 35 / 06 – 22 86 93 42
www.arkvannoach.com

717   EIGEN TOETJE *XO Woerden*

Ga je met je ouders uit eten, maar heb je even geen zin in een kindermenu met patat en appelmoes? Dan moet je eens naar binnen gaan bij XO Woerden. Dit restaurant heeft niet alleen een uitgebreide kinderkaart met originele voor-, hoofd- en nage-rechten, maar heeft (als het niet te druk is) ook nog een bijzonder toetje op het menu staan: een door jou zelfgemaakt ijsje!

Meulmansweg 2 Woerden | 0348 – 41 83 42
www.xowoerden.nl

718   HAND- OF VOETAFDRUKKEN *Walk of Fame Star Boulevard*

Sinterklaas en Mickey Mouse. Johan Cruyff en André van Duin. De Zangeres zonder Naam en Shrek. Je vindt ze allemaal terug op de Walk of Fame in Rotterdam. Althans: hun hand- of voetafdrukken, want die hebben deze 'sterren' in de betonnen tegels achtergelaten. Lopend over de ster-renboulevard ontmoet je nationale en internationale beroemdheden: van saxofoniste Candy tot kungfuheld Jackie Chan en van astronaut Wubbo Ockels tot illusionist David Copperfield.

Goollandsingel 10 Rotterdam
010 – 458 16 94 | www.walkoffame.nl

719 OUDER-KINDCIRCUSLESSEN *Circaso*

Mooi gezicht: een circusartiest die zes draaiende bordjes in de lucht houdt. Of op een eenwieler met fakkels jongleert. Bij Circaso, de circuswerkplaats van Den Haag, zet je samen met je vader of moeder de eerste stappen op weg naar circussucces. Je leert hoe je een eenwielfiets in evenwicht houdt, hangt aan de trapeze of loopt in de hoogte over een strakgespannen koord. Schrijf je tijdig in, want de ouder-kindcircuslessen zijn erg populair.

Den Haag | www.circaso.nl

720 EIGEN BOEKET *De Sfeerstal*

'Bloemen houden van mensen' zong ooit een mevrouw in een reclamespotje. Het spotje zou gemaakt kunnen zijn voor de Sfeerstal. In deze kruising tussen (bloemen)boerderij en een theehuis staat bijna alles in het teken van bloemen. Bewonder de kleurrijke bloemenperken, kom over-nachten in een van de tien bloemenkamers of ga met een mand en schaar aan de slag in de zelfpluktuin. Een uurtje later loop je met een prachtig boeket de tuin uit...

Hogendijk 5 Nieuwveen | 0172 – 53 86 42
www.sfeerstal.nl

721 ZEEHONDJES SPOTTEN *Zandmotor*

Voor de kust van het dorpje Ter Heijde in de gemeente Westland ligt een enorm schiereiland. Op zich niks bijzonders, behalve dat het eiland er een paar jaar geleden nog niet was. Zandmotor DeltaDuin (zo heet het eiland) werd door Rijkswaterstaat aan-gelegd om de duinen te beschermen, maar is inmiddels ook ontdekt door bijzondere vogels en mensen. Prachtige plek om uit te waaien, te kitesurfen of zeehondjes te spotten.

www.dezandmotor.nl

722 BEHEERSBARE GOLVEN *Brandingkajakken*

Als je van ruige golven houdt, moet je niet aan de Nederlandse kust zijn. Maar je kun je er wel prima uitleven in een watersport in opkomst: brandingkajakken. Je gaat op zoek naar rustige golven en probeert je kajak zonder al te veel spinnen en vliegen in de goede richting te laten varen. De instructeurs van Vloed Kanosport brengen je de kneepjes van het vak in recordtijd bij. Voor kinderen van acht tot twaalf jaar is er een speciaal kids-arrangement.

Rechtestraat Hoek van Holland
010 – 484 07 77 | www.vloedkanosport.nl

723 ZELF REGEN MAKEN *Aquarama*

Zien wat er onder water gebeurt zonder nat
te worden. Zelf regen maken of met de periscoop naar planten zoeken in de vijver. In het
Aquarama, een onderdeel van Weizigt Natuur-
en Milieucentrum, leer je alles over de wereld
van water. Je ziet hoe stekelbaarsjes op zoek
gaan naar watervlooien en luistert naar de
verhalen van dieren over eten en opgegeten
worden.

Van Baerleplantsoen 30 Dordrecht
078 – 770 82 00 | http://cms.dordrecht.nl/weizigt

724 WILDE WATEREN *Dutch Water Dreams*

Voor écht wild water moet je nog steeds
naar de Coloradorivier in Amerika. Maar
een middagje kanoën bij Dutch Water
Dreams komt aardig in de buurt. In dit
ultramoderne wildwatercomplex waan je
je algauw op een ruige bergrivier. Je sla-
lomt langs onverwachte obstakels of surft
over een van de Flowriders, kunstmatige
golven van bijna twee meter hoog. Mocht je
olympische dromen hebben, dan ben je in
Zoetermeer aan het juiste adres; de wildwaterbaan is een imitatie van de baan waar de
kanoërs tijdens de Olympische Spelen van
Peking om de medailles streden.

Van der Hagenstraat 3 Zoetermeer
079 – 330 25 00 | www.dutchwaterdreams.com

725 IN DE WOLKEN *Euromast*

Parijs heeft de Eiffeltoren en Rotterdam de
Euromast. Het hoogste gebouw van Nederland (bijnaam: het Rotterdammertje) werd
ooit bedacht om meer toeristen naar de
Maasstad te lokken. Het toverwoord 'uitzicht' werkt nog altijd. Vanuit de brasserie
op 96 meter hoogte zie je alle beroemdheden van Rotterdam: de havens, de Erasmusbrug, de Kuip en hotel New York. Als je
geen hoogtevrees hebt, kun je zelfs met de
ronddraaiende lift mee naar de 185 meter
hoge top. Nog steeds geen spoor van een
kick? Dan zit er maar één ding op: langs
een touw aan de buitenkant afdalen...

Parkhaven 20 Rotterdam | 010 – 436 48 11
www.euromast.nl

726 PLAATS DES ONHEILS *Prinsenhof*

Eindeloos op de plaats van een misdrijf blijven rondhangen en op zoek gaan naar de kogelgaten: dat kan op de Prinsenhof in Delft. Logisch, want hier vond de beroemdste moord uit de vaderlandse geschiedenis plaats, die op Willem van Oranje. In 1584 liet de vader des vaderlands een onaangekondigde bezoeker binnen, Balthasar Gerardts, die even later zijn pistool trok en de prins met twee schoten velde. In het trappenhuis van Stedelijk Museum Het Prinsenhof – het vroegere onderkomen van Willem van Oranje – kun je nog precies zien waar de kogels insloegen.
Sint Agathaplein 1 Delft
015 – 260 23 58 | www.prinsenhof-delft.nl

727 ZEETUNNEL *Diergaarde Blijdorp*

In 1856 huurden twee spoorwegbeambten een spoortuintje in de Rotterdamse binnenstad. Ze brachten er hun verzameling exotische vogels onder en zagen hun hobby algauw uitgroeien tot een van de grootste dierentuinen van Nederland, Diergaarde Blijdorp. Maak kennis met de poolvossen en sneeuwuilen in het Noord-poolgebied Arctica. Ontmoet minidraken in de Rivièrahal of bewonder haaien en papegaaiduikers en koningspinguïns vanuit een 22 meter lange tunnel op de bodem van de zee. Een dierentuin waar je nooit uitgekeken raakt.
Blijdorpplaan 8 Rotterdam
010 – 443 14 95 | www.rotterdamzoo.nl

728 DE KUIP *Feyenoord Kids Tour*

Ben je een Feyenoordfan? Dan mag je de Kids Tour door de Kuip niet missen. Je luistert naar de verhalen over alle hoogte- en dieptepunten en gluurt binnen op plaatsen waar het normaal streng verboden terrein is: de kleedkamer, de spelerstunnel en het ereterras. En natuurlijk bekijk je na afloop alle prijzen in het Home of History.
Rotterdam | www.feyenoord.nl

729 SCHNOEPWINCKEL *Museum in den Halve Maen*

Museum in den Halve Maen heeft twee belangrijke troeven. Het museum is klein (en dus overzichtelijk) en nog veel belangrijker: het is gewijd aan snoep. In het museum vind je onder meer een oude kruidenierswinkel, een cafeetje en een hoedenzolder. In de oud-Hollandsche *schnoepwinckel* (je schrijft het echt zo!) kun je terecht voor ongelofelijk ouderwets snoep, van stroopsoldaatjes tot borsthoning en van Jamaica's tot polkabrokken.
Lodderlandsedijk 56 Rockanje
0181 – 41 22 18 | www.indenhalvenmaen.nl

730 BALLENPLAFOND *Science Centre Delft*

Een dijkdoorbraak voorkomen. Een treintje over een zweefbaan sturen of in de huid van een chirurg kruipen. In het Science Centre Delft zie je de geheimzinnige en ingewikkelde onderzoeksprojecten waar de studenten aan de TU zich mee bezighouden. Je deelt je emoties met Robot Rudolph, ontwerpt je eigen vliegtuigvleugel en vangt de ballen die een computer uit het plafond loslaat. En na een testvlucht in de Simona Flightsimulator weet je ook meteen of je talent hebt voor een loopbaan als piloot.
Mijnbouwstraat 120 Delft | 015 – 278 52 00
www.sciencecentre.tudelft.nl

731 KRUIP-DOOR-SLUIP-DOOREILAND *Natuureiland Tiengemeten*

Op natuureiland Tiengemeten wonen slechts elf mensen. Toch vind je er twee musea, een haventje en een herberg. Én Speelnatuur Tiengemeten. Op dit door Natuurmonumenten aangelegde terrein kun je eindeloos klimmen, bouwen, verdwalen en ravotten. Raak de weg kwijt op Doolhof-eiland, bouw een droomkasteel op Hutten-en-vlottenbouweiland en ga ondergronds op het Kruip-door-sluip-dooreiland. Neem droge kleren mee!
www.natuurmonumenten.nl/natuurgebieden/
tiengemeten/speelnatuur

732 KUNSTSTUKJES *Vliegerfestival*

Loopings, salto's en gecontroleerde duikvluchten: tijdens het jaarlijkse vliegerfestival op het Scheveningse strand zie je alle kunststukjes die je met je eigen vlieger niet voor elkaar krijgt. Plus vliegers in de meest waanzinnige vormen en formaten. Op zaterdagavond kun je in het donker kijken naar kites en vliegers met led-lampjes. Jaloersmakend, maar sprookjesachtig!
www.vliegerfeestscheveningen.nl

733   BIOS 1.0 *Toveren met Licht*

Als je een bioscoopfilm in 2D al ouderwets vindt, moet je een keer naar de familie-voorstelling *Toveren met Licht*. Daar ontdek je hoe een bezoekje aan de 'bioscoop' er honderdvijftig jaar geleden uitzag. De stilstaande beelden worden met een toverlantaarn op de muur geprojecteerd en begeleid door livemuziek. Laat je 3D-bril thuis en geniet van antieke verhalen. Zoals het *Kattenduet*, *Hans en zijn varken* en *Een haasje ging uit wandelen*. Een nostalgisch middagje uit voor de hele familie.

Laan van Meerdervoort 32 Den Haag
www.podiumvocale.nl

734   HUIS VAN HET BOEK *Museum Meermanno*

Denk je bij lezen meteen aan een beeldscherm? Dan moet je een keer naar het huis van het boek: Museum Meermanno. In het oudste boekenmuseum ter wereld zijn iPads, eReaders en eBooks nog pure sciencefiction. Je reist terug naar de tijd dat boeken met de hand werden geschreven (middeleeuwse monniken deden er soms wel tien jaar over) en ontdekt hoe je sierlijke letters maakt met een echte ganzenveer. Neem in elk geval een kijkje in het scriptorium, een leslokaal dat regelrecht uit Harry Potters Zweinstein afkomstig lijkt.

Prinsessegracht 30 Den Haag
070 – 34 62 700 | www.meermanno.nl

735   CHOCOLADEFEEST *Villa Kabaal*

Stop jij bij elke bonbonwinkel om naar binnen te kijken? Dan mag je de chocoladeworkshop van Villa Kabaal niet missen. Je snuift de geur van cacao diep op, giet gesmolten chocolade in vormen en stort je op heerlijkheden zoals chocoladefiguurtjes, chocoladewafels en chocoladelolly's. Geen chocolademonster? Bij Villa Kabaal kun je ook terecht voor andere themafeesten. Zoals de Harem van Sjeik Al-ladi, de Jongens tegen de Meisjes of Magische Toverkunde voor Dreuzels.

Biezen 76 a/b Boskoop | 0172 – 212030 /
06 – 51828401 / 06 – 51739809
www.villakabaal.nl

736 SMURFENSNOT *De Kinderwerkplaats*

Smurfensnot maken, een hovercraft laten varen of zelf een straat leggen. Bij de Kinderwerkplaats ontdek je spelenderwijs wat er komt kijken bij beroepen zoals uitvinder, electricien en stratenmaker. Ontwerp je eigen raket en onderzoek een vulkaanuitbarsting. Of kruip in de huid van een zandkunstenaar en maak de mooiste zandtekeningen op de droomtafel. Voor kinderen vanaf vier jaar.

Hulshorststraat 12 Den Haag
06 – 45 09 93 22 | www.dekinderwerkplaats.nl

737 HET RIJK VAN HEEN EN WEER *Museum voor Communicatie*

In Het Rijk van Heen en Weer wil iedereen contact met je. Nou ja, bijna iedereen, want de douanière bij Grensland doet een beetje moeilijk. Je maakt een spannende ontdekkingstocht door zes wonderlijke landen, reist terug in de tijd en ontmoet buitenaardse wezens. Maak een Avatar in Digiland, kruip in de huid van je favoriete soapster of voeg nieuwe woorden toe aan het Thuistaal Woordenboek.

Zeestraat 82 Den Haag
070 – 330 75 00 | www.muscom.nl

738 READY FOR TAKE-OFF? *Boeing 737-800-simulator*

Leuk hoor, piloot worden. Maar voordat je zelf een Boeing 737-800 mag vliegen, ben je heel wat vlieguren verder. De Boeing 737-800-simulator biedt je de kans om alvast ervaring op te doen in een van de grootste vliegtuigen ter wereld. Nadat je een vliegveld hebt uitgekozen (de simula-tor kan overal ter wereld starten en landen) neem je plaats in een echte cockpit, met echte instrumenten. Even later glijdt de landingsbaan onder je weg... Op afspraak of tijdens open dagen.

Blauw-roodlaan 62 Zoetermeer
06 – 44 85 26 11 | www.yellowwings.nl

739 WATERDEUREN *Maeslantkering*

De Maeslantkering, een enorme deur die tijdens zware stormen het zeewater buitensluit, is het laatste stukje van de Delta-werken. Het gevaarte is bijna zo groot als de Eiffeltoren, maar weegt liefst viermaal zoveel. Tijdens een rondleiding in het Keringhuis kun je een blik werpen op de grootste deuren van Nederland, maar zie je ook gigantische olietankers die op een steenworp afstand voorbijdrijven.

Maeslantkeringweg 139 Hoek van Holland | 0174 – 51 12 22 | www.keringhuis.nl

740 WATERSKIËN ZONDER BOOT *Wet 'n Wild*

In een halfuur leren waterskiën? Het klinkt te mooi om waar te zijn, en toch kan het. Bij Wet 'n Wild ga je niet steeds in dezelfde bocht onderuit en hoef je nooit te wachten tot de speedboot is gekeerd. Je glijdt over het water achter een waterskibaan: een sleeplift waaraan ruim tien lijnen zijn vastgemaakt. Heb je al ski-ervaring? Dan kun je je ook uitleven op de spectaculairste watersport van dit moment: wakeboarden. Vergt even wat oefening, maar met een paar mooie salto's en threesixty's krijg je elk terras stil.

Sportlaan 5 Alphen aan den Rijn
0172 – 47 24 12 | www.wetnwild.nl

741 HUGO'S BOEKENKIST *Vesting3hoek*

Op één dag drie provincies bezoeken, zeshonderd jaar geschiedenis opsnuiven en drie rivieren oversteken: in de Vesting-3hoek kán het. Je start op de vestingwallen van Gorinchem en steekt daarna per veerpont over naar Slot Loevestein. Het slot was ooit de best beveiligde gevangenis van Nederland. Tot rechtsgeleerde Hugo de Groot in een boekenkist uit het kasteel ontsnapte. Vanaf Loevestein vaar je met een pontje naar Woudrichem, de laatste punt van de driehoek. Prachtige oude gebouwen zoals de Gevangenpoort voeren je honderden jaren terug in de tijd.
www.vesting3hoek.nl

742 TE GAST OP EEN ZEILREUS *Rotterdams Welvaren*

Voor de Nederlandse marine was 1797 echt een rampjaar. In dat jaar 'kaapten' de Britten tijdens een woeste zeeslag de trots van de Nederlandse zeevloot: linieschip De Delft. Einde schip, zou je denken. Maar nee: op de historische zeewerf Rotterdams Welvaren wordt de driemaster stap voor stap weer nagebouwd. Tijdens een bezoek aan de werf zie je hoe een van de grootste zeilreuzen uit de achttiende eeuw langzaam gestalte krijgt. Je loopt rond tussen de houtkrullen en spaanders, waagt je op de spectaculaire loopbrug of bewondert in het museum de rolpaarden, waarop vroeger de kanonnen stonden.
Schiehaven 15 Rotterdam
010 – 276 01 15 | www.rotterdamswelvaren.nl

743 APPELBOOMPJE WINNEN! *Landgoed de Olmenhorst*

Ben je slim, trek je graag de natuur in en hou je van appels? Dan moet je een keer een natuurspeurtocht maken over Landgoed de Olmenhorst. Je struint door de boomgaard en ontdekt spelenderwijs de hoekjes en gaatjes van het landgoed. Als je de speurtocht goed oplost, maak je ook nog eens kans om een appelboom te adopteren. De boom krijgt een jaar lang jouw naambordje. En in de pluktijd is de oogst natuurlijk voor jou!

Lisserweg 481 Lisserbroek | 0252 – 41 31 65
www.olmenhorst.nl

744 GROOTMOEDERS POFFERTJES *In de Salon*

Je hebt poffertjeskramen en pannenkoekenboerderijen. En je hebt het poffertjes- en pannenkoekenhuis In de Salon, het oudste en schilderachtigste poffertjeshuis ter wereld. Het houten gebouw is meer dan honderdvijftig jaar oud en ook het interieur lijkt regelrecht uit grootmoeders tijd afkomstig. Net als het (geheime) recept van de poffertjes trouwens!

Karnemelksloot 1 Gouda
0182 – 51 21 15 | www.pannenkoeken.net

745 KINDERGOLF *Swingaway Den Haag*

Bij golf denk je algauw aan deftige dames en heren die keuvelend achter hun karretje over het gras schrijden. Maar in Den Haag mogen ook kinderen met een golfclub zwaaien. Tijdens het Swingaway-kinderfeestje leer je niet alleen hoe je een club (golfstok) vasthoudt, maar ontdek je ook hoe je moet chippen (de bal met een korte slag in de richting van het putje spelen) en putten (de bal het laatste zetje geven). Ook voor jongens en meisjes zonder dubbele achternaam!

Binckhorstlaan 174 Den Haag
070 – 315 30 40 | www.swingaway.nl

746 KOUD KUNSTJE *Zelf ijs maken*

Leuk hoor, zo'n kant-en-klaar ijsje uit de diepvries. Maar het is nog leuker als je zelf in de ijskeuken je handen uit de mouwen steekt. Bij IJsboerderij Middelbroeck ga je samen met vrienden of vriendinnen aan de slag met verse ingrediënten. Je brengt het ijs op smaak en wacht daarna tot de vriezer z'n werk doet. Na een verkenningstocht over de boerderij proef je het resultaat van jullie koude kunstjes.

Broekseweg 17a Meerkerk
0183 – 35 18 29 | www.middelbroeck.nl

747 STERKE VERHALEN *De Snerttram*

Vraagt een Rotterdammer waar die snerttram blijft? Dan moppert hij meestal niet op het openbaar vervoer, maar bedoelt hij het oude trammetje dat in de wintermaanden door de stad boemelt. De tram dankt zijn naam aan de oud-Hollandse erwtensoep die aan boord wordt geserveerd, samen met een portie livemuziek. Intussen vertelt een gids alles wat je maar over Rotterdam wil weten.

Boezemstraat 188 Rotterdam
010 – 414 80 79 | www.snerttram.com

748 ZWAAIEN MAAR *De route van de Gouden Koets*

Als je een ritje in de Gouden Koets wil maken, zit er maar één ding op: heel goede vriendjes worden met de prinsesjes Amalia, Alexia en Ariane. Gelukkig kun je de route van de Gouden Koets ook lopen. Je vertrekt bij Paleis Noordeinde, loopt over de chicste boulevard van Nederland en eindigt bij de Ridderzaal. De wuivende onderdanen zul je er zelf bij moeten denken...

www.prodemos.nl/Kenniscentrum/Publicaties/Publicaties-over-Den-Haag/Stadswandelingen-door-Den-Haag

749 BALKON IN DE WOLKEN *Haagse toren*

Als je last hebt van hoogtevrees, kun je de rest van deze tekst rustig overslaan. Die gaat namelijk over een van de hoogste gebouwen van Nederland, de Haagse Toren. In de toren vind je niet alleen woningen, kantoren en een nachtclub, maar ook een adembenemend uitzichtpunt: het stadsbalkon. Blik vanaf 132 meter hoogte over de stad, ga op zoek naar bekende gebouwen of test je 'hoogtebestendigheid' op de buitenomloop op de 42e verdieping. Gelukkig staat er een hoog hek omheen.

Rijswijkseplein 786 Den Haag
070 – 305 10 00 | www.haagsetoren.nl

750   DURE DIEREN *Het schildpaddencentrum*

Schildpadden opvangen die zijn weggelopen, uit huis zijn gezet of illegaal ons land zijn binnengesmokkeld. Dat is al twaalf jaar lang het doel van het schildpaddencentrum. Omdat het verzorgen van schildpadden nogal duur is (de verwarming staat de hele dag te loeien), bedacht het centrum een slimme truc: het opvangcentrum werd een schildpaddendierentuin met betalende bezoekers. Met jouw toegangskaartje betaal je dus mee aan de opvang.

J. Keplerweg 26 Alphen aan den Rijn
0900 – 724 45 37 | www.schildpaddencentrum.nl

751   ETEN UIT EEN SCHATKIST *Piratenrestaurant de Zwarte Zwaan*

Kapitein Zwartbaard was tweehonderd jaar geleden de schrik van het Caraïbisch gebied (de zeerover kaapte in achttien maanden minstens twintig schepen). Gelukkig is zijn Rotterdamse naamgenoot iets minder bloeddorstig. Sterker nog: kinderen en volwassenen zijn van harte welkom op zijn schip de Zwarte Zwaan. In dit piratenrestaurant kies je een heerlijk kindermenu van de schatkaart en krijg je je eten in een schatkist opgediend. Na het eten kun je losgaan in de speelruimte of je laten schminken als piraat. Voor ouders met piratenbloed is er een rumbar.

Parkhaven 11 Rotterdam | 010 – 244 05 71
www.piraten-restaurant.nl

752   LORRIES EN MIJNWAGENS *Nationaal Smalspoormuseum*

Een antiek stationnetje met puntdaken, een sissende locomotief en een conducteur die wéét hoe je snel een groep mensen de trein in fluit: in het Nationaal Smalspoormuseum is alles nog precies zoals het vijftig jaar geleden was. Je maakt een rit per stoomtrein langs de oevers van het Valkenburgse Meer en bewondert lorries, stoomlocomotieven en mijnwagens. Een nostalgisch uitje over smalspoor.

J. Pellenbargweg 1 Valkenburg
071 – 57 242 75 | www.smalspoormuseum.nl

753   BEESTENBOEL *NAi*

Als je van bijzondere gebouwen houdt, moet je snel een keer naar het Nederlands Architectuurinstituut (NAi). Daar vind je niet alleen een enorme hoeveelheid maquettes, foto's en tekeningen, maar kun je ook zelf als architect aan de slag. Ga naar het DoeDek en zet in recordtijd grote gebouwen, bruggen of tunnels in elkaar. Of doe de audiotour Beestenboel. Dierenverkoper Dirk laat je de stad zien door de ogen van honden, katten en vogels. Een heel nieuwe ervaring...

Museumpark 25 Rotterdam
010 – 440 12 00 | www.nai.nl/educatie

754   VLAGGENSTOKLICHTJES *De Vlaggenparade*

Hoe ziet de vlag van Aruba eruit? Welk blad is er in de vlag van Canada verwerkt en wat is het verschil tussen de vlaggen van Luxemburg en Nederland? De antwoorden ontdek je door omhoog te kijken bij de Vlaggenparade in Rotterdam. In dit 'buitenmuseum' wapperen de vlaggen van maar liefst honderdzeventig landen (de andere zestig vlaggen zijn van sponsors). De vlaggen zijn 's avonds en 's nachts verlicht met lichtjes in de vlaggenstok. Een sprookjesachtig gezicht en uniek in de wereld.

Langs de Boompjes tussen de Erasmusbrug en de verlengde Willemsbrug Rotterdam
www.vlaggenparade.nl

755 KLEDDERNAT *Bananenboot*

Je kan natuurlijk langs het strand op en neer waterfietsen. Maar voor een echte spektakeltocht langs de Scheveningse kust klim je op de banaan. Op de bananenboot van Fun Fantasy om precies te zijn: een opblaasbare banaan waarop zes mensen achter elkaar kunnen zitten. Je laat je voorttrekken door een van de jetski's en stuitert algauw met een lekker vaartje over de golven. Voel de zeebries in je haren, laat je kleddernat spetteren en neem vooral een waterdichte camera mee.

2e Binnenhaven, Steiger 01, Dr. Lelykade Den Haag | 06 – 24 30 97 29 / 06 – 46 71 13 40 www.fun-fantasy.nl

756 ONTDEKKINGSGROT *Avonturia*

Vanbuiten lijkt Avonturia de Vogelkelder een gewone dierenwinkel. Maar dat verandert zodra je de ontdekkingsgrot binnenstapt. Je maakt een expeditie door een avontuurlijk stuk jungle met kleine knaagdieren, reptielen en vlinders. Bezoek de ratten- en slangentempel, ga op zoek naar de botresten van lang uitgestorven dieren of probeer goud te zoeken met een echte goudpan. Wat je vindt mag je houden!

Kerketuinenweg 3 Den Haag
070 – 363 72 72 | www.avonturia.nl

757 DEKKING! *Lasergame Rotterdam*

Recht tegenover de Euromast vind je een van de meest mysterieuze plekken van Nederland: Lasergame Rotterdam. Je daalt af in het ruim van een onderzeeër en wacht in de machinekamer tot de strijd begint. Algauw flitst de eerste laserstraal door de patrijspoorten. Gelukkig kun je dekking zoeken achter de olievaten en motoren...

Parkhaven 9 Rotterdam | 010 – 436 21 33
www.lasergamerotterdam.nl

758 JE EIGEN KUNSTWERK GOOIEN *Paint Creations*

Je kan natuurlijk stap voor stap je eigen
meesterwerk schilderen. Je kan ook je pen-
seel wegleggen en de verf het werk laten
doen. Bij Paint Creations gooi, spetter,
spuit, druppel of giet je de verf rechtstreeks
op het witte doek. Je komt waarschijnlijk
besmeurd thuis, maar dan heb je ook wat!
Ideaal voor ongedurige tiepjes en schilders
met twee linkerhanden.
Gedempte Binnengracht 23 Woerden
0348 78 66 09 / 06 20 62 66 13 / 06 13 52 28 01
www.paintcreations.nl

759 ONTBIJT OP HOOGTE *Overnachten op de Monte Cervino*

Oké, je ouders (of jij) moeten er even goed
voor sparen, maar dan heb je ook wat: een
overnachting boven op een van de coolste
plaatsen van Nederland, de 34 meter hoge
Monte Cervino. Overdag wordt de rots
gebruikt als klimmuur, 's avonds kun je om
22.00 uur tegen de berg op klimmen voor
een nachtje boven op de rots. Je slaapt
onder de blote hemel, terwijl je vanuit je
slaapzak naar de sterrenhemel kijkt. Als
beloning krijg je de volgende ochtend om
7.00 uur een ontbijt op eenzame hoogte.
Hoeksekade 141 Bergschenhoek
010 – 522 10 92 | www.montecervino.nl

760 HOOFD IN DE WOLKEN *Luchtsingel Rotterdam*

Als je wel eens Monopoly speelt, weet je
dat het Hofplein bij de duurste straten
van Nederland hoort. Of eigenlijk hoorde,
want het gebied rond het beroemde plein
is een beetje versleten. Om de buurt weer
aantrekkelijker te maken hebben slimme
Rotterdammers iets heel nieuws bedacht: de Luchtsingel. Dat is een houten
voetgangersbrug die spannende nieuwe
plekken met elkaar verbindt, zonder
stoplichten en zonder kruispunten! Of
dat allemaal gaat lukken, hangt af van de
Rotterdammers zelf, want die kunnen –
letterlijk – een plank kopen in de nieuwe
luchtbrug. Voorlopig is het eerste stukje
luchtsingel, over de Schiekade, vlak bij
Rotterdam CS gereed.
Rotterdam www.luchtsingel.nl

761 WILDE BEESTEN BESLUIPEN *Ouder-kindsurvival*

Zijn je ouders een beetje avontuurlijk en kunnen ze wel een nachtje zonder comfort? Dan kun je proberen om een van hen mee te krijgen op een Ouder-kindsurvival. Jullie slapen onder een zeiltje in de buitenlucht en leren trucs om in het wild te overleven. Zoals de weg terugvinden als je verdwaald bent. Of vuur maken zonder aansteker. Leer hoe je veilig met een mes omgaat, welke bessen en planten eetbaar zijn en hoe je het slimst wilde beesten besluipt. Op een prachtig natuurterrein midden in de Krimpenerwaard.
's-Gravenweg 692 Rotterdam
010 – 737 11 82 / 06 – 14 60 44 74
http://pathfynder.nl

762 SAMPAN VAREN *De Chinese Schouw*

Voor een vaartocht in een sampan, een Chinese rivierboot met fluistermotor, moet je algauw zo'n 7500 kilometer reizen. Of afzakken naar de Alblasserwaard. Daar kun je een prachtige tocht maken over de Giessen, een onbekend riviertje waar je de natuur nog bijna voor jezelf hebt. Mocht je na een paar uurtjes dobberen bijna in slaap vallen: je kan ook in je sampan overnachten.
Peursumseweg 131 Giessenburg
06 – 53 19 28 87 | www.desampan.nl

763 UNIEKE TONG *Corpus*

Een reis maken door het menselijk lichaam. Het is de droom van veel kinderen en wetenschappers. En het hoeft niet meer bij een droom te blijven. In Corpus maak je een tocht door alle zones van het menselijk lichaam. Je stapt binnen in een vreemd bouwwerk in de vorm van een zittende reus en reist van knieën naar hersenpan. Ontdek waarom je niet kan niezen met je ogen open, waarom baby's zonder knieschijven worden geboren en waarom iedereen een unieke tong heeft.
Willem Einthovenstraat 1 Oegstgeest
071 – 751 02 00
www.corpusexperience.nl

764   ROMEINSE MASSAGE *Archeon*

Een Romeinse massage ondergaan. Een middeleeuwse schranspartij meemaken. Of een
prehistorisch fikkie stoken. In het Archeon ben
je zelf het middelpunt van de geschiedenis. De
Archeontolken die in het park 'wonen', laten
het leven van onze voorouders in geuren en
kleuren zien. Je bekijkt een spectaculair gladi-
atorengevecht, laat je toekomst voorspellen
door de priesteres van de tempel en wandelt
rond in de Romeinse plaats Trajectum ad Rhe-
num, de voorloper van Alphen aan den Rijn.
Archeonlaan 1 Alphen aan den Rijn
0172 – 44 77 44 | www.archeon.nl

765   OP ZIJN PUNT *Kubuswoning*

Erg handig is het niet, een huis op een van
zijn hoeken neerzetten. Want plotseling
glijden je meubels omlaag, blijven schilderijen niet meer aan dat ene spijkertje
hangen en rollen de bewoners uit hun bed.
Toch staan er bij het Rotterdamse station
Blaak tientallen woningen op hun punt. De
paalwoningen van Piet Blom vormen een
soort dorp in de hoogte, dat bekendstaat
als het Blaakse Bos. In de Kijkkubus, een
volledig ingerichte museumwoning, kun je
zien hoe de bewoners zonder knoeien een
bordje soep uit de keuken halen.
Overblaak 70 Rotterdam | 010 – 414 22 85
www.kubuswoning.nl

766   GLIJBANENPARADIJS *Tikibad*

Er zijn in Nederland tientallen tropische
zwemparadijzen, maar er is maar één Tikibad. In het grootste overdekte glijbanenparadijs van de Benelux vind je maar liefst elf
bijzondere glijbanen. Zoals de trechtervor-
mige Cycloon. Of de Moonlight & Starfright,
een donkere buis waarin je watervallen,
lichtflitsen en scherpe bochten tegenkomt.
Dobber in de Lazy River, glij met zestig
kilometer per uur door de Blits en Flits of
verzamel moed voor de James Bondachtige
X-tream. Op een hoogte van zeven meter
draait een valluik onder je voeten weg en
suis je in een doorzichtige buis omlaag...
Duinrell 1 Wassenaar
www.duinrell.nl/tikibad

767 POWERPLAY *IJshockeyworkshop*

Met een piratenfeest met schat is natuurlijk niks mis. Maar voor een echt stoer verjaardagsfeest ga je naar De Uithof. Daar kun je terecht voor een ijshockeyfeestje met alles erop en eraan. Gekleed in beschermende pakken glij je het ijs op. Je leert hoe je tegelijk schaatst en je stick beweegt en algauw schuif je de puck moeiteloos over het ijs. Wie durft er in het doel te staan?
Jaap Edenweg 10 Den Haag
0900 – 33 84 84 63 | www.deuithof.nl

768 TIJDREIS-APP *Ridder Dooleind*

Ridder Dooleind had nog geen mobieltje. Maar gelukkig kan jouw iPhone of Android tijdreizen. Je moet alleen de gratis app downloaden en hop: daar zoef je al naar de tijd van draken, kastelen en ridders. Komt goed uit, want de ridder heeft jouw hulp hard nodig! Je ontdekt sporen die anderen niet zien, verlaat de gebaande paden en gaat op zoek naar een geheimzinnig kasteel. Gelukkig geeft de geest van ridder Dooleind aanwijzingen. De app 7Scenes kun je downloaden in de Appstore (iPhone) of de Play Store (Android).
Startpunt: Kurkhout 100 Zoetermeer
www.debalijhoeve.nl

769 KAMPVUREN EN TUNNELS *De Speeldernis*

Waarschuwing voor ouders met smetvrees: in de Speeldernis, een natuurspeeltuin in Rotterdam-Noord, mogen kinderen vies worden! Sterker nog: ze wórden vies. Hoe kan het ook anders na een dagje pootjebaden, door het moeras glibberen of verstoppertje spelen tussen de struiken? Maak een kampvuur op de vuurplaats, wurm jezelf door tunnels en zoek de hoogste veilige tak in een van de klauterbomen. Fijn, zo'n speeltuin zonder klimrekken en schommels.
Roel Langerakweg 25b Rotterdam
010 – 415 85 83 | www.speeldernis.nl

770 STENEN BLIKSEMSCHICHT *Naturalis*

165 miljoen jaar lang waren dino's de baas op aarde. Als het klimaat niet was veranderd (waardoor de dinosauriërs waarschijnlijk zijn uitgestorven) was de aarde nog steeds hun speeltuin in plaats van de onze. Bij Naturalis vind je het grootste dinosaurusskelet van Nederland, maar ook een mammoet, een stenen bliksemschicht en het schedelkapje van een Javamens. Te bewonderen in een vitrine van kogelvrij glas...
Darwinweg 2 Leiden | 071 – 568 76 00
www.naturalis.nl

771 REISTROFEEËN *Wereldmuseum Rotterdam*

. . . .

Een reis om de wereld maken in een uur. Het kan in het Wereldmuseum Rotterdam. In het museum vind je duizenden kunst- en gebruiksvoorwerpen uit Oceanië, Tibet, Japan, Afrika en Amerika. De verzameling ontstond doordat de leden van de Koninklijke Yachtclub (een hobby van prins Hendrik) vaak verre reizen maakten. Op de terugweg namen ze kunstvoorwerpen mee die ze elkaar wilden laten zien: van exotische Boeddhabeelden tot peperdure atlassen. In het vroegere clubgebouw van de Koninklijke Yachtvereniging.

Willemskade 25 Rotterdam

010 – 270 71 72 | www.wereldmuseum.nl

772 KINDERBEVERTOCHT *Biesboschcentrum Dordrecht*

. . . .

Bevers voelen zich goed thuis in de Biesbosch, maar om er een in het wild te betrappen moet je heel stil en geduldig zijn. Of meegaan met de Kinderbevertocht. Een gids laat je de spannendste plekjes van het BeverBos zien. En omdat je van buiten zijn nou eenmaal honger krijgt, roosteren jullie meteen maar wat marshmallows. Daarna stap je aan boord van de Sterling om vanaf het water te speuren naar bevers en beversporen. Een leerzaam en actief uitje.

Baanhoekweg 53 Dordrecht | 078 – 630 53 53

www.actiefindebiesbosch.nl

773 IJSKLIMMEN *Bever Ice Wall*

Krrp... Met een knerpend geluid verplaats je je bergschoen naar een smalle richel. Een windvlaag blaast een paar sneeuwvlokken in je gezicht. Geen paniek: je bungelt niet langs de gevaarlijke oostwand van de Mount Everest, maar je bent in hartje Den Haag. In de Bever Ice Wall om precies te zijn, een met sneeuw beklede klimwand, pal achter NS-station Holland Spoor. De twaalf meter hoge klimwand biedt genoeg uitdaging en routes voor een lange, winterse tocht. Ideale trainingsspot voor de watervallen in Noorwegen... Vanaf veertien jaar.

Waldorpstraat 15G Den Haag
070 – 388 37 00 | www.bever.nl

774 GEHEIM AGENTEN *Crash Museum 40-45*

Een verlovingsjurk gemaakt van een parachute. Een nog werkend radiostation uit de Tweede Wereldoorlog en een Spitfire-gevechtsvliegtuig. In Crash Museum 40-45 kom je alles aan de weet over de luchtoorlog die zeventig jaar geleden boven ons land werd gevoerd. Je hoort de verhalen over neergestorte piloten, ziet vliegtuigwrakken en ontmoet de andere 'soldaten van Oranje': de Nederlandse geheim agenten van het Bureau Bijzondere Opdrachten. In een voormalig fort van de Stelling van Amsterdam.

Aalsmeerderdijk 460 Aalsmeerderbrug
0297 – 32 14 08 | www.crash40-45.nl

775 SCHEDELKRAKERS *Het Steen*

De Delftse gevangenis Het Steen trok in de middeleeuwen veel pottenkijkers. Dat is tegenwoordig niet anders, want de rondleidingen door de middeleeuwse gevangenis zijn erg populair. Je ziet de cellen van dertiende-eeuwse gevangenen en daalt af naar de kerkers waar de moordenaar van Willem van Oranje ter dood werd veroordeeld. En natuurlijk vertelt de gids griezelverhalen over alle martelinstrumenten die nog in de gevangenis staan: van duimschroeven tot schedelkrakers, en van wurgtouwen tot het radbraakkruis. Niet geschikt voor kinderen onder de zeven jaar. De rondleidingen van Erfgoed Delft en Omstreken vinden plaats in de zomermaanden. Informatie bij het Toeristen Informatie Punt (TIP).

Hippolytusbuurt 4 Delft
015 – 215 40 51 | www.delft.nl

ZEELAND

776 HORROR EN VOETBAL

Nationaal Voetbalmuseum de Voetbal Experience

De hoogtepunten van het Nederlands elftal meemaken, de bal bewonderen waarmee Marco van Basten tijdens de EK-finale scoorde of je nog één keer de buitenspelval laten uitleggen: in de Voetbal Experience komen fans én voetbalhaters aan hun trekken. Je kijkt rond in beroemde voetbalstadions of stapt door de mond van scheidsrechter Collina binnen in het spookhuis met vreselijke overtredingen. Neem het op tegen vermaarde pingelaars zoals Arjen Robben, geef zelf tv-commentaar bij beroemde fragmenten of gluur door een kijkgaatje in de Ladies Lounge naar 's werelds 'lekkerste' voetballers.

Podium 19 Middelburg | 0118 – 41 54 00
www.voetbalexperience.nl

777 BIKESPEAKERSTORIES *Belevend Fietsen*

De heldendaden van Michiel de Ruyter meebeleven, teruggebeeld worden door prins Maurits of getuige zijn van de Watersnoodramp. Het kan met Belevend Fietsen, een reis door de Zeeuwse geschiedenis én het Zeeuwse landschap. Met een smartphone, mp3-speler of speciale bikespeaker (te huur bij de vvv) haal je geluidsfragmenten op die passen bij de plek waar je bent. Je ontdekt hoe Jantje van Sluis per ongeluk een held werd, duikt in het Grevelingenmeer en hoort de geschiedenis van de Westerlichttoren te Haamstede: een fietstocht van verhaal naar verhaal.

http://routes.vvvzeeland.nl/nl/fietsen/belevend-fietsen

778 KANODUIKEN *Kanoa Buitensport en recreatie*

Het Veerse Meer is ideaal voor het maken van kanotochten. En de beste plaats om je tocht te starten is Kanoa Buitensport. Hier kun je niet alleen terecht voor het huren van Canadese kano's, maar kun je je ook uitleven op exotische watersporten zoals waterlanglaufen en kanoduiken. Met een Himalayastart wordt je kano van de duiktoren gelanceerd. Wie durft?

Muidenweg 175 Wolphaartsdijk
0113 – 58 16 09 | www.kanoa.nl

779 WANDELEN MET EZELS *Ezelhuis het Stroodorp*

Een ezel is niet koppig, maar denkt juist heel goed na voordat hij ergens aan begint. De langharige reuzenezels van Ezelhuis het Stroodorp in elk geval wel. Bovendien zijn ze ook nog eens slim, hebben ze een goed gevoel voor humor en kunnen ze een aardig vrachtje op hun rug meezeulen. Kortom, het perfecte gezelschapsdier voor een wandeling door het prachtige landschap van Noord-Beveland. Op woensdag- en zaterdagochtend van 10.00-13.00 uur. Reserveren!

Voorstraat 40 Wissenkerke
06 – 28 88 80 87
www.ezelhuis.nl

780 DOKTERVISJES *Utropia*

Papegaaien en kaketoes kwetteren tussen de bomen. Waterschildpadden dobberen in de vijver. Welkom in Utropia, een tropische tuin waar je bijzondere insecten en vogels van dichtbij kan bewonderen. Knuffel met een tamme papegaai, ga op zoek naar vleesetende planten of laat de doktervisjes aan je handen knabbelen. Na ongeveer tien minuutjes zijn je handen weer heerlijk zacht!

Kleverskerkseweg 3-5 Middelburg
0118 – 65 11 99 | www.utropia.nl

781 CARROUSEL *Fun & Games*

Ballen rollen, munten schuiven en horloges grijpen: in Carrousel, een overdekt familiecentrum in Vlissingen, waan je je op een oud-Hollandse kermis. Ouderwetse café-games, zoals flipperkasten en videogames, worden afgewisseld door de nieuwste dance-machines en simulatoren. Maak een ritje op de paardencarrousel, bezoek het jukeboxmuseum of neem een kijkje op de miniatuurkermis. Vergeet de antieke gokkasten niet.

Arsenaalplein 3 Vlissingen | 0118 – 43 01 52
www.carrousel-amusement.nl

782 HAAIENTANDEN ZOEKEN *Cadzand-Bad*

Is de zee te koud en heb je geen zin om wéér een zandkasteel te bouwen? Dan kun je op de stranden van Cadzand-Bad en Nieuwvliet-Bad iets doen wat bijna nergens anders in Nederland mogelijk is: haaientanden zoeken. Tussen het schelpengruis in natuurgebied de Verdronken Zwarte Polder vind je exemplaren die soms wel miljoenen jaren oud zijn. Ze zijn afkomstig uit opgespoten zeezand of omhoog gewoeld door de februaristorm van 1953. De grootste exemplaren vind je bij de radartoren in Nieuwvliet.

www.vvvzeeland.nl/nl/nieuwvliet

783 ZEESCHEPEN AANRAKEN *Portaal van Vlaanderen*

Eigenlijk is het een wonder dat er geen file staat voor de sluizen van Terneuzen. Een file op het water om precies te zijn, want elk jaar varen hier maar liefst zeventigduizend schepen voorbij. Vanuit het Portaal van Vlaanderen, een bezoekerscentrum langs een van de drukste kanalen van Europa, kun je de containerschepen bijna aanraken. Je ziet hoe sleepboten enorme zeeschepen door de sluizen loodsen, ontdekt hoe je veilig vanaf de Westerschelde naar Gent vaart en komt alles te weten over de derde haven van Nederland: Terneuzen.
Zeevaartweg 11 Terneuzen | 0115 – 61 62 68
www.portaalvanvlaanderen.nl

784 GROEDE PODIUM *Bunkers Atlantikwall*

Jarenlang lagen de bunkers bij Groede onder een dikke laag aarde begraven. Maar een paar jaar geleden werd het bunkerdorp omgetoverd in een spannend speel- en infopark, met vrij rondlopende pauwen. Tussen de bunkers en looppaden vind je een aantal groene 'kamers': door heggen omgeven stukken natuur, waar je kan spelen, klimmen en ontdekken. Neem een kijkje in de waterkamer, geef je ogen en oren de kost in de zintuigenkamer en probeer op tijd de uitgang te vinden in de loopgravendoolhof.
Gerard de Moorsweg 4 Groede
0117 – 37 12 10 | www.groedepodium.nl

785 ALLES STROOMT *Panta Rhei*

Aan de rand van Vlissingen, nog voorbij de strandhuisjes op het Nollenstrand, vind je een van de leukste strandtenten van Nederland, Panta Rhei. Het paviljoen, dat na een brand in februari 2007 opnieuw werd opgebouwd, dankt zijn naam aan een bekende uitspraak van de Griekse filosoof Herakleitos: 'πάντα ῥεῖ', oftewel alles stroomt. Leuke plek om op zondag naar beginnende bandjes te kijken.
Nollehoofd 1 (Nollestrand) Vlissingen
0118 – 41 93 46
www.strandpaviljoenpantarhei.nl

786

SPANNENDE NATUURPADEN *Natuuractiviteitencentrum Renesse*

Een rugzaktocht maken door de tuin, je neus achternagaan in de geurtuin of ontdekken hoe de natuur haar eigen energie opwekt: in natuuractiviteitencentrum Renesse kom je spelenderwijs van alles te weten over de natuur. Je gaat op zoek naar elzemeten en volgt spannende natuurpaden, zoals het doepad, het sporenpad of het ganzenpad.

Roelandsweg 3 Renesse | 0111 – 46 21 53
www.nmesd-ecoscope.nl

787

175 KILO LEGO *Blokje bij Blokje*

Wil je steeds grotere bouwwerken maken en zijn je LEGO-steentjes steeds sneller op? Bij Blokje bij Blokje vind je volop bouwmateriaal. Deze LEGO Experience in Vlissingen heeft maar liefst 175 kilo aan steentjes in huis! Leef je uit op een piramide, een kasteeltoren of een brandweerkazerne, of ga kijken naar de miniatuurwereld waaraan Blokje bij Blokje bouwt: een LEGO-versie van Vlissingen.

Verlengde Bonedijkestraat 279 Vlissingen
www.blokjebijblokje.nl

788

TRAMNOSTALGIE *Museum RTM Ouddorp*

De stoom- of dieseltram tussen Rotterdam en Goeree is jaren geleden opgeheven. Maar in de duinen van De Punt van Goeree tuffen nog exemplaren van het antieke trammetje rond. Tijdens de rit, die ongeveer een uur duurt, heb je prachtig uitzicht over het Grevelingenmeer en de duinen. In de remise kun je gerestaureerde wagonnetjes bekijken uit de tijd dat de sneltram nog sciencefiction was. De tram vertrekt in Ouddorp, De Punt West bij het begin van de Brouwersdam.

G.C. Schellingerweg 2 Ouddorp ZH
0187 – 68 99 11 | www.rtm-ouddorp.nl

10 X KASTELEN

Voor de riddertijd moet je algauw een paar eeuwen terugreizen. Of je fantasie aan het werk zetten in een van de vele kastelen. Inspecteer de wapens in de wapenzaal, tuur in de loop van een kanon of griezel in oude kerkers.

789 MUSEUM SLOT ZUYLEN

Kasteelmuseum aan de Vecht, ooit het optrekje van schrijfster Belle van Zuylen.
Tournooiveld 1 Oud-Zuilen | 030 – 244 02 55 | www.slotzuylen.nl

790 KASTEEL DUSSEN

Neem plaats op de slotvoogdstoel tijdens een kinderrondleiding, elke tweede zondag van de maand.
Binnen 1 Dussen | 0416 – 39 41 99 | www.kasteel-dussen.nl

791 KASTEEL GROOT BUGGENUM

In dit witte sprookjespaleis kun je helaas alleen rondkijken tijdens evenementen en open dagen.
Loorderstraat 3 Grathem | www.kasteelgrootbuggenum.nl

792 KASTEEL DOORNENBURG

In deze stoere vesting werd ooit de televisieserie *Floris* opgenomen.
Kerkstraat 27 Doornenburg | 06 – 22 85 03 31 | www.kasteeldoornenburg.nl

793 KASTEEL DOORWERTH

Sprookjesachtig kasteel aan de rand van de Veluwe. Iedere laatste zondag van de maand is er een kasteelbrunch met meer dan honderdvijftig brandende kaarsen.
Fonteinallee 4 Doorwerth | 026 – 333 34 20
www.bilderberg.nl/hotels/kasteel-doorwerth

794   KASTEEL AMMERSOYEN

Een van de mooiste en best bewaarde middeleeuwse kastelen in Nederland.
Kasteellaan 1 Ammerzoden | 073 – 599 55 06 | www.kasteel-ammersoyen.nl

795   HUIS DOORN

Ruim twintig jaar het onderkomen van de gevluchte Duitse keizer Wilhelm II.
Tegenwoordig een museum.
Langbroekerweg 10 Doorn | 0343 – 42 10 20 | www.huisdoorn.nl

796   KASTEEL AMERONGEN

Met je iPhone kun je online informatie 'ophalen' over de schilderijen in dit
statige kasteel.
Drostestraat 20 Amerongen | 0343 – 56 37 66 | www.kasteelamerongen.nl

797   SLOT ASSUMBURG (STAYOKAY HEEMSKERK)

Dit middeleeuwse kasteel is sinds 1933 in gebruik als jeugdherberg.
Tolweg 9 Heemskerk | 0251 – 23 22 88 | http://www.stayokay.com

798   RUÏNE VAN TEYLINGEN

Van deze vroegere waterburcht staan alleen de ringmuur en de donjon (een
verdedigbare woontoren) nog overeind.
Teylingerlaan 15a Voorhout | www.kasteelteylingen.nl

799 OOG VAN DE LEEUW *De Victoriadoolhof*

Denk goed na voor je binnenstapt bij doolhof Victoria. Want als je een paar keer de hoek bent omgeslagen, is er geen weg terug meer. Althans, geen gemakkelijke. De doolhof, die is aangelegd in de vorm van het wapen van Zeeland, ziet er vanuit de lucht heel overzichtelijk uit. Maar op de grond is het een flinke klus om het middelpunt te vinden. Speur naar het oog van de leeuw, zoek de uitgang in de waterdoolhof of kraak de code van de panelendoolhof. Vanaf de uitkijktoren heb je een mooi uitzicht over het terrein.

Valeiskreek 12 Eede | 0117 – 35 02 37
www.dekreeke.nl/ons-park/victoriadoolhof

800 UITWAAIEN *Orkaanmachine*

Ben je niet bang voor windkracht twaalf of meer? En wil je weten of je overeind blijft in een bulderende zuidwester? Dan moet je een keer naar de orkaanmachine van Neeltje Jans: een kunstmatige tunnel waar de wind je bijna tegen de vlakte blaast. Voordat je aan orkaankracht wordt blootgesteld, krijg je een dreigend filmpje te zien waarop de wind steeds verder aanzwelt en ook de rampen steeds heftiger worden: van caravans die over het asfalt schuiven tot omgeslagen veerboten. Na afloop van het filmpje krijg je een stofbril op en mag je de echte windtunnel in. Goed vasthouden dus.

Faelweg 5 Vrouwenpolder | 0111 – 65 56 55
www.neeltjejans.nl

801 ZEEUWS MEISJEPORTRET
Foto Schuilwerve

Reclametypetje Zeeuws Meisje verkocht er miljoenen pakjes boter mee, maar ook jij kan het: op de foto in Zeeuwse klederdracht. Bij Foto Schuilwerve kun je je laten vereeuwigen als een Zeeuws meisje of een Zeeuwse jongen. Mét of zonder geplooid kapje, in ouderwets Walchers boerenkostuum, in zwart-wit of oudbruin, glimlachend op het strand of netten knopend op de kade...

Scheldestraat 42 Vlissingen | 0118 – 41 72 44
www.fotoschuilwerve.nl

802 DELTAKLIMWERK *Klimcentrum De Pijler*

Voor de bouw van de Oosterscheldekering waren 66 pijlers nodig. Maar toen de kering klaar was, bleek er één pijler over te zijn. Op dit overgebleven stuk van de Deltawerken kun je tegenwoordig op zijn Zeeuws klimmen: klettersteigen en abseilen. Klimcentrum De Pijler maakte platforms, torens en hoeken aan het beton vast, die je via een hangbrug kan bereiken. Op de pijler vind je onder meer de langste klettersteig (een loodrechte wand waar je tegen op kan klimmen) van Nederland. Voor gevorderden en beginners.
Neeltje Jans, Oosterscheldekering
0111 – 67 22 67
www.zeelandbuitenland.nl

803 POLKABROKKEN *Wienkeltje van Wullempje*

Voor de meeste Nederlanders ligt Hoedekenskerke nogal uit de route. Maar als je een snoepwinkeltje uit grootmoeders tijd wil bezoeken, moet je toch echt naar het Wienkeltje van Wullempje. Daar kun je je tegoed doen aan klassiekers zoals ulevellen, polkabrokken of kaneelhoppen. De oude toonbank en de snoepblikken staan er nog precies zo bij als vijftig jaar geleden, net als de wc buiten: een poepdoos met een emmer en krantenpapier.
Kerkstraat 26 Hoedekenskerke
0113 – 63 94 80
www.wienkeltjevanwullempje.nl

804 PLAKJE STRUISVOGELCAKE *Struisvogelboerderij Monnikenwerve*

De struisvogel, de grootste en zwaarste vogel ter wereld, heeft één minpuntje: hij kan niet vliegen. Gelukkig gaat hardlopen hem beter af. Struisvogels in topconditie halen snelheden van 65 kilometer per uur (de snelste mens ter wereld komt net over de helft). Bij struisvogelboerderij Monnikenwerve in Sluis kom je alles te weten over de dieren en kun je producten kopen zoals portefeuilles van struisvogelleer en massagecrème met struisvogelolie. En natuurlijk sluit je af met een plakje struisvogelcake in de tearoom.
Hogeweg 1 Sluis | 0117 – 49 21 31
www.destruisvogel.nl

805 PAARDENTRAM

Stalhouderij Labrujère-Boone

Lang voordat er trams over rails denderden, werden ze door paarden voortgetrokken. Bij Stalhouderij Labrujère-Boone kun je kennismaken met de voorloper van de tram, de metro en de trein: de paardentram. Je neemt plaats in een ouderwets passagiersrijtuig met ruimte voor 28 personen en laat je door twee paarden voorttrekken. Een nostalgisch ritje door Middelburg.
Middelburg Vertrek vanaf de Groenmarkt
0118 – 61 13 75
www.stalhouderijboone.nl

806 ZWARTGELDWITWASMACHINE *Museumcafé Het Koekoeksnes*

Je moet er even naar zoeken, maar dan heb je ook wat Museumcafé Het Koekoeksnest (achter de St. Jansdijk in Nieuwvliet) staat zo vol met vreemde dingen dat je ogen en oren tekortkomt. Wat dacht je van een huisorkest met 'zelfspelende' instrumenten, zoals accordeons, steeldrums, een blokfluitorgel en een klavecimbel? Of bewegende poppen, de zwartgeldwitwasmachine en een gregoriaans poppenkoor? En dan heb je het vliegende schip en straatorgel Het Koekoeksjonk nog niet eens gezien...
Sint Jansdijk 7 Nieuwvliet | 0117 – 37 62 30
www.koekoeksnestnieuwvliet.nl

807 NIKS ZIELIGS AAN... *Reptielenzoo Iguana*

Per ongeluk een dierentuin beginnen. Je zou denken dat het niet kan, maar de oprichters van Reptielenzoo Iguana in Vlissingen weten wel beter. Het opvangtehuis voor afgedankte of weggelopen reptielen groeide uit tot de grootste overdekte reptielenzoo van Europa. Inmiddels hebben de eerste gekko's en schildpadden gezelschap gekregen van soortgenoten waaraan niets zieligs meer te ontdekken valt. Zoals giftige keizerschorpioenen en netpythons van zeven meter.
Bellamypark 31-35 Vlissingen
0118 – 41 72 19 | www.iguana.nl

808 DUIKSCHANS *Waterjump Brouwersdam*

Het Grevelingenmeer is 's zomers geknipt om in te duiken en te zwemmen. En de spectaculairste manier om het water in te plonzen is vanaf de acht meter hoge Waterjump. De 25 meter lange schans telt drie glijbanen, waar je vanaf verschillende hoogtes een sprong kan wagen: met ski's, board of BMX. Of gewoon in je zwembroek natuurlijk.
Ossenhoek 1 Ouddorp | 0111 – 67 14 80
www.brouwersdam.nl

809 VLIEGENDE OUDJES *Flying gyrocopters*

Hij heeft geen vleugels, maar hij kan wel vliegen. Hij heeft wieken, maar hij is geen helikopter. Welkom in de wereld van de gyrocopter. De voorloper van de helikopter ziet eruit alsof hij regelrecht uit een oude sciencefictionfilm in onze tijd is beland. Bij het Flying Gyrocopter and Old Aircraft Museum vind je een prachtige verzameling gyro-copters, oldtimervliegtuigen en replica's van vliegtuigen uit de Eerste Wereldoorlog. Deze vliegende oudjes staan niet weg te roesten, maar gaan nog regelmatig het luchtruim in. Je kan zelfs met een van de antieke vliegtuigen een proeflesvlucht maken.
Calandweg 2 Arnemuiden | 0113 – 61 26 10
www.gyrocopteraviation.nl

810 VIP-TREATMENT *Zeeuws planetarium*

De hemel in 3D bewonderen vanuit een luxe vliegtuigstoel: in het Zeeuws planetarium wordt sterrenkijken wel heel relaxed. De supermoderne apparatuur zorgt ervoor dat je de sterrenhemel op z'n allerscherpst te zien krijgt en ook de shows, zoals *Reis langs de planeten* en *Dark Side of The Moon*, zorgen voor duizelingwekkende perspectieven.
Haven 5 Kamperland | 0113 – 37 63 02
www.uithaven-kamperland.nl

811 GROEN EN HOOG *Natuurinformatiepunt/Trampolinecentrum*

Trampolinespringen én meer over de natuur te weten komen. Het is best een rare combinatie, maar bij Natuurinformatiepunt en Trampolinecentrum Westerschouwen gaan 'groen' en 'hoog' mooi samen. Zet je beenspieren aan het werk op een van de ingegraven trampolines, doe de Vikingen-ontdekkingstocht of laat je fotograferen op de fiets van de Westenschouwense Zeemeerman. Als je met aangespoelde voorwerpen langskomt, helpt een natuurgids om uit te vinden wat je precies hebt gevonden.
Steenweg 13a Westenschouwen
0111 – 65 27 21 | www.jantrampoline.nl

812 ZONNEVLAMMEN KIJKEN Volkssterrenwacht Philippus Lansberge

De protestantse dominee Philippus Lansbergen had heel moderne denkbeelden voor de zestiende eeuw. Hij dacht bijvoorbeeld dat de aarde om de zon draait in plaats van andersom. In Volkssterrenwacht Philippus Lansbergen kun je in zijn voetsporen treden en op ontdekkingsreis gaan naar de zon en het zonnestelsel. Tijdens de Zonnige Zomeravonden in juli en augus-

tus kom je alles te weten over het heelal. Bijvoorbeeld dat de zon 150.000.000 kilometer ver weg is en dat je daar met de auto 140 jaar over zou doen. Bij helder weer kun je zonnevlekken en zonnevlammen bekijken door de speciale telescopen.
Herengracht 52 Middelburg | 0118 – 64 03 15
www.lansbergen.net

813 DUIVELSE STREKEN De Vliegende Hollander

Willem Vanderdecken, kapitein van De Vliegende Hollander, had een hekel aan wachten. Daarom negeerde hij de weersvoorspellingen en voer hij in een ziedende storm naar Oost-Indië. Toen hij daarna in blinde razernij zijn stuurman overboord smeet, bezegelde de kapitein het lot van zijn schip. De Vliegende Hollander kwam in de macht van de duivel en werd gedoemd om eeuwig de wereldzeeën te bevaren.

In Terneuzen, de woonplaats van Vanderdecken, wordt de herinnering aan het spookschip levend gehouden. Tijdens de wandeling 'Op pad met De Vliegende Hollander' treed je in de voetsporen van de driftige voc-kapitein. Niet voor fijngevoelige types... Te koop bij de Zeeuwse vvv's of op www.zeelandshop.com.
Noordstraat 62 Terneuzen | 0115 – 76 01 22
www.vvvzeeland.nl

814 HAAIEN AAIEN *Het Arsenaal*

Het Arsenaal, een grimmig zeeroversnest in hartje Vlissingen, is geen plaats voor landrotten. In het piratenpark ontmoet je niet alleen feestvierende skeletten, maar ook beruchte zeeschuimers zoals Olivier Levasseur, een piraat naar wiens schat nog altijd wordt gezocht. Na een bloedstollende zeeslag met kapitein Blauwbaard neem je een kijkje in de onderwaterwereld van het zeeaquarium. Je aait roggen en haaien en beklimt de 65 meter hoge uitkijktoren voor een uitzicht over de drukbevaren Westerschelde. **Arsenaalplein 7 Vlissingen | 0118 – 41 54 00 www.arsenaal.com**

815 SPEEDY EN BLIKSEM *Five Star Farm*

Voor een dagje in het Wilde Westen moet je algauw naar Amerika. Of naar info-doecentrum Five Star Farm. Hier vind je niet alleen een overdekte speeltuin in countrystijl, maar ook een skelterbaan, een trampoline en twee aaibare pony's: Speedy en Bliksem. Maak een gps-tocht over het terrein, duik in de hoptunnel of zoek van achter de gluurmuur naar fazanten of sperwers. **Baas Huisweg 11 Kamperland 0113 – 37 19 72 | www.fivestarfarm.nl**

816 ALS EEN ECHTE COUREUR *Quadcrossen*

Voor je aan Parijs-Dakar mee mag doen, ben je heel wat jaren verder, maar bij Waterrijk Oesterdam kun je alvast een beginnetje maken. Tijdens het arrangement 'Ik rij quad als een echte coureur' scheur je op een motorfiets met vier wielen door het bos. Terwijl om je heen modder en zand opspatten, probeer jij je quad op snelheid (en op koers) te houden. Uitkijken voor de bomen! **Oesterdam 3 Tholen | 0166 – 60 46 97 www.waterrijkoesterdam.nl**

817 SUBTROPISCHE VERRASSING *Fort den Haak*

Een lange boulevard met palmen en olijfbomen. Een wijnheuvel en een hoge waterval met kleine waterpartijen. Nee, je bent niet aan de Franse zuidkust, maar in de tuinen van Fort den Haak. In dit tuinencomplex, dat is ondergebracht in een oud fort, vind je niet alleen een volière met halsbandparkieten, maar ook een oosterse lounge en zelfs een elf meter hoge berg. Een tropische verrassing in de Zeeuwse polder. **Fort den Haakweg 38 Vrouwenpolder 0118 – 59 44 95 | www.fortdenhaak.nl**

818 MAANTJE BLUSSEN *De Lange Jan*

De toren van de vroegere abdij – bijnaam de Lange Jan – is dé blikvanger van Middelburg. Vanaf het negentig meter hoge gevaarte kijk je bij helder weer over de Westerschelde, Walcheren en Zuid-Beveland. Dat de abdijtoren nog overeind staat, is trouwens een wonder. De Lange Jan is vaak afgebrand en herbouwd. Al sloegen de inwoners van Middelburg ook wel eens vals alarm: op een nacht zagen ze de gloed van de maan zelfs aan voor een smeulend vuur. Pas tijdens het blussen ontdekten de reddingswerkers dat er niets aan de hand was. Zo komen de Middelburgers aan hun bijnaam: Maneblussers.

Onder de Toren 1 Middelburg | 0118 – 41 54 00
www.langejanmiddelburg.nl

819 STOERE VERHALEN *Klimavontuur Middelburg*

Bij Klimavontuur Middelburg kom je gegarandeerd met stoere verhalen thuis. Je verlegt je grenzen (of ontdekt dat je toch wel een beetje hoogtevrees hebt) en legt hoog in de lucht een parcours af. Benut de uitsteeksels om tegen een steile wand te klimmen, glij recht omlaag langs een abseiltouw of maak een vertrouwenssprong van ruim tien meter hoogte! Wie durft?

Podium 31a Middelburg | 0118 – 60 69 09
www.klimavontuur.nl/middelburg

820 HEEN EN WEER... *Rondje met een pontje*

Handig, al die bruggen tussen de Zeeuwse eilanden. Toch gaat de leukste route van A naar B vaak nog per boot. Per veerpont om precies te zijn. In het hoogseizoen dobberen er nog heel wat in het water. 's Zomers kun je bijvoorbeeld de oversteek maken van Burghsluis (Schouwen-Duiveland) naar Colijnsplaat (Noord-Beveland) en weer oversteken naar Zierikzee (Schouwen-Duiveland).

Stel zelf je route samen op
http://routes.vvvzeeland.nl/nl/rondje-pontje

821 MAMMOETMELKSLAGTANDJE *Terra Maris*

In de voormalige orangerie van kasteel Westhove vind je hét museum voor natuur en landschap van Zeeland. Terra Maris, oftewel land van de zee, laat je zien hoe het Zeeuwse landschap is ontstaan. Je maakt kennis met de honderd dorpen die door het water van de kaart zijn geveegd en gaat in de ontdekkasten op zoek naar het melkslagtandje van een mammoet. Of het skelet van een vleerhond. Behoefte aan frisse lucht? Bij het museum hoort ook een landschapstuin met een insectenmuur en een mottekasteel (een middeleeuwse ver- dedigingstoren). Vanaf de toren heb je een prachtig uitzicht over de landschapstuin.

Duinvlietweg 6 Oostkapelle | 0118 – 58 26 20
www.terramaris.nl

822 GULDENMONUMENT *Vuurtoren van West-Schouwen*

Ooit vormden ze bakens voor schepen in nood. Tegenwoordig staan de meeste vuurtorens er vooral voor de sier. Bij Haamstede vind je nog een vuurtoren zoals een vuurtoren bedoeld is. De toren was te zien op het mooiste bankbiljet vóór de euro: de paarse flap van 250 gulden. De rood-witte banen rondom de toren zijn trouwens bedoeld als waarschuwing voor laag overkomende vliegtuigen.
Vuurtoren 1 Nieuw-Haamstede
www.vuurtorens.net

823 BUITENDIJKSE PLEKKEN *Natte Laarzentocht*

Luxepaardjes en prinsessen kunnen hier beter ophouden met lezen. Want de Natte Laarzentocht is geen uitje waarvan je met schone kleren thuiskomt. Deze pittige wandeling voert je door natuurgebied De Verdronken Zwarte Polder. Door eb en vloed verandert dit landschap dagelijks.

Vanwege onverwacht opkomend water en diepe geulen mag je het gebied zelfs niet op eigen houtje verkennen. Gelukkig leidt een gids van Staatsbosbeheer je langs de mooiste buitendijkse plekken.
Einde Sluispolderweg Sint Annaland
0166 – 66 37 71 | www.staatsbosbeheer.nl

824 NOODWONINGEN *Watersnoodmuseum*

De Watersnoodramp was een van de ergste natuurrampen van de vorige eeuw. Tijdens de ramp, die aan meer dan achttienhonderd mensen het leven kostte, overstroomden grote delen van Zeeland, West-Brabant en de Zuid-Hollandse eilanden. In het Watersnoodmuseum kom je te weten wat er die fatale nacht misging. Je ziet oude journaalbeelden, hoort verhalen van ooggetuigen en kijkt rond in een van de noodwoningen die na de ramp door Scandinavische landen aan ons land werden geschonken. Ondergebracht in vier caissons (enorme drijvende 'kamers') die zijn gebruikt voor het sluiten van het laatste gat in de dijken.

Weg van de Buitenlandse Pers 5 Ouwerkerk
0111 – 64 43 82 | www.watersnoodmuseum.nl

825 LEKKAGE *De watertoren van Oostburg*

Op het eerste gezicht is er niets mis met de watertoren van Oostburg. Gewoon een stoere stenen toren aan de rand van het dorp. Pas als je dichterbij komt, zie je dat hij lek is. En niet zo'n klein beetje ook: net onder de rand glijden drie enorme waterdruppels naar beneden. Gelukkig vormen de waterdruppels een kunstwerk van de Breskense kunstenaar Johnny Beerens. Je hoeft 112 dus niet te bellen en kan rustig je fototoestel pakken. Wel rare jongens, die Zeeuwen...

Bredestraat 67 Oostburg | 06 – 34 28 10 32
www.watertoren-oostburg.nl

826 SLANG OM JE NEK *Berkenhof's Tropical Zoo*

Tropische vlinders fladderen rond op zoek naar nectar, dwergkaaimannen ritselen tussen de struiken en een gifkikker laat zijn allerfelste kleuren zien. Nee, je bent niet op expeditie in het oerwoud van Borneo, maar staat gewoon in Zeeland. In Berkenhof's Tropical Zoo, om precies te zijn. In deze mini-jungle kun je de tropische bewoners niet alleen van een afstandje bewonderen, maar kun je ze ook aanraken. Voel de koelte van een slang om je nek, duik onder de grond in de fossielenmijn of sta neus aan hoorn met een neushoorn in de nieuwe Afrika Expo.

Langeweegje 10 Kwadendamme
0113 – 64 97 29
www.vlindertuindeberkenhof.nl

827

OOK VOOR ETEN! *Strand Café DOK*

Een filmpje pakken in de kinderbioscoop, meebewegen met de Xbox, tafeltennissen of airhockeyen. Je zou bijna denken dat eten bij Strand Café DOK bijzaak is. Zou, want het strandrestaurant heeft een heerlijk menu voor grote en kleine eters. Na de maaltijd ga je nog even een potje voetballen in de voetbalkooi (het overdekte zwembad heb je natuurlijk allang gezien!). Of een rondje zwieren op het schaatsbaantje (vanaf half december).
Helleweg 8 Noordwelle/Renesse
0111 – 46 38 50 | www.strandcafedok.nl

828

VERDEDIGINGSLINIE *Bunkerroute*

Ooit hielden de Duitsers vanuit het Landfront, een verdedigingslinie van 38 bunkers, de Zeeuwse kust in de gaten. Hoewel er na de bevrijding veel bunkers zijn gesloopt, staan er nog altijd 27 overeind. De Bunkerroute voert je langs een aantal opgeknapte exemplaren, die nog altijd zo stevig zijn dat het te duur is om ze te slopen.
Bewegwijzerd, tussen Westkapelle en Koudekerke | www.vvvzeeland.nl

829

ARME MEERMIN *De Plompe Toren*

Tegenwoordig zou het wereldnieuws zijn, maar in de zestiende eeuw verdween er geregeld een kustdorp in de golven. Ook het Zeeuwse Westenschouwen werd door de zee verzwolgen. Volgens een oude legende gebeurde dat als straf. De bewoners hadden een zeemeermin uit het water gevist, die algauw van uitputting stierf. Uit wraak liet haar man, de Schouwense Zeemeerman, het dorp met een vloedgolf overstromen. In de Plompe Toren vind je een kleine expositie over de zeemeermin, de natuur en de geschiedenis van de streek. De toren is trouwens het laatste gebouw van een dorp dat ook in de zee verdween: het Schouwense Koudekerke.
Koude Kerkseweg 12 Burgh-Haamstede
www.plompetoren.nl / www.natuurmonumenten.nl/beleef-dit-gebied-55

830 BOEMELEN DOOR DE ZAK *Stroomtrein Goes en Borsele*

Pas gepoetste locomotieven, een negentiende eeuws seinhuis en een klassiek stoomdepot: een rit met de stroomtrein Goes-Borsele voert je mee naar de beginjaren van de trein. De stoomtrein rijdt door de Zak van Zuid-Beveland, een afwisselend landschap met weilanden, fruitboomgaarden, dijken en mooie dorpjes. In Hoedekenskerke, het eindpunt van de trein, kun je een bezoek brengen aan het Wienkeltje van Wullempje, een museumwinkel waar de tijd al zeventig jaar stilstaat: dé kans om een ons stroopsoldaatjes of ulevellen in te slaan.

Albert Plesmanweg 23 Goes | 0113 – 27 07 05
www.destoomtrein.nl

831 ZWEMMEN TUSSEN DE HAAIEN *Neeltje Jans*

De beenderen bewonderen van mammoetstier Max. Naar de onderwatergeluiden van walvissen luisteren of een schuiver maken over de nieuwe waterglijbaan Mamacocha. In Deltapark Neeltje Jans beleef je de natuur op z'n indrukwekkendst. Je daalt af in de onderwaterwereld van het Bluereef Aquarium, neemt een kijkje in een pijler van de Oosterscheldekering of trekt je zwembroek aan voor een van de grootste *thrills* van Nederland: zwemmen tussen de haaien. In een speciaal ontworpen kooi duik je tussen de gevaarlijkste oceaanbewoners. Als je durft mag je ze zelfs aaien.
Faelweg 5 Vrouwenpolder | 0111 – 65 56 55
www.neeltjejans.nl

832 ZEELAND IN TIEN MINUTEN *MiniMundi*

De Zeelandbrug staat er. Net als de Lange Jan en het stadhuis van Middelburg. In de verte beieren de klokken van Arnemuiden en als je goed kijkt, zie je dat zelfs popgroep Bløf in een hoekje staat te spelen. Miniatuur Walcheren is de Zeeuwse versie van Madurodam. In het park vind je alle belangrijke gebouwen van de Tuin van Zeeland, schaal 1 op 20. Ringrijders, zingende monniken en een uitslaande brand zorgen voor een levensecht Zeelandgevoel.
Podium 35 Middelburg | 0118 – 41 54 00
www.miniatuurwalcheren.nl

833

PANNENKOEKENGOURMET *Pannenkoekenmolen De Lelie*

Molen De Lelie en het naastgelegen restaurant stonden elkaar een beetje in de weg. Als de wind uit de verkeerde richting kwam, sloegen de wieken zelfs tegen het restaurant aan. Intussen is een gedeelte van het restaurant afgebroken en draait de molen weer op volle toeren. Dat komt mooi uit, want van het meel dat de molen maalt, bakt de buurman de lekkerste pannenkoeken. 's Winters kun je zelfs aanschuiven voor pannenkoekengourmet: aan tafel je eigen pannenkoeken bakken én beleggen.

Kloosterweg 2-4 Scharendijke/Elkerzee
0111 – 85 17 00 | www.pannenkoekenmolen.nl

834

BRUINVISSEN BETRAPPEN
Natuurvaartochten op de Oosterschelde

Tijdens de natuurvaartochten op de Oosterschelde kom je niet alleen alles te weten over bijzondere planten en dieren, maar loop je ook kans om een bruinvis – een kleiner familielid van de tandwalvis – te betrappen. Bruinvissen leven in groepjes van drie tot vijf dieren en zwemmen tegenwoordig steeds vaker de Oosterschelde op. Voor kinderen is er een speciaal doeboekje, maar als je liever over de reling hangt, kan dat natuurlijk ook. Met een beetje geluk betrap je nog een luierende zeehond...

's Heer Lauwendorp 14 Zierikzee
0111 – 41 43 09 / 06 – 53 53 52 97
www.sportvisserijmoermond.nl

835 FLUITCONCERT *Windorgel*

Het geloei van de wind klinkt altijd een beetje onheilspellend. Maar nergens kun je de wind zo dreigend en naargeestig horen huilen als rond – en vooral in – het windorgel op het Nollehoofd. Dertig bamboebuizen zorgen voor een permanent fluitconcert, dat onheilspellender wordt als de wind aanzwelt. Luister, huiver en strijk daarna neer bij de leukste strandtent van Nederland, Panta Rhei.

Nollehoofd | Vlissingen

836 GEBOUWENGOLF *De Afslag*

De Afslag is niet zomaar een midgetgolfbaan, maar een rondreis langs de bekendste gebouwen van Zeeland. Je mept je balletje langs de vuurtoren van Breskens, passeert de graansilo van Breskens en golft voorbij de watertoren van Oostburg.

Bewonder de treinentuin met z'n vele dorpjes, kerken en huisjes. Leef je uit op de Kinect en de Wii op zolder en glij van een van de superglijbanen weer naar beneden.

Kieweg 2 Breskens | 0117 – 38 02 30
www.deafslag.nl

837 AARDEN WALLEN *Retranchement*

Pyramide, Nummer Een, Turkeije en Retranchement: voor de mooiste plaatsnamen moet je in Zeeuws-Vlaanderen zijn. Retranchement betekent verschansing en dat is ook precies wat er in het stadje te zien is: een vesting met aarden vestingwallen. In ongeveer een uur loop je over de wallen om het dorp heen. Vlak bij de

wallen vind je de beruchte grenspaal 364A. De grenspaal was in 2011 maandenlang kwijt, maar bleek gewoon bij de provincie te liggen voor een opknapbeurt. Hij werd vorig jaar, in het bijzijn van burgemeester en pers, teruggeplaatst.

Retranchement

838 SLIMME STREKEN *Het Reynaertmysterie*

De slimme schurkenstreken van Reynaert de Vos zijn berucht. Tijdens Het Reynaertmysterie heb je zelf al je sluwheid nodig om de vos te slim af te zijn. Gewapend met een iPhone ga je op pad voor een avonturenspel per fiets. Onderweg nemen personages uit het Reynaertverhaal je mee langs raadsels en een live minigame. Als je je hoofd koel houdt en je niet door de vos om de tuin laat leiden, vind je aan het eind zijn gestolen schat.

vvv Hulst Steenstraat 37 Hulst
0114 – 31 52 21 | www.hulstvestingstad.nl

839 KRUIPEN EN SLUIPEN *Smokkelpad Eede*

Voor smokkelaars was de periode na de oorlog een gouden tijd. Door de grote prijsverschillen tussen Nederland en België gingen boter en tabak 's nachts met vrachtladingen de grens over. Het Smokkelpad Eede voert je terug naar de hoogtijdagen van de smokkel. Je leert de trucs waarmee smokkelaars de grenswachten te slim af waren, loopt langs de luchtwachttoren en kruist het Fortuinpad. Een herinnering aan de tijd dat je van smokkelen nog rijk werd. Routekaart te koop bij de vvv-kantoren in Zeeuws-Vlaanderen en via de webshop.

www.zeelandshop.com

840 KANEELSTOKKEN EN PRUIMTABAK *Het Vlaemsche Erfgoed*

Het Zeeuws-Vlaamse dorpje Groede is een moderne badplaats. Maar in de winkeltjes en werkplaatsen langs het Slijkstraatje waan je je terug in het Vlaanderen van de negentiende eeuw. In de grutterswinkel staan geurige kaneelstokken naast potten pruimtabak en in de kapsalon zitten de eerste klanten klaar voor een uitgebreide scheerbeurt, mét pas geslepen barbiersmes. Bewonder het vuur in de smidse, bezoek de ambachtelijke brouwerij en sluit je bezoek af met een ouderwetse, maar verse Zeeuwse bolus.

Slijkstraat 10 Groede | 0117 – 37 24 14
www.het-vlaemsche-erfgoed.nl

NOORD-BRABANT

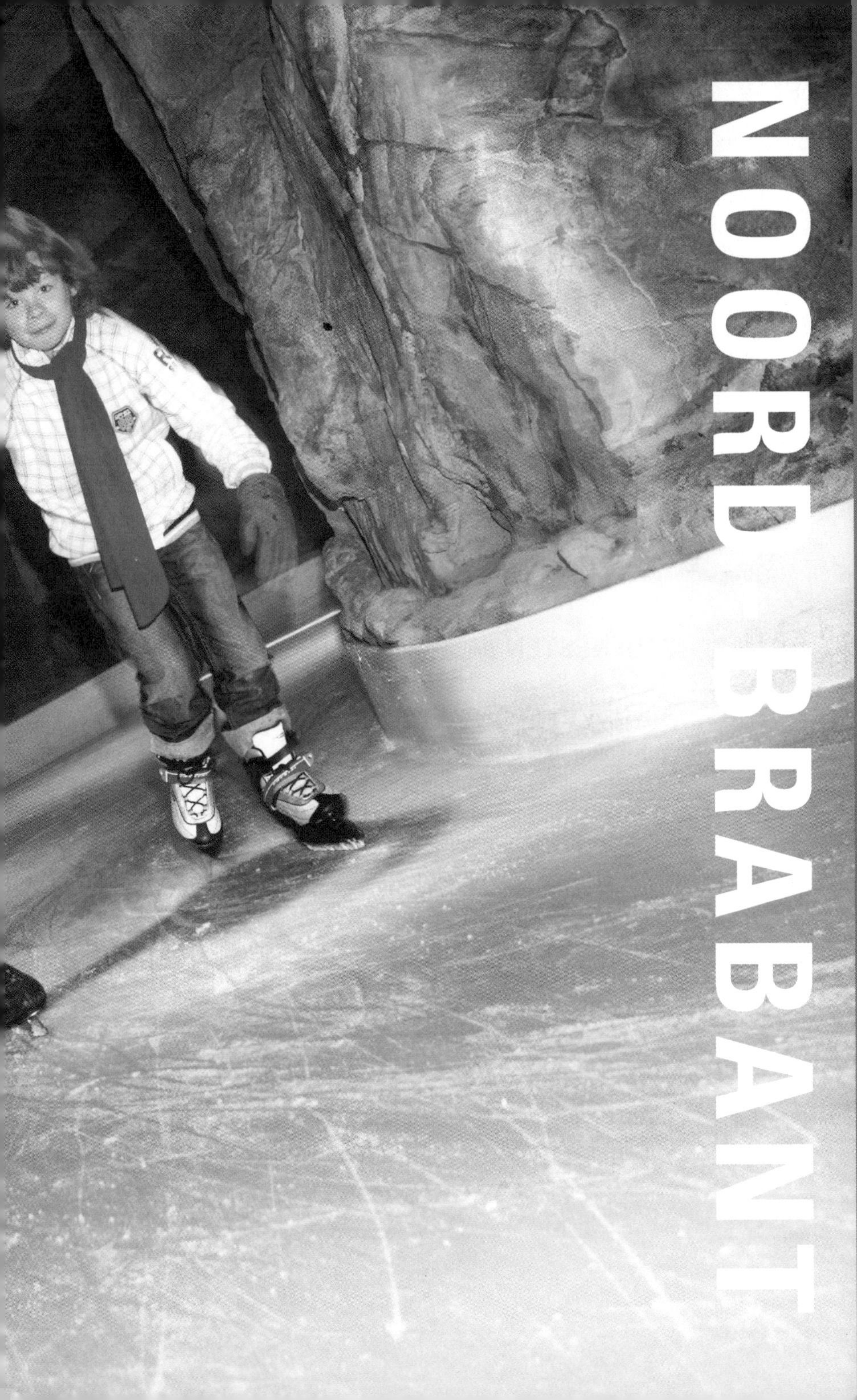

841 18 HOLES EXPEDITIE *Adventuregolf*

Golfen doe je meestal op een strak geschoren grasveld, achter een golfkarretje met clubs (golfsticks). Niet echt een sport voor kinderen dus. Maar in Chaam vind je een heel bijzondere variant: een overdekte golfbaan in junglestijl. Ga op expeditie langs de achttien holes en proef de sferen van het Midden-Oosten en Mexico. Een heel exotisch spelletje!

Wildertstraat 31 Chaam
0161 – 49 18 39 | www.brasserij-offcourse.nl

842 IN DE COCKPIT *Museum voor Vluchtsimulatie*

In het Museum voor Vluchtsimulatie vind je niet alleen een aantal nagebouwde vliegtuigcockpits, maar kun je ook zelf een vliegtuig besturen. Na de uitleg van een instructeur neem je plaats achter het instrumentenpaneel. Je stijgt op tot vijftienhonderd meter, probeert je 'kist' vlak te leggen en maakt samen met een operator een bochtje naar rechts. Daarna mag je het in je eentje linksom proberen…

Half Elfje 10 Someren
0493 – 49 33 87 | www.vluchtsimulatie.nl

843 STOFNESTEN *Breda's Museum*

Het Breda's Museum heeft een halfduistere zolder. En op die zolder vind je Stofnesten, een vaste kindertentoonstelling waar dingen van vroeger tot leven komen. Je gaat op ontdekking bij stillevens van oude voorwerpen, ontmoet een grote pratende spin of ontdekt een gekke stoel en een betoverende speelgoedkast. Na afloop kun je de post die je in de tentoonstelling hebt gemaakt aan je vrienden of vriendinnen sturen.

Parade 12-14 Breda | 076 – 529 93 00
www.breda-museum.org

844 CALIMERO *Safaripark Beekse Bergen*

Een grote groep giraffen spotten. Oog in oog staan met de grootste Afrikaanse olifant van Europa (Calimero). Of de snavel bewonderen van een struisvogel – pal achter de vooruit van je auto! In Safaripark Beekse Bergen maak je een rondreis door Afrika in één dag. Je rijdt of vaart langs een groep grommende leeuwen, bukt voor overvliegende roofvogels of gaat op zoek naar kafferbuffels en rode panda's. Vergeet je verrekijker niet.

Beekse Bergen 1 Hilvarenbeek
0900 – 233 57 32 | www.safaripark.nl

845 GEEN SPIJKERS EN SCHROEVEN *Eco Klimbos Helvoirt*

Eco Klimbos Helvoirt is met respect voor de natuur gebouwd. Het klimbos is zo aangelegd dat er geen spijkers en schroeven hoefden te worden gebruikt. De natuurlijke hoogteverschillen in de Loonse en Drunense Duinen zorgen voor een uitdagend hoogteparcours en dankzij de Saferunner zijn alle hindernissen honderd procent veilig. Een spannend uitje voor jong en oud.

Duinoordseweg 8 Helvoirt | 0411 – 64 12 18
www.duinoord.nl

846 SLURPEN MAG *T-huis*

Van een afstandje heeft het T-huis wel wat van een kermiskraam, en ook het interieur van het glazen paviljoen is heerlijk zuurstokroze. De menukaart biedt keuze uit drinken, eten, happen en slurpen. En je kan er zelfs je eigen tosti's samenstellen. Als dat binnenkort geen Michelinster wordt...

Valkenbergpark Breda | 076 – 515 18 20
www.t-huisbreda.nl

847 KONING KYRIË *Op zoek naar kabouters*

De kabouters van koning Kyrië hielden misschien niet zo van pottenkijkers (een boer die hen stiekem 's nachts bespiedde werd aan één oog blind), verder waren ze heel aardig en behulpzaam. Tenminste, volgens oude legenden. Tijdens de fietsroute 'Op zoek naar kabouters' maak je kennis met het kaboutervolk, dat ook voorkomt in het Suske en Wiske-verhaal *Het geheim van de Kalmthoutse heide*. Je fietst langs de grafheuvels waar het volk leefde, passeert de Duivelsberg en houdt even stil bij het standbeeld van kabouterkoning Kyrië. Verkrijgbaar bij de vvv's in Zuidoost-Brabant.
http://vvv.zobrabants.nl

848 KNOEIEN MAG
Villa DubbelBont

In het atelier van Villa DubbelBont heb je geen verfkwast nodig. Je maakt je schilderij door de verf over het doek te spatten, te gooien of te gieten. Ideaal als je liever niet binnen de lijntjes wil blijven.
Dorpsstraat 16 Ledeacker
06 – 12 75 97 52 | www.dubbelbont.nl

849 GEEN CHIMPANSEEPOEP *Circo Circolo*

Eerst het slechte nieuws: als je naar Circo Circolo wil, zul je moeten wachten tot 2014. Het festival wordt eens in de twee jaar gehouden, maar dan heb je ook wat: een circus zonder chimpanseepoep, zonder olifanten die op een krukje rondjes draaien en zonder mannen die hun hoofd in de bek van een leeuw steken (al is dat laatste misschien wel weer jammer). In plaats daarvan biedt Circo Circolo een spannende mix van klassieke circusacts (zoals jongleren, koorddansen, trapeze en acrobatiek) en 'moderne' podiumkunst: theater, muziek en dans. Tijdens de herfstvakanties van de even jaren op Landgoed Velder.
Liempde | www.circocircolo.nl

850 VINCENTS HOTSPOTS *Vincentre*

In het Vincentre ontdek je hoe Vincent van Gogh leefde en schilderde in zijn geboorteplaats Nuenen. Je maakt een ontdekkingstocht langs sprekende portretten, kijkkastjes en iPads en ziet een indrukwekkende film over de aardappeleters. Daarna ga je naar buiten om alle hotspots van Vincent en zijn tijd in het echt te bekijken. Je herkent plaatsen die Vincent heeft geschilderd, loopt langs het atelier waar hij werkte en gluurt binnen in de huizen waar veel van zijn 'modellen' woonden.

Berg 29 Nuenen | 040 – 283 96 15
www.vangoghvillagenuenen.nl

851 VALSE SPOREN *Smokkelaarsroute*

De smokkelklomp was vroeger dé truc om douaniers de verkeerde kant op te sturen. Smokkelaars langs de Belgisch-Nederlandse grens lieten met de klomp (waarmee je een omgekeerde voetafdruk maakt) een vals spoor achter en bezorgden zo heel wat grensbewakers grijze haren. De Smokkelaarsroute voert je langs een aantal klompen waar je met je mp3-speler of gsm naar een smokkelverhaal kan luisteren. Je maakt kennis met Schorre Fons, hoort verhalen over brandende schapen en paarden zonder koppen en komt alles te weten over het korenmanneke en de fatale dodendraad. Een spannende fietstocht door de Belgisch-Nederlandse grensstreek.

Downloaden op www.smokkelaarsroute.be

852 UITRUSTADRESJE *Het kasteel van Sinterklaas*

Oké, je moet een beetje geluk hebben. Tenslotte heeft HIJ het, de dagen voor zijn verjaardag, razend druk. Maar als HIJ even niet het dak op hoeft (en jij tijdig voor de poorten staat), kun je Sinterklaas ook in zijn eigen kasteel ontmoeten. De goedheiligman heeft in Helmond namelijk een adresje waar hij kan uitrusten. In het kasteel van Sinterklaas zie je hoe de goedheilig man en zijn pieten zich op 5 december voorbereiden. Je neemt een kijkje bij de stal van Amerigo, snuift de geur op van gebakken pepernoten en werpt natuurlijk een blik in de werkkamer van de Sint.

Kasteelplein 1 Helmond | 0492 – 55 58 63
www.hetkasteelvansinterklaas.nl

853 PEDDELEN OVER DE GLIJBAAN *Rondje Boxtel*

Op het riviertje de Dommel kun je prachtig kanoën. Bijvoorbeeld tijdens het Rondje Boxtel, een kanotocht van zo'n negen kilometer. Je vaart door het centrum van Boxtel en roetsjt met kano en al omlaag over een spectaculaire glijbaan, waarna je tussen zwanen en eenden verder peddelt. Op de speciaal aangelegde uitstapplaats kun je onderweg pauzeren. Of aanvallen op een zelf meegenomen picknickmand. **Prinshendrikstraat 1 Boxtel**
06 – 45 30 21 29 | www.rondjeboxtel.nl

854 BOERENKLUSSEN *Stoomcursus Boer(in)*

Vind je het niet erg om vroeg je bed uit te komen en ben je niet bang voor een beetje viezigheid? Dan kun je bij Activiteitenboerderij 't Dommeltje terecht voor een Stoomcursus Boer(in). Je kijkt of je talent hebt voor boerenklussen zoals kruiwagen rijden, maakt een ritje op de trekker en melkt een echte koe. Daarna is het tijd voor boerderijvermaak, zoals spelen in de hooiberg en het koeienspringkussen. En natuurlijk sluit je af met friet plus snack uit de klomp. **Hoogmunsel 9 Boxtel | 06 – 51 46 29 95**
www.dommeltje.nl

855 DE NIEUWE BRANDTOREN *Outdoorpark Reusel*

Outdoorpark Reusel is een klimparadijs voor iedereen die de hoogte in wil. Bovendien vind je in het park een van de opvallendste uitkijktorens van Nederland: De Nieuwe Brandtoren. Het bijzondere bouwwerk bestaat uit op elkaar gestapelde kubussen, die steeds voor een andere kijk op de omgeving zorgen. Vanaf het hoogste platform kun je bij helder weer zelfs de kerncentrale in het Belgische Mol zien. **Burgemeester Willekenslaan 5 Reusel**
06 – 57 26 82 06 | www.outdoorparkreusel.nl

856 VOLLE KRACHT VOORUIT *Picknickboot*

Leuk, zo'n picknick op een snikhete zomerdag. Alleen jammer dat alle parken vol zitten met mensen die op hetzelfde idee zijn gekomen. In Breda hebben ze er wat op gevonden. Daar ga je het water op in een boot met felgekleurde kussens en een mand tjokvol lekkernijen: de picknickboot. Voordat je gaat varen kies je welke picknickmand je mee wil (lunch, high tea, salade, oriental of tapas) en na een ruk aan het buitenboordmotortje tuf je relaxed de haven uit. **Haven Breda | 06 – 44 17 51 71**
www.depicknickboot.nl

857 KINDEROPGIETING *Sauna De Thermen*

De meeste mensen gaan voor hun rust naar de sauna. En de meeste sauna's vinden dat kinderen die rust verstoren. Bij sauna De Thermen denken ze daar heel anders over. Daar ben je op zondag welkom, samen met je broertjes, zusjes, ouders of grootouders. Doorsta de hitte van een speciale kinderopgieting (het water wordt niet op kinderen, maar op gloeiende steentjes gegoten!) en zoek daarna afkoeling onder een ijskoud stortbad.

Hoff van Hollantlaan 4 Rosmalen
073 – 522 07 16 | www.dethermen.nl

858 HAREN OVEREIND *Spooktocht*

Met een goed spookverhaal op z'n tijd is niks mis. Maar na een kinderspooktocht in de bossen bij Uden staan je haren gegarandeerd overeind. Je gaat met een tijddoorbreker een betoverd bos in en probeert een eind te maken aan de vloek van Dragonderia Darkensteen (beter bekend als Wacko Witch). Onderweg kom je langs een aantal griezelige en naargeestige plekjes, en is het nog maar afwachten of de behekste slaven van Wacko Witch het niet ineens op hun heupen krijgen. Maar pas op: wie na middernacht nog in het bos is, kan niet meer terugkeren...

Goorkenseweg 5a Uden | 0413 – 37 80 50
www.spooktochten.nl

859 GROTTENSCHAATSEN
Sportiom

Zwemmen in het tropische water van zwemparadijs AquaFun. Elkaar tureluurs meppen tijdens een potje ricochet of de ijzers onderbinden voor een schaatstocht die je niet alleen bergopwaarts, maar ook door grotten voert: in sporttempel Sportiom kun je alle kanten op. Speel een spelletje ijshockey, doe de Operation Counterstrike in de Lasergame-arena en koel af in een ijskoud dompelbad van Fitness Club Sportiom.

Victorialaan 10 Den Bosch | 073 – 646 46 46
www.sportiom.nl

860   **VRIJE VAL** *Indoor Skydive*

Een vrije val maken in een windtunnel: het is de ideale oplossing voor iedereen met vliegangst, maar het is vooral een geweldige kick. Bij Indoor Skydive Roosendaal 'drijf' je op de wind die opstijgt in een glazen cilinder. Je trekt een speciale overall aan, zet een luchtbril op en oefent op het droge alvast de ideale vlieghouding. Daarna maakt een tunnelmarshall de tunnel open en mag je de vliegkamer in voor The Ultimate Experience: negentig seconden zelfstandig vliegen.

De Stok 24 Roosendaal | 0165 – 52 05 47
www.indoorskydive.com

861   **BOSWANDELING 2.0** *Op stap met de Portable Boswachter*

Stel: je wandelt door de Oisterwijkse Bossen en Vennen en je wil wat informatie van iemand die er echt verstand van heeft. Je hebt alleen geen zin om een hele wandeling aan een boswachter vast te zitten. Dan kies je voor de Portable Boswachter. Via mp3-speler of iPod vertelt boswachter Frans Kapteijns leuke weetjes en interessante verhalen over het gebied. Je moet wel de bewegwijzerde route van vierenhalve kilometer maken, want daar bevinden zich de luisterpunten waar je Frans aan het woord kan laten. Vergeet de echte natuur niet!

Van Tienhovenlaan 5 Oisterwijk
013 – 523 18 00
www.natuurmonumenten.nl/mp3-route-oisterwijk

862 20 SECONDEN BEROEMD *Between You & Me*

Midden op het plein van de nieuwe dans- en muziekschool Het Factorium schijnt een lichtcirkel. En in die lichtcirkel kun jij twintig seconden lang beroemd worden. Zodra je op de cirkel (een onderdeel van het kunstwerk 'Between You & Me') gaat staan, maakt een camera een close-up van je. Na vier tellen zoomt de camera uit en filmt je op het plein, met alle mensen die daar toevallig aanwezig zijn. Even later krijg je jezelf vertraagd te zien op een groot scherm met een willekeurige tekst door het beeld. Uitgeroepen tot het beste buitenkunstwerk van Brabant.

Bisschop Zwijsenstraat Tilburg
www.martinriebeek.nl/betweenyouandme/

863 NATTE BOEL *Waterspeelpark Splesj*

Kan een dagje uit je niet nat genoeg zijn? Dan ben je bij Splesj aan het goede adres. Het Brabantse attractiepark staat vol met spectaculaire glijbanen, zoals de Wildwater River Ride, de Anaconda en de Kamikaze. Je glijdt omlaag door een waanzinnige trechter, schiet een donkere waterbaan met lichteffecten in of beklimt de toren van het Spetterkasteel. Kortom, een typisch geval van splesj.

Oude Antwerpsepostbaan 81b Hoeven
0165 – 50 25 70 | www.splesj.nl

864 ANTIEK SNOEP *Kempisch Bakkerijmuseum*

Alleen de geur al maakt een bezoek aan het Kempisch Bakkerijmuseum de moeite waard. In het museum zie je niet alleen hoe bakkers honderd jaar geleden brood bakten, maar kun je ook zelf aan de slag. Je bakt een broodje in een met takkenbossen gestookte oven en kijkt rond in het winkeltje uit 1850, waar je terecht kan voor 'antiek' snoep. Zoals boterbabbelaars, polkabrokken en ulevellen.

Kapellerweg 15 Luyksgestel
www.bakkerij-museum.nl

865 DRANKJES MIXEN *Likeur & Frismuseum*

Waarschijnlijk vind je het heel normaal dat je in de supermarkt kan kiezen tussen Cola, Fanta, Cassis en Sprite. Maar honderdvijftig jaar geleden was frisdrank nog iets bijzonders. In het Likeur & Frismuseum ontdek je hoe frisdrank vroeger werd gemaakt. Je komt erachter dat voor likeur en frisdrank dezelfde grondstoffen (water, suiker en aroma's) nodig zijn en bekijkt machines uit de tijd dat een flesje prik nog super-de-luxe was.

Varkensmarkt 22 Hilvarenbeek
013 – 505 31 19 | www.likeur-frismuseum.nl

866 ONDERGRONDS LABYRINT *SterrenStrand*

In SterrenStrand is het altijd mooi weer. Logisch, want het water- en zandspeelparadijs van recreatiepark Ter Spegelt is volledig overdekt. Terwijl je ouders lekker op het terras chillen, ga jij op zoek naar de vijf sterren. Zoals het overdekte zwembad, een spectaculair klim- en klauterkasteel en het stoere Voetje-van-de-Vloerpad van Timo Ti-ming. Klieder met massa's water en zand in Zilva's Haven of ga op zoek naar de geheime ingang achter de huisjes bij de havenkant. Via een tunnel kom je in een ondergronds labyrint, waaruit je maar op één manier kan 'ontsnappen'.

Boksheidsedijk 30 Eersel | 0497 – 51 20 16
www.terspegelt.nl

867 BOZE GRIET *Bastionder*

Stoere vestingwallen, gloeiende kanonskogels en een zompig moeras: het middeleeuwse Den Bosch deed heel wat moeite om vijandige legers buiten de stad te houden. In het Bastionder, een ondergronds informatiecentrum onder een van de belangrijkste vestingwerken, zie je hoe de stad zich eeuwenlang verdedigde. Je kijkt door schietgaten in de vijfhonderd jaar oude stadsmuren en staat oog in oog met een van de grootste middeleeuwse kanonnen van Europa. En een van de onschadelijkste: Boze Griet bleek niet in staat ook maar één kogel af te vuren.

Bastion Oranje 1 Den Bosch | 073 – 614 99 86
http://vestingstad.s-hertogenbosch.nl/projec-ten/bastionder

868 SPIEDEN ONDER HET ZAND *Metaaldetectortocht*

Een metaaldetector kan 'zien' wat jij niet ziet: losse muntjes in de grond, maar ook sleutels, vorken of lepels. En complete schatten natuurlijk. Dat komt mooi uit, want onder de zandgronden van De Maashorst liggen uitdagende geheimen verborgen. Gewapend met een kaart, metaaldetector en schep ga je op zoek naar verborgen aanwijzingen. Misschien stuit je wel op een goudader!

Palmenweg 5 Nistelrode | 06 – 22 50 93 14
www.losdoorhetbos.nl

869 BLOTE VOETENPAD *Toon Kortooms Park*

Wordt het een blotevoetenwandeling of een ouderwets modderpad? Dat is de vraag als je begint aan het Blote Voetenpad. Je loopt over verschillende ondergronden: water, turf, stenen, mos, varens en modder. Onderweg kun je uitrusten op een bankje of genieten van het uitzicht vanaf een van de uitkijktorens. En chillen op het plein met hangmatten natuurlijk.

Griendtsveenseweg 80 Deurne
0493 – 52 95 90 | www.toonkortoomspark.nl

870 NOORDPOOLDECOR *Glowgolf Rucphen*

In sneeuwattractiepark Skidôme ligt niet alleen een flink pak sneeuw, maar vind je ook ijsberen, orka's en pinguïns. Ze horen bij het Noordpooldecor van GlowGolf Rucphen. De achttien holesbaan baadt in een gloed van blacklight, waardoor alles licht lijkt te geven: de banen, de dieren en de balletjes. De kou is gelukkig nep.

Baanvelden 13 Rucphen
0165 – 34 31 34 | www.glowgolf.nl/nl/rucphen

871 BEDEVAARTSOORD *Michael Jacksonbeeld*

Toen Michael Jackson de dubbel-cd *HIStory* opnam, wilde hij op vriend en vijand indruk maken. Voor de coverfoto liet de King of Pop een kolossaal standbeeld van zichzelf maken. Datzelfde beeld staat nu – vreemd genoeg – langs de A2, bij de McDonald's in Best. De eigenaar tikte *Big Michael* jaren geleden op de kop tijdens een veiling voor het Ronald McDonald Huis. Na Jacksons dood groeide het restaurant (met binnen nog een Chevrolet aan het plafond) uit tot bedevaartsoord voor fans. Aan de voet van het beeld vind je een flinke verzameling teddyberen, gedichten en bedankbriefjes.

Bij McDonald's langs de A2 | Eindhovenseweg Zuid 59 Best

872 **SLAPEN IN SPROOKJESSFEER** *Efteling Hotel*

Als een prinses in de watten worden gelegd, dromen van schatkisten of bubbelen in de Coca Cola-Suite. In het Efteling Hotel lijkt een nachtje slapen wel heel erg op een sprookje. In het hotel vind je niet alleen luxe comfortkamers, maar ook 22 suites in de stijl van een bijzonder thema. Test je blauwe bloed in de Koningssuite, probeer het ronddraaiende bed in de Fata Morgana Suite of maak een ritje op een circuspaard in de circussuite. Nooit gedacht dat slapen zo opwindend kon zijn...

Horst 31 Kaatsheuvel | 0900 – 01 61
www.efteling.com

873 **BANGE OUDERS** *Familiepark Aquabest (Dippie Doe)*

Hou je van duizelingwekkende achtbanen? Of ben je meer een type voor de clowntjesmolen? In familiepark Aquabest (Dippie Doe) vind je attracties voor heel stoere en nog niet zulke dappere kinderen (of bange ouders!). Het park herbergt niet alleen 'klassiekers', zoals botsauto's en een spookhuis, maar ook een kinderbios, een kinderkermis en een skelterbaan. Maak een vrije val in de Overstag, slinger rond in de Draaikolk of plons in het Woeste Water van de Baai. Van oktober t/m maart is alleen het binnengedeelte open.

Ekkersweijer 1 Best | 0499 – 33 02 04
www.dippiedoe.nl

874 **OO – ZONE** *Natuurmuseum Brabant*

Ben je nieuwsgierig, vind je het leuk om de natuur te onderzoeken of wil je de museumschatten zien die altijd achter gesloten deuren worden bewaard? Dan mag je de OO – ZONE in Natuurmuseum Brabant niet missen. In deze zone ontdek je spelenderwijs alles over het leven van planten en dieren. Je kruipt in de huid van een onderzoeker, muzikant of cursist, haalt met een speciale chipcard objecten uit de laatjes in de vitrines en leeft je uit op proefjes en onderzoekjes.

Spoorlaan 434 Tilburg
013 – 535 39 35 | http://oo-zone.nl

875 BOTER, KAAS EN… *Kamelenmelk*

Als boer wil je wel eens wat anders. Kamelen houden bijvoorbeeld. Makkelijk in het onderhoud, leuk om naar te kijken en goed voor tankwagens vol… kamelenmelk! Bij Kamelenmelkerij Smits kun je niet alleen een voorraadje kamelenmelkbonbons inslaan, maar kun je ook op stap met de Camel Audio Tour. Met een koptelefoon op wandel je in je eigen tempo over de kamelenmelkerij. Onderweg krijg je een tas met lekkere hapjes mee. Voor de kamelen welteverstaan!

Werstkant 16 Berlicum | 073 – 707 80 87 / 06 – 50 29 67 09 | www.kamelenmelk.nl

876 KERMISATTRACTIES *De Markiezenhof*

Markies Jan van Glymes was gek op vrouwen. Zo gek dat hij bij zijn tijdgenoten bekendstond als Jan Metten Lippen. Om zijn vrouwen een beetje fatsoenlijk te kunnen ontvangen bouwde Jan de Markiezenhof, het grootste middeleeuwse stadspaleis van West-Europa. In dit enorme paleis vind je onder meer een museum met politieke spotprenten en cartoons. Omdat veel kermisfamilies uit Bergen op Zoom afkomstig zijn, staat de eerste verdieping helemaal in het teken van de kermis. Je bewondert de decors van een middeleeuwse kermis, kijkt neer op een miniatuurkermis en loopt langs een anatomisch kabinet met reuzen, dwergen en een 'harige vrouw'.

Steenbergsestraat 8 Bergen op Zoom
0164 – 27 70 77 | www.markiezenhof.nl

877 COOLE LIJNEN *Cartoon- en striptekenen*

Leuk, zo'n rommelige cartoon van Joop Klepzeiker. Of een vet slordige Hein de Kort. Maar als je zelf wat lijnen op papier hebt gezet, ziet het er meestal een stuk minder cool uit. Gelukkig kan cartoonist-striptekenaar Bart van der Kraan je helpen. Tijdens een workshop cartoon- en striptekenen (ook leuk voor kinderfeestjes!) leert hij je de kneepjes van het vak. Na een korte uitleg over het verschil tussen cartoons en strips ga je met je eigen karakter aan de slag. Je maakt een paar schetsen en binnen de kortste keren staat je eerste grap op papier.

Jan Mosmanslaan 17A Den Bosch
073 – 612 33 45 | www.bajo.nl

10 X HET LEKKERSTE IJS

Is het vriesvak van je ouders geplunderd? Of wil je eens een ijsje dat écht naar vruchten smaakt? In steeds meer Nederlandse ijssalons vind je ijs zoals ze dat in Italië hebben bedacht. Van stracciatella tot pistache en van zomerstoofpeer tot popcornijs.

878 DE IJSSALON

Bekroonde ijssalon, met de mooiste ijskar van Nederland: een omgebouwde Harley-Davidson.
Meent 69a Rotterdam | 010 – 413 35 44 | http://deijssalon.nl

879 IJSSALON CAPPELLO GIALLO

Het beste abrikozenijs van Nederland.
Cappello Giallo | Kaai 1 Veere

880 IJSSALON CEPPO

Authentieke Italiaanse ijssalon, met klassieke en nieuwe ijssmaken: van Red Bull-ijs tot Piemonte hazelnotenijs.
Nieuwe Markt 54 Roosendaal | www.ijssalonceppo.nl

881 DE HOOP

Ooit begonnen als melkfabriek, nu een van de populairste ijssalons van het Gooi.
Huizerweg 10 Blaricum | 035 – 538 34 90 | www.ijssalondehoop.nl

882 WINZO IJSFABRIEK

De oudste ijssalon van Nederland.

Van Schravendijkplein 12 Vlaardingen | 010 – 434 22 30 | http://www.winzo.nl

883 IJSSALON GARRONE

Haarlemmers staan rustig een kwartiertje in de rij voor deze zestig jaar oude ijssalon. En voor de bijzondere smaken zoals olijf, popcorn, en lavendel.

Grote Houtstraat 179 Haarlem | 023 – 531 21 73 | www.garrone.nl

884 LUCIANO IJSSALON

De ijssalon van 2012. Favoriet adresje van Máxima en de prinsesjes.

Van Hogendorpstraat 53 Wassenaar | 070 – 511 81 35
www.ijssalonluciano.nl/wassenaar

885 IJSSALON FLORENCE NEDERWEERT

De beste ijssalon van 2011.

Brugstraat 23 Nederweert | 0495 – 62 61 78 | www.ijssalonflorence.nl

886 IJSSALON VANDERPOEL

Vaak in de prijzen gevallen. Probeer de Caramel-Nut-Explosion.

Oude Markt 23 Enschede | 053 – 430 42 42 | www.vanderpoelijs.nl/ijssalons.html

887 IJSSALON FIORIN

IJssalon Fiorin maakt zijn ijs nog steeds volgens een geheim Italiaans recept. Probeer het spaghetti-ijs.

Grote Markt 46 Groningen | 050 – 313 28 02 | www.ijssalonfiorin.nl

888 KINDERSURVIVAL NR. 1 *Steketee Outdoor Centrum*

Kun je verjaardagsfeest je niet stoer genoeg zijn? Dan moet je een keer naar het survivalbos van Rucphen. Je hijst je samen met je vriendjes of vriendinnetjes in stoere legerkleding en kijkt daarna wie van jullie het meest 'gehard' is. Tijger over de stormbaan, probeer zo lang mogelijk aan een spijkerbroek te blijven hangen, of leef je uit in een potje paintball-scherpschieten op borden. Na afloop krijg je een survivalcertificaat mee.

Heimolendreef 12A Rucphen
0165 – 56 08 70 | www.activiteiten.nu

889 BOSSCHE BOLLEN *Bolwoningen Maasspoor*

'De Eskimo's wisten hoe je een huis moet bouwen,' zegt architect Dries Kreijkamp. Bijna dertig jaar geleden zette hij een grasveldje in Den Bosch vol met deze bolwoningen. Volgens de architect zijn deze woningen (die prima zouden passen in de film *The Hobbit*) dé oplossing voor de zeespiegelstijging. In plaats van steeds hogere dijken te bouwen zouden Nederlanders beter in drijvende bollen kunnen wonen. In Den Bosch staan ze overigens keurig op het droge. Het lijkt wel een veldje paddenstoelen...

Bollenveld Den Bosch

890 LUCHTVAARTNOSTALGIE *Vliegend Museum Seppe*

Bij Vliegend Museum Seppe herleven de tijden van de Rode Baron, een gevechtspiloot die maar liefst tachtig vijandelijke vliegtuigen uit de lucht schoot. De fraaie verkennings- en gevechtstoestellen staan geen stof te verzamelen, maar worden door een groep vrijwilligers vliegklaar gehouden en zijn geregeld in de lucht te bewonderen. Een echt vliegend museum dus.

Pastoor van Breugelstraat 93E Bosschenhoofd | 0165 – 32 13 35
http://vliegendmuseumseppe.nl

891 HEMELAYA

BillyBird Park Hemelrijk

Je moet er even een stukje voor klimmen (en een paar uitdagende obstakels overwinnen), maar dan heb je ook wat. Vanaf de ruïne op klimberg Hemelaya, in Billy-Bird Park Hemelrijk, heb je een geweldig uitzicht over de omgeving. En over de rest van het attractiepark. Karretjes schieten voorbij over de razendsnelle achtbaan, kinderen bungelen onder het spectaculaire touwenparcours en bootjes storten omlaag over de bootjesglijbaan Splash. En dan heb je het grote natuurbad, het overdekte Zeeroversland en de kinderkermis nog niet eens gezien...

Zeelandsedijk 34A Volkel
0413 – 27 70 00 | www.billybird.nl

892 KAMPEERVLOT *Akkermans Outdoorcentre*

Als je een beetje afzondering wel fijn vindt, en er ook geen bezwaar tegen hebt om over het water naar je tent te peddelen, moet je eens een nacht doorbrengen op een kampeervlot. Deze kruising tussen een woonboot en een kampeerhut is alleen over het water te bereiken. De rietkragen langs de Steenbergse Vliet zorgen voor het bijpassende wildernisgevoel. Neem een slaapzak en muggenstift mee.

0167 – 50 26 21 | www.camping-raft.com

893 FRUITFEESTJE *De Sprankenhof*

Ben je gek op aardbeien, bramen of frambozen? In de pluktuin van de Sprankenhof pluk je 's zomers zonder schrammen (de struiken hebben geen stekelige ranken) een rijke oogst bij elkaar. Daarna maak je van de vruchten een heerlijke jam. En natuurlijk sluit je af met een proeverij: een pannenkoek met zelfgemaakte jam!

Schoorstraat 26a Udenhout | 013 – 511 64 94 / 06 – 12 15 54 42 | www.sprankenhof.com/75/ activiteiten-speciaal-voor-kinderen

894 OP ZOEK NAAR DE SCHAT *Roversbende de Witte Veer*

Als je driehonderd jaar geleden tussen de Brabantse dorpen Waspik en Loon op Zand woonde, was je je leven niet zeker. Zodra de zon onderging, werd de streek geteisterd door de Witte Veer, een roversbende die maar op één ding uit was: zo veel mogelijk buit binnenhalen. Tijdens een kinderfeestje bij Verrassend Uit kun je zelf bendelid worden en op zoek gaan naar de schat. Nadat je de juiste roversoutfit hebt aangetrokken, gaan jullie op stap om de raadsels en vragen op te lossen. Maar hou de tijd in de gaten. De Schout en Schepenen zitten je op de hielen...

Vaartweg 112 Dongen | 06 – 40 76 41 48
www.verrassenduit.nl

895 IJZERTOREN *Kasteel Heeswijk*

Mysterieuze torenkamers, duistere trappenhuizen en een middeleeuwse ridderzaal. Kasteel Heeswijk is een kasteel zoals een kasteel bedoeld is. Tijdens een bezoek aan de voormalige waterburcht reis je terug naar de tijd dat het kasteel bevolkt werd door ridders, jonkers en prinsen. Je komt alles te weten over de heiligenbeelden in de geheimzinnige ijzertoren, neust rond in de verblijven van de laatste adellijke familie en inspecteert de wapenuitrusting in de Wapenzaal. Doe je de Kasteel Heeswijk Kindertour, dan helpen gidsen je om de plekjes op de foto's terug te vinden. Op alle woensdagen van het jaar.

Kasteel 4 Heeswijk Dinther
0413 – 29 20 24 | www.kasteelheeswijk.nl

896 REUZENKEGELS *Flying Pins*

Het leukste wat je op een bowlingbaan kan doen, is een strike gooien. Je bal dendert kaarsrecht richting achterwand. De kegels vliegen alle kanten op en als het geraas is verstomd, blijkt er niets meer overeind te staan. Die kick is zichtbaar gemaakt in het kunstwerk *Flying Pins* van het kunstenaarsechtpaar Claes Oldenburg en Coosje van Bruggen. Een zesenhalve meter grote bal maait alles weg wat op zijn pad komt.

Op de kop van de Kennedylaan Eindhoven

897 BEGRAFENISSTOET *Tilburgse kermis*

Je hebt kermissen en je hebt de Tilburgse kermis. De grootste kermis van de Benelux duurt maar liefst tien dagen en heeft alles te bieden wat je van een kermis verwacht: van wildwaterbaan tot glazen doolhof, van Temple of Adventure tot Angry Bird en van waarzegster tot suikerspinnenkraam. De kermis wordt elk jaar op de laatste avond begraven. Nadat de laatste attracties zijn gesloten, loopt de begrafenisstoet onder muzikale begeleiding naar de Piushaven. Hier zegt de Tilburgse brandweer de kermis met een vijftien minuten durend vuurwerk vaarwel.

www.kermistilburg.nl / www.detilburgse-kermis.nl

898 AARDBEIENKNIPDIPLOMA *Het Aardbeienterras*

Als je op een warme zomerdag in de buurt van Rijsbergen bent, komt de geur van aardbeien je vanzelf tegemoet. Logisch, want je loopt door de grootste aardbeienstreek van Europa. Bij het Aardbeienterras, midden in dit gebied, kun je zien hoe aardbeien worden geteeld. Je maakt een tour door het bedrijf, vult een doosje met aardbeien in een van de plastic tunnels en haalt je aardbeienknipdiploma. Op het terras kun je genieten van lekkernijen zoals een sorbet met aardbeien, een aardbeienvlaai en een aardbeienwrap. Of losse zomerkoninkjes natuurlijk.

Pannenhoefsebaan 31 Rijsbergen
06 – 50 57 76 35 | www.hetaardbeienterras.net

899 BELEVEN EN BALANCEREN *Beleefpad-Witrijt*

Balanceren op een tractorband, klimmen over de Maaszanden of als Tarzan van boom tot boom slingeren. Het Beleefpad-Witrijt is een wandeling waarop je je niet zult vervelen. Rennend, speurend en springend verken je de bossen bij Bergeijk. Met een rugzak vol ontdekmaterialen wordt de tocht nog spannender.

Witrijtseweg 15 Bergeijk
0497 – 51 46 98 | http://sbp.nl

900 ONDER DE GROND *Klimcentrum Neoliet Tilburg*

Bij klimcentrum Neoliet in Tilburg ga je niet alleen de hoogte, maar ook de diepte in. Je daalt af in een speleo-box, een spannende tunnel waar je in het donker je weg moet vinden. Dit nagemaakte gangenstelsel (het is zelfs de langste speleo-box van Nederland) is geïnspireerd op de Belgische grotten. Gelukkig krijg je een helm en een koplampje mee.

Marathonpromenade 1 Tilburg
013 – 536 29 40 | http://neoliet.nl

901 PAS OP JE OUDERS *Restaurant 't Spoor*

Ben je uitgekeken op alle piratenrestaurants en heb je de pannenkoekenhuizen in Hans & Grietje-stijl wel gezien? Dan is restaurant 't Spoor een welkome afwisseling. Het vroegere stationskoffiehuis werd omgetoverd tot een kindvriendelijk restaurant waar elk uur treingeluiden door de ruimte schallen. Na een portie kipnuggets en een smurfenmilkshake (of een andere klassieker op de kinderkaart) kun je je uitleven in een speelkamer in junglesfeer. Duik in de loungehoek met dvd's of test je reactievermogen achter de Playstation. Maar pas op: je ouders houden je vanuit het restaurant via beeldschermen in de gaten...

Wendelnesseweg Oost 4 Sprang-Capelle
0416 – 31 16 37 | www.spoor-t.nl

902 ONDERGRONDS *Vaartocht over de Binnendieze*

Als je door het centrum van Den Bosch loopt, kom je bijna geen water tegen. Toch is dat er wel degelijk. Diep verborgen onder de straten stroomt de Binnendieze, een geheimzinnig stadsriviertje dat steeds verder ondergronds terecht is gekomen. Tijdens een tocht over de Binnendieze vaar je langs, maar vooral onder de mooiste plekjes van Den Bosch. Je doorkruist de zestiende-eeuwse havenwijk Uilenburg en vaart door het Hellegat, een negentig meter lange gang waar je geen hand voor ogen kan zien. Op sommige plaatsen kun je zelfs van onderaf, door een glazen vloer, een woonhuis binnenkijken. Reserveren!

Molenstraat 15a Den Bosch
0900 – 202 01 78 | www.binnendieze.nl

903 STAD OP Z'N KOP *Oeteldonks Gemintemuzejum*

Normaal heet Den Bosch gewoon Den Bosch. Maar tijdens carnaval wordt de stad drie dagen lang omgedoopt tot Oeteldonk. In het Oeteldonks Gemintemuzejum ontdek je hoe de Oeteldonkers elk jaar hun stad op z'n kop zetten. Je ziet hoe er in Rio de Janeiro, Nice en New Orleans carnaval wordt gevierd, en bewondert maskers, prins Carnaval-steken en andere carnavalsattributen. Ten slotte reis je terug naar 1882, toen boze burgers probeerden het typisch Bossche feest te verbieden. Helaas (voor de burgers) gebeurde precies het omgekeerde: een groep Bosschenaren richtte carnavalsvereniging de Oeteldonksche Club op!

Zusters van Orthenpoort 20-27 Den Bosch
073 – 613 01 99 | www.gemintemuzejum.org

904 NET ALS EINSTEIN
De Ontdekfabriek

Een vliegmachine in elkaar zetten, een brug bouwen van spaghetti of de kracht van lucht voelen in de luchtkussenkist: in de Ontdekfabriek beleef je onverwachte techniekavonturen in een spannende omgeving. De Ontdekfabriek staat op een oud fabrieksterrein in Eindhoven, waar vroeger veel uitvinders van Philips werkten. Zelfs Einstein heeft hier nog rondgelopen...

Torenallee 22 Eindhoven | **040 – 787 35 06**
www.deontdekfabriek.nl

905 ACHTERGEBLEVEN BUIT *De schat van de Bokkenrijders*

Overdag waren het normale burgers. Maar 's nachts kon je de Bokkenrijders – een bende die vierhonderd jaar geleden Zuid-Nederland teisterde – beter niet tegenkomen. Deze gemaskerde schurken roofden alles wat los- en vastzat, maar vergaten in hun haast wel eens om de buit mee te nemen. Dat komt mooi uit, want daardoor kun jij in de bossen bij Ravenstein op zoek gaan naar hun schat. Nadat je de Bokkenrijders-eed hebt afgelegd, ga je per step of fiets op jacht. Opdrachten en aanwijzingen brengen je steeds dichter bij de verborgen schat.

Koolwijksestraat 15 Herpen | **0412 – 40 40 96 /**
06 – 45 31 45 30 | **www.bikeadventure.nl**

906 DANSENDE GRAFSTENEN *Mini Efteling*

Vinden je ouders de échte Efteling te duur, te groot of te druk? Dan kunnen ze ook naar de Mini Efteling in Nieuwkuijk! Het park zou nog steeds moeiteloos in de achtertuin van zijn grote broer passen, maar heeft wel 'volwassen' attracties, zoals de Vogel Rok-lasershow of de zingende krentenbollen bij Bakkerij van Bommelen. Luister naar de zwamneusgroebels in de Wonderdoolhof, bewonder de dansende grafstenen in het Spookslot of ga in de Sprookjestuin op zoek naar Holle Bolle Gijs en Langnek. Waar hebben we die eerder gezien?

Onsenoortsestraat 36a Nieuwkuyk
06 – 22 99 60 06 | **www.mini-efteling.nl**

907 CHEETAH SHELTER
Zoo Parc Overloon

Muntjaks en jufferkraanvogels ontmoeten op de Aziatische grasvlakte, doodshoofd-apen spotten tussen de boomtoppen of luis-teren naar de zangkunsten van de gibbons. In Zoo Parc Overloon maak je een span-nende ontdekkingsreis langs bijzondere dieren- en plantensoorten. Je loopt tussen springende reuzenkangoeroes in de Austra-lische Outback, gaat op zoek naar rendieren en Europese kraanvogels of bewondert het snelste landdier van de wereld in Cheetah County. In de Cheetah Shelter kun je zelfs neus aan neus staan met een van de cheeta's: een superervaring!

Stevensbeekseweg 19 Overloon
0478 – 64 00 46 | www.overloonzoo.nl

908 DROGE VOETEN *Mossige Moerasexpeditie*

De Peel was vroeger een gevaarlijk moeras, waar geen zinnig mens zich waagde. Er sche-nen zelfs reuzen rond te zwerven. De reuzen zijn inmiddels vertrokken, maar onder het veenmos gaat soms nog een flinke plas water schuil. Tijdens de Mossige Moerasex-peditie verken je de spannendste plekjes van het gebied. Je gaat op zoek naar Landland, Waterland, Moerasland en Lilliputland. Een gids zorgt ervoor dat je onderweg vrij droge voeten houdt (zeven tot tien jaar).

Buitencentrum De Pelen
Moostdijk 15 Ospel | 0495 – 64 14 97
www.nationaal-parkdegrootepeel.nl

909 RIJDENDE REGENJAS *DAF Museum*

Er zijn autoliefhebbers die een moord zouden doen voor een DAF'je dat nog goed rijdt. De auto met het 'pientere pookje' (in een DAF hoefde je niet te schakelen) werd jarenlang voor rijdend koekblik uitgemaakt, maar is weer 'hot' bij liefhebbers van design. In het DAF Museum zie je de mooiste voertuigen uit het DAF-tijdperk. Hoogtepunten van de museumcollectie: de allereerste DAF, de koninklijke strand-DAF en de 'rijdende regenjas', een driewieler die thuis in de gang gestald kon worden.

040 – 244 43 64 | www.dafmuseum.nl

910 CARTOONS BEKIJKEN *Genneper Parken*

Een schaatsbaan, een cartoonmuseum, een zwemparadijs en een prehistorisch belevingspark: je kan het zo gek niet verzinnen of je vindt het in de Genneper Parken. Bak je eigen brood of stap in een houten kano in het Eindhoven Museum, bekijk cartoons in het vrolijk gekleurde Ton Smits-huis of maak met de praatboer boter op de Genneper Hoeve – de ideale formule voor een kinderfeestje.

040 – 211 47 86 | www.tonsmitshuis.nl

911 IDEAAL TUSSENDOORTJE *Bosschebol*

Er zijn van die gerechten die je niet met vork en mes moet willen eten. Bossche bollen bijvoorbeeld. Bij Banketbakkerij Jan de Groot, vlak bij station Den Bosch, vind je de lekkerste bollen van Nederland. Jan is een achterachterkleinkind van de bakker die eind negentiende eeuw het nog altijd 'geheime' recept van de Bosschebol bedacht: een grote chocosoes gevuld met slagroom en een echte chocoladelaag. Ideaal tussendoortje...

Stationsweg 24 Den Bosch

073 – 613 38 30 | www.bosschebollen.nl

912 MAGISCHE SPEELGOEDKASTEN

Speelgoed- en Carnavalsmuseum Op Stelten

Wil je weten wat kinderen 75 jaar geleden op hun verlanglijstje zetten? Dan moet je een keer een kijkje nemen in het Speelgoed- en Carnavalsmuseum Op Stelten. In een schoolgebouw van meer dan honderd jaar oud vind je een enorme collectie nostalgisch speelgoed: van poppenhuizen tot tollen en van carnavalsattributen tot toverlantaarns. Open de magische speelgoedkasten en de eenentwintigste eeuw is ineens ver weg.

Zandheuvel 51 Oosterhout | 0162 – 45 28 15

913 27 EEUWEN TERUG *IJzertijdboerderij*

Leuk, zo'n tijdreis naar de middeleeuwen of de Romeinen. Maar als je eens écht in het verleden wil duiken, moet je naar de IJzertijdboerderij. Je stapt binnen in een 27 eeuwen oude (nagebouwde) boerderij en reist terug naar de tijd dat wc's en stromend water nog toekomstmuziek waren. Binnen maak je kennis met 'ijzertijdklusjes' zoals mandenvlechten en schalen maken uit klei. Of broodbakken op een open vuurtje natuurlijk.

Oude Oosterhoutsebaan 15 Dongen

www.ijzertijdboerderij.nl

914 GRENSGEVAL *Baarle-Nassau*

De Nederlands-Belgische grens loopt niet alleen dwars door het tweelingdorp Baarle-Nassau, maar verdeelt ook huizen en zelfs bedden in een Nederlandse en een Belgische helft. Het is dus goed opletten waar je kind geboren wordt, en als je de bal over de schutting schiet, loop je de kans dat je hem in het buitenland moet ophalen. Er zijn overigens ook nog acht Nederlandse 'eilandjes' in dit stukje België op Nederlands grondgebied. Tijdens de Kinderpuzzeltocht Stiekem over de Grens ontdek je hoe deze krankzinnige puzzel in elkaar zit. Informatie bij vvv Baarle-Nassau-Hertog.

Nieuwstraat 16 Baarle-Nassau
013 – 507 99 21 | www.vvvbaarle.nl

915 WAVERIDER *Speelland Beekse Bergen*

Brede zandstranden, trampolines, een minigolfbaan en ruim honderd speeltoestellen: de kans dat je je in Speelland Beekse Bergen verveelt, is héél klein. Je trekt jezelf met een vlot over het water naar Avontureneiland, scheurt in een buggy door het Saharagebied of maakt een ritje op de Waverider, een watercarrousel waarmee je zelf je snelheid kan bepalen. Stuiter over het water na een afdaling in de Aquashuttle en vergeet niet je rijbewijs te halen in Verkeersland.

Beekse Bergen 1 Hilvarenbeek
www.speelland.nl

916 MAÏSZWEMBAD *Speelboerderij Tiswa*

Van maïs kun je heel bijzondere dingen maken. Een maïsdoolhof bijvoorbeeld. Of een maïszwembad. Bij Speelboerderij Tiswa vind je 's zomers beide 'graanattracties'. Neem een duik tussen miljoenen maïskorreltjes, daag je vrienden uit voor een race op de skelterbaan of begroet de vaste boerderijbewoners. Zoals hangbuikzwijntje Joske, de pony en de wasberen. Is het slecht weer? Dan kun je je binnen uitleven op oud-Hollandse spelen. Of ballen op de luchtstroom laten zweven in de toren van Tiswa.

Looieind 14 Erp | 0413 – 21 27 24
www.speelboerderij-tiswa.nl

917 KLIMMEN IN DE STAL *Activiteitenboerderij 't Dommeltje*

Is het geen klimbosweer? Of heb je geen zin om negen meter boven de grond aan een touwbaan te wiebelen? Geen punt: bij Activiteitenboerderij 't Dommeltje klim je omhoog of zwier je omlaag in de stal. Onder het toeziend oog van ervaren begeleiders (en een kudde koeien) klauter je over achttien verschillende klimelementen. Aan het einde roetsj je via een tokkelbaan nog zo'n tachtig meter de wei in.

Hoogmunsel 9 Boxtel | 06 – 51 46 29 95
www.dommeltje.nl

918 KIJKEN, RUIKEN EN DOEN *Het Biggetjesbos*

Zuidoost-Brabant is de 'varkensschuur' van Nederland: in het gebied wonen twee keer zoveel varkens als mensen. Helaas kun je van de varkens zelf weinig zien. Tenzij je de Biggetjesroute loopt. Deze speciale kinderwandelroute voert je onder meer naar de Zichtstal, waar je vanuit een skybox varkens en biggen kan bekijken.

Daarna ga je in het Biggetjesbos op zoek naar twaalf verschillende ijzeren biggen. Bij elke big horen opdrachten waarbij je moet kijken, ruiken en vooral doen. Bij Herberg De Brabantse Kluis zijn rugzakjes met spelmaterialen te koop.

Kloosterdreef 8 Aarle-Rixtel | 0492 – 46 81 10
www.brabantsekluis.nl/activiteiten/view/18/

919 NIET DE ALLERSLIMSTE *De Werkplaats van Jan Klaassen*

Poppenkastfiguur Jan Klaassen is niet de allerslimste. Maar zijn gouden hart maakt veel goed. In de Werkplaats van Jan Klaassen vind je een enorme verzameling houten Jan Klaassen-poppen, maar ook moderne karakters zoals Aladin. Vier je een

kinderfeestje bij de Werkplaats, dan maak je eerst zelf een pop. Daarna bekijk je een poppenkastvoorstelling, mét een domme Jan Klaasen en een mopperende Katrien...

Dr. Eygenraamstraat 3 Tilburg
013 – 464 41 00

920 SPOOKACHTBAAN *De Efteling*

In 1952 opende Stichting Natuurpark de Efteling een Sprookjesbos met tien sprookjes. Zestig jaar later is de Efteling uitgegroeid tot het bekendste attractiepark van Nederland. Tientallen attracties en shows zorgen ervoor dat jong en oud aan hun trekken komen. Ontmoet de Sprookjesboom in het Sprookjesbos, bekijk Europa's grootste watershow Aquanura of ga naar binnen in Raveleijn, een mysterieuze stad waar paarden en echte raven voor een spectaculaire parkshow zorgen. Beleef een spannend 3D-avontuur in Panda Droom en vergeet niet om een rit te maken in achtbaan De Vliegende Hollander, een spookschip dat je nog lang zal heugen...

Europalaan 1 Kaatsheuvel | 0900 – 01 61
www.efteling.com

921 ROMEINSE VONDSTEN *Het Verloren Medaillon*

De Romeinen zijn allang uit De Peel vertrokken, maar in het natuurgebied kun je nog steeds bijzondere Romeinse voorwerpen tegenkomen. Zoals het medaillon van een Romeinse legerofficier. Tijdens de avonturentocht Het Verloren Medaillon ga je samen met een gids van Staatsbosbeheer op zoek naar dit sieraad. Je maakt een bijzondere speurtocht door het vroegere moeras en komt erachter wat de mysterieuze tekst op het medaillon betekent.

Moostdijk 15 Ospel-Nederweert
0495 – 64 14 97
www.nationaal-parkdegrootepeel.nl

922 KANOSAFARI *Safaripark Beekse Bergen*

Je kan het grootste wildpark van Europa natuurlijk per auto verkennen. Maar als je de dieren langs en in het water echt van dichtbij wil zien, maak je een kanosafari. Je peddelt in een catamaran (die niet kan omslaan) langs de mooiste plekjes van Safaripark Beekse Bergen. Even later sta je oog in oog met neushoorns, ringstaartmaki's en jaks. Onderweg vertelt een parkranger je smeuïge en sterke verhalen over alle dieren. Met een Afrikaanse Braai (barbecue) in het restaurant is je safari he-le-maal compleet!

Beekse Bergen 1 Hilvarenbeek
0900 – 233 57 32 | www.safaripark.nl

923

VERSTEENDE GASBEL *De Steenarend*

Hoe ontstaan mineralen? Wat zijn fossielen en hoe slijp je edelstenen? Je ontdekt het bij de Steenarend: een museum, een slijperij en een winkel ineen. Je ziet hoe de meester stenen op maat slijpt in de slijperij, bewondert prachtige schelpen en komt alles te weten over ruwe en gepolijste edelstenen.

Vier je bij de Steenarend je verjaardag, dan mag je zelfs een geode (een versteende gasbel van een vulkaan) doorzagen. Hard zagen dus!

Strijpsestraat 63/65 Eindhoven
040 – 252 92 83 | www.steenarend.com

924

JE EIGEN ZEEPJE *Bijoux en zeep*

Lekker, zo'n geurig stukje zeep. Maar het is nog lekkerder als je'm zelf hebt gemaakt. Tijdens een kinderfeestje (of een vakantieworkshop) bij Bijoux en Zeep breng je eerst basiszeep op geur en kleur. Daarna giet je de zeep in de door jou gewenste vorm. En als je wil, kun je van alle zelfgemaakte zeepjes nog een mooie zeepketting maken.

Pastoor van Beugenstraat 15 Oisterwijk
06 – 24 76 44 64 | www.bijouxenzeep.nl

925

OP ZOEK NAAR HET OPSTAPPUNT *GPS Kano Adventure*

Het GPS Kano Adventure, een avontuurlijke tocht door natuurgebied De Mapie, is geknipt voor moderne spoorzoekers: zelfs het opstappunt moet je met behulp van je gps zien te vinden. Je banjert door weilanden met koeien en kanoot langs paarse heidevlakten, kabbelende beekjes en schitterende vergezichten. Op naar het volgende routepunt!

Molenstraat 203A Valkenswaard
040 – 204 25 93 | www.rofra.nl

926

DISCO SKATEN *Skate Center Eindhoven*

Hou je van skaten, dansen en stunten? Dan mag je de Roller Disco in Eindhoven niet missen. Terwijl de beats door de speakers knallen, maak jij mooie pirouettes of scheur je over de verschillende schansen of de half-pipe. Elke woensdag, vrijdag, zaterdag en zondag.

Herentalsweg 2 Eindhoven | 040 – 242 26 27 /
06 – 29 36 46 18 | www.skatecenter.nl

927 **SUISBUIS** *Nationaal Zwemcentrum De Tongelreep*

Olympisch kampioenen Pieter van den Hoogenband en Inge de Bruijn trokken er hun baantjes, en ook hun opvolgster, Ranomi Kromowidjojo, voelt zich er als een vis in het water. Gelukkig hoef je geen supertalent te zijn om je te vermaken in De Tongelreep, het grootste zwemcentrum van Europa.

Trotseer de golven in het golfslagbad, maak een rondje in de Turbotol of suis het donker in van de supersnelle glijbaan de Suisbuis. Onderweg zorgen spannende lichteffecten voor een spectaculaire 'vlucht'.
Antoon Coolenlaan 1 Eindhoven
040 – 238 11 12 | www.tongelreep.nl

928 **STRAND BRABANT** *Recreatiepark Aquabest*

De zee is in Brabant ver te zoeken, maar langs de oevers van plas Aquabest hoort 's zomers een lekker strandsfeertje. Ga duiken, pootjebaden en wakeboarden, bouw een zandkasteel en strijk na afloop neer bij

beachclub Sunrise. Laat maar komen, die hittegolf.
**Ekkersweijer 1 Best | 0499 – 36 50 50 | www.
aquabest.nl**

929 **ICEKARTEN** *Sneeuwattractiepark Skidôme*

In Sneeuwattractiepark Skidôme is het altijd winter. Wintersporthuisjes, dennenbomen en sneeuw zorgen voor een sfeervol decor, waarin je heerlijk kan schaatsen, snowboarden of skiën. Ben je 1 meter 40 of langer? Dan kun je je uitleven in een van de spectaculairste wintersporten: icekarten. Scheur als een echte coureur door de bochten, voel de spikes die naar grip op de baan zoeken en luister naar het geluid van knerpend ijs. Na afloop kun je bijkomen in de hottub: een dampend bad in de sneeuw!
**Baanvelden 13 Rucphen | 0165 – 34 31 34
www.skidome.nl**

930 HOOGSLAPER *Vakantiepark Dierenbos*

Je hebt boomhutten die met een paar roestige spijkers aan elkaar hangen. En je hebt het luchtkasteel van Vakantiepark Dierenbos: een vierpersoons-boomhut waarin je kan spelen, eten en slapen. Via de vaste trap bereik je de hut op bijna drie meter hoogte. En vanaf het terras roetsj je via de glijbaan weer in recordtijd naar beneden.

Vinkeloord 1 Vinkel | 0900 – 0200
www.libemavakantieparken.nl/dierenbos

931 REIS OM DE WERELD IN DRIE UUR *Vakantiepark De Bergen*

De Franse schrijver Jules Verne deed tachtig dagen over zijn reis om de wereld. Maar jij kan het nog sneller! In de overdekte avonturenspeeltuin van Vakantiepark De Bergen beland je van het ene Jules Verne-avontuur in het andere. Je geniet van het uitzicht op de grote vulkaan, beklimt een acht meter hoge machinetoren, hangt aan een luchtballon en bestijgt een Afrikaanse olifant. En dan moet het gevecht om de Taj nog beginnen...

Campinglaan 1 Wanroij | 0485 – 33 54 50
www.debergen.nl

932 ZADELUITZICHT *Hoge Bi-fiets*

Ben je langer dan 1 meter 60, weeg je niet meer dan 110 kilo en ben je niet bang om van je fiets te vallen? Dan kun je bij Bike Adventure terecht voor een avontuurlijke tocht op een Hoge Bi-fiets. Deze tweewieler lijkt op de allereerste fiets (met zo'n heel groot voor- en een heel klein achterwiel) maar trapt gelukkig 'modern'. Laat je door je ouders op het zadel helpen, geniet van het uitzicht (en het bekijks dat je onderweg trekt) en vergeet je fototoestel niet!

Koolwijksestraat 15 Herpen (Koolwijk)
0412 – 40 40 96 / 06 – 45 31 45 30
www.bikeadventure.nl

LIMBURG

933 SPANNENDE KREKEN *Subtropisch zwemparadijs Mosaqua*

Aan de voet van de Gulpenerberg vind je Mosaqua, een zwemparadijs waar het altijd zomer is. Je dobbert in spannende kreken, laat je meedrijven in de stroom van een jetstreamer of wacht tot het weer tijd is voor de Maxawave, een golfslag waarop je elk uur kan meedeinen. Roetsj naar beneden op de familieglijbaan of maak een 92 meter lange afdaling in een pikdonkere glijbaan met verrassende licht- en lasereffecten. In het bubbelbad kun je rustig bijkomen van de schrik.

Landsraderweg 11 Gulpen | 043 – 450 74 00
www.mosaqua.nl

934 3D-BATTLE *E-Village Nederweert*

Kun je je eigen games intussen wel dromen? Bij E-Village doe je geheid nieuwe inspiratie op. In dit hightech gamecentrum kun je je uitleven op de coolste en nieuwste games, zoals Lightspace Floor, Game2Move, Virtual Jump Robe.. Daag je vrienden uit voor een 3D-battle, ga levensecht gamen op de Kinect Xbox 360 of zet je spieren aan het werk op de Schaatsgame. Wie zei daar dat gamen ongezond is?

Hulsenweg 14 Nederweert | 06 – 44 91 61 29
www.e-villagenederweert.nl

935 SUPERVLAAI *Bakker Bongers*

Lekker, zo'n Limburgse vlaai. Alleen jammer dat je ouders altijd net de verkeerde bakker uitkiezen. Gelukkig weet jij dit keer waar ze moeten zijn: bij Echte Bakker Bongers in Heythuysen. De vlaaien van Bongers zijn al drie keer uitgeroepen tot de lekkerste van Limburg. Check de kersenvlaai!

Kloosterstraat 13 Heythuysen
0475 – 49 12 72 | www.bakkerijbongers.nl

936 HOOFDLAMPJES AAN! *Nachtsteppen*

De avond is gevallen, maar je bent nog lang niet aan je bed toe. Je hebt zin in iets actiefs: een steptocht door het donkere bos. Geen probleem: bij Nika Actief kun je terecht voor een avontuurlijk avondje steppen en routezoeken. Een lampje op je hoofd en een gps wijzen je de weg door het donker.

Grootdorp 73 Merselo / Merseloseweg 96 Venray | 06 – 19 40 83 37
www.nika-actief.nl/activiteiten/Steptochten/ nachtsteppen.htm

937 KUITENBIJTER *Cauberg*

De Cauberg in Valkenburg is de meest gevreesde Nederlandse 'kuitenbijter': een berg waar je op de fiets bijna niet tegenop komt. Op de steile heuvel zijn al heel wat wielerwedstrijden beslist. Het klimmetje omhoog is niet eens zo lang, maar dé test voor beginnende klimmers: na een paar minuten weet je of je wel of geen klimtalent hebt.

Valkenburg

938 REUZENTRAP *De Meinweg*

Natuurgebied de Meinweg ziet eruit alsof reuzen met de aanleg van een enorme trap zijn begonnen. Drie steile hellingen verbinden verschillende terrassen, waarvan de hoogste op tachtig meter ligt. Tijdens Expeditie Meinweg zoek je aan de hand van foto's je weg door dit uitdagende landschap. Je waagt je in het leefgebied van wilde zwijnen en adders, maar gelukkig krijg je een kompas, een kaart en een speciaal expeditieboek mee.

Meinweg 2 Herkenbosch | 0475 – 52 85 00
www.np-demeinweg.nl

939 RODELEN EN TUBEN *Wilhelminatoren*

Het Zuid-Limburgse stadje Valkenburg heeft iets wat maar weinig Nederlandse steden hebben: bergen. Een kabelbaan met stoeltjeslift brengt je naar de 68 meter hoger gelegen Wilhelminatoren op de Heunsberg. Vanaf de toren heb je niet alleen een fraai uitzicht over het Geuldal, maar kun je ook op alle mogelijke manieren omlaag roetsjen. Glij omlaag langs de touwen van de tokkelbaan, duik in een bobslee van de rodelbaan of probeer de tube: de enige glijbaan waarin je op een autoband naar beneden suist.

Neerhem 44 Valkenburg aan de Geul
043 – 609 06 09 | www.agogovalkenburg.nl

940 DE MAGISCHE VALLEI *Toverland*

Watervallen en mysterieuze grotten, een heel bijzonder stationsgebouw en een interactieve valtoren: in de Magische Vallei, een nieuw themagebied in Attractiepark Toverland, is alles anders dan je verwacht. Maak een expeditie in de woest kolkende River Rapid, ga de strijd aan in de Waterballonnenbattle of maak een *ride* in de d'Wervelwind. De karretjes in deze flitsende achtbaan kunnen draaien, waardoor het steeds een verrassing is welk deel van de baan je voor- of achteruit aflegt.

Toverlaan 2 Sevenum | 077 – 467 70 50
www.toverland.nl/ http://magischevallei.nl

941 STALEN ZENUWEN *De Spookgrot*

Ben je veertien jaar of ouder en heb je stalen zenuwen? Dan moet je je een keer wagen aan een tocht door de spookgrot. In deze grot werd ooit ene Reginald van Valkenburg na een afschuwelijke broedermoord aan zijn lot overgelaten. Zijn geest vindt pas rust als iemand met een 'rein' hart de grotten trotseert. Je gaat met een groep op pad door halfduistere gangen en komt algauw de eerste verschrikkingen tegen. En dan begint de ellende pas goed...

Daalhemerweg Valkenburg aan de Geul
043 – 601 61 42
www.jutenjul.nl/spookgrot

942 DARTEN MET EEN HOOIVORK *Boerendart Geelenhoof*

Sinds de successen van postbode Raymond van Barneveld (Barney) en trambestuurder Co Stompé is darten enorm populair. Helaas zijn sommige darters een regelrecht gevaar voor hun omgeving, maar geen nood: bij Boerendart Geelenhoof kun je terecht voor een vorm van pijltjesgooien waarbij je iets minder goed hoeft te mikken: darten met een hooivork!

Grathemerweg 16 Kelpen | 0495 – 65 18 58
www.geelenhoof.nl

943 OP ZOEK NAAR DE CACHE *Geocaching Reuver*

Geocaching is een combinatie van schatzoeken en de weg vinden. Met een gps-ontvanger ga je op zoek naar de cache, een kastje dat soms op de vreemdste plaatsen is verstopt. Je wandelt door Reuver en beantwoordt onderweg vragen. Heb je alle antwoorden verzameld, dan weet je waar je de schat kan vinden. Nu nog met je gsm de juiste plek zien op te sporen. De geocachewandeling en het gps-apparaat zijn te huur bij vvv Reuver.

Raadhuisplein 1a Reuver | 077 – 474 21 00
www.vvvmiddenlimburg.nl

944 NIEUWE UITVINDINGEN *Continium*

Nieuwe uitvindingen doen in het Science Lab. Met kracht, geluid en transport experimenteren in de Ontdektuin of toekomstige problemen oplossen in het Future Forum Theater. In het Continium (Discovery Center Kerkrade) ontdek je wat wetenschap en techniek voor ons dagelijks leven betekenen. Je ziet een scienceshow in 3D, experimenteert erop los in de Experiment Zone of bekijkt spannende machines die een eeuw geleden hypermodern waren, maar die er nu vooral groot en log uitzien.

Museumplein 2 Kerkrade | 045 – 567 08 09
www.continium.nl

945 ROWWEN HÈZE *Het Limburgs Museum*

Oog in oog staan met levensechte Romeinse soldaten, zelf een glas-in-loodraam ontwerpen of alles te weten komen over het eten van vroeger? In het Limburgs Museum ontdek je steeds weer wat nieuws. Je bewondert jezelf in een van de lachspiegels en maakt een verrassende ontdekkingstocht door de tijd: van de prehistorie naar nu, en van 18e-eeuws dialect naar de teksten van popgroep Rowwen Hèze.

Keulsepoort 5 Venlo | 077 – 352 21 12
www.limburgsmuseum.nl

946 TROSSEN LOS *Minihaven Schutterspark*

Heb je altijd al kapitein willen zijn? In de Minihaven van Schutterspark krijg je eindelijk de kans. Je stapt aan boord van een stoere sleepboot, gooit de trossen los van een Mississippi Radarboot of grijpt het roer van brandblusboot. Even later stuur je zelf je schip over de golven. Je kan ook wachten tot het donker wordt en de lichtschepen en vuurtorens je de weg wijzen – een avontuurlijke tocht met echte bakens.

Heidestraat 2 Brunssum | 045 – 564 13 41
www.minihaven.nl

947 PAS OP JE HOOFD *Grotbiken*

Als je het fietsen bóven de grond wel zo'n beetje hebt gezien, moet je een keer naar de mergelgrotten van Valkenburg. Daar kun je iets doen wat nergens anders in Nederland mogelijk is: grotbiken. Je stapt op een grotbike, die speciaal voor het ondergrondse werk is ontworpen. Daarna duik je veertig meter onder de grond voor een avontuurlijk parcours door mergelgangen en grotten met een laag plafond. Gelukkig hebben de grotbikes een laag frame! In het schijnsel van je fietslamp kun je je voorganger nog net zien. Stevig doortrappen dus.

Daalhemerweg 150 Valkenburg
043 – 601 15 08 | www.aspadventure.nl

948 CARLO EN BÈR *Natuurhistorisch Museum Maastricht*

'Ik loop te kwispelen van blijdschap,' zei paleontologe Anne Schulp. Een dag eerder had machinist Carlo Brouwer tijdens graafwerkzaamheden een enorm fossiel gevonden. Het bleek de kaak te zijn van een dertien meter lange mosasaurus, een reusachtige roofhagedis die hier zo'n zesenzestig miljoen jaar geleden rondzwom. Het prehistorische monster (dat algauw het koosnaampje Carlo kreeg) ligt inmiddels te pronken in het Natuurhistorisch Museum Maastricht, vlak bij soortgenoot Bèr.

De Bosquetplein 7 Maastricht
043 – 350 54 90 | www.nhmmaastricht.nl

949 DINOPANORAMA *GaiaZoo*

Je moet er even voor teruggaan in de tijd, maar ooit was Limburg tropisch warm. De provincie was bedekt door regenwouden waar reuzenlibellen rondvlogen. In Gaia-Zoo reis je van de regenwouden van toen naar de regenwouden van nu. Je ontmoet razendsnelle cheeta's en machtige gorilla's in de Afrikaanse Savanne, spot langharige muskusossen in het hoge noorden en gaat op avontuur in het DinoDome. Klim over wiebelende touwbruggen naar de top van de twaalf meter hoge toren, ga in het Di-noPanorama op zoek naar 25 verschillende dinosaurussen of ontsnap via de glijbaan uit de buik van de Brachiosaurus.

Dentgenbachweg 105 Kerkrade
045 – 567 60 70 | www.gaiazoo.nl

950 ZONDER VRIESMACHINE *Minli Schaatsparadijs*

Schaatsen zonder ijs. Het lijkt een onmogelijke opgave, maar bij Minli Schaatsparadijs kan het. In de hal naast tankstation Minli Strijthagen ligt een vloer van kunststof, waarop je kan ijshockeyen of zwieren zonder dat er een vriesmachine aan te pas is gekomen. Een sfeervolle après-skihut zorgt voor het juiste wintersportgevoel.

Einsteinstraat 3 Landgraaf | 045 – 531 81 70
www.minlischaatsparadijs.nl

951 COSMIC BOWLING *AdventureWorld of Taurus*

Bij AdventureWorld of Taurus is bowlen pure sciencefiction. Een gloed van blacklight beschijnt de bowlingbanen. Begeleid door rook, lichteffecten en swingende muziek slinger je de ballen richting kegels. Bowlingmoe? Dan kun je ook kiezen voor de 3-Dance Adventure Game, de achtbaansimulator of een laserbattle in een van de grootste en spannendste arena's ter wereld.

Rijksweg 181 Velden | 077 – 472 22 74
www.taurusworld.nl

952   HONDERD METER TOKKELEN *Fun Valley Maastricht*

Tokkelen, oftewel afdalen langs een omlaag hangend touw, is een kick voor iedereen die van snelheid en hoogteverschillen houdt. En voor de grootste kick op tokkelgebied moet je bij Fun Valley Maastricht zijn. Daar vind je niet alleen een uitdagende klimwand en een Challenge Parcours, maar ook een tokkelbaan van meer dan honderd meter lang. Hoogtevrees of klimangst? Bij Fun Valley kun je ook terecht in de Mega-binnenspeeltuin, op de Bungeetrampoline, de midgetgolfbaan en het zandstrand. **Oosterweg 5 Eijsden | 043 – 409 44 41 www.funvalleymaastricht.nl**

953   HEKSENKEUKEN *Openluchttheater Valkenburg*

Het Openluchttheater van Valkenburg heeft een onheilspellende bijnaam: de Heksenkeuken. Logisch, want het oudste openluchttheater van Nederland bevindt zich tussen de rotsen waar vroeger de beruchte Bokkenrijders bij elkaar kwamen. Architect Pierre Cuypers (van het Rijksmuseum en het Centraal Station in Amsterdam) bouwde de rotsformatie om tot openluchttheater. 's Zomers zijn er geregeld kindervoorstellingen. **Plenkertstraat 51a Valkenburg 043 – 601 50 44 www.openluchttheater-valkenburg.nl**

954   GEEN MALARIAMUGGEN *Jungle Dome*

Kom je uit de grote stad en vind je dat Limburg al op een jungle lijkt? Dan ben je nog niet in de Jungle Dome geweest. In dit nagebouwde oerwoud, een onderdeel van Centre Parcs Het Heijderbos, is alles groen, mysterieus en exotisch. Je waant je een ontdekkingsreiziger tussen touwbruggen en lianen, steekt ruisende riviertjes over of gaat tijdens een doetocht op zoek naar tropische dieren. Gelukkig heb je geen malariaprik nodig! **Hommersumseweg 43 Heijen 0485 – 49 67 00 | www.dagjecenterparcs.nl**

955 SLUISSPEKTAKEL *Dagtocht Luik*

Een van de leukste dingen die je in Maastricht kan doen, is varen. Niet in Maastricht zelf (ook erg leuk), maar naar Luik. Onderweg vaar je onder meer langs de Sint-Pietersberg en het monument van koning Albert. Maar dé attractie van de vaartocht is de sluis van Ternaaien. Hier wordt je boot maar liefst vijftien meter 'geschut' (door het stijgende water omhoog geduwd) om op het hoger gelegen Albertkanaal te komen. In Luik heb je tweeënhalf uur de tijd; genoeg om de ongelofelijk lange trap van Bueren te beklimmen. En een Luikse wafel te eten natuurlijk.
Maaspromenade 58 Maastricht | 043 – 351 53 00 www.stiphout.nl

956 WIJNVATSLAAPJE *Ezelcamping In 't Niet*

Slapen in een wijnvat. Een tukje doen in een hooimijt. Overnachten in een hoogslaper. Voor een normale slaapplaats moet je niet op Ezelcamping In 't Niet zijn, maar daar trekken de gasten zich natuurlijk niets van aan. Bovendien kun je bij de mini-camping iets doen wat bij een normale camping niet kan: op stap gaan met een ezel. Een rugzak-op-vier-benen, zeggen ze bij In 't Niet.
Dubbroek 5a Maasbree | 077 – 465 41 69 www.intniet.nl

957 KINDERBEELDHOUWEN *Kinderknooppunt 91*

Bij Kinderknooppunt 91 vliegen de stukken ervan af. Letterlijk, want in dit atelier kun je terecht voor een van de bijzonderste kinderfeestjes van Limburg: kinderbeeldhouwen. Je hakt een beeldje uit het steen, beitelt je naam of maakt een sieraad van speksteen. Op naar je eerste expositie!
Burgemeester Janssenstraat 51 Beesel 0475 – 50 42 24 / 06 – 15 02 50 52 www.kinderknooppunt91.nl

958 ALS EEN SPIN AAN EEN DRAADJE *Kliminstuif*

Voor bergbeklimmers valt er in Nederland weinig eer te behalen. Maar bij ROCCA vind je steile wanden in alle soorten en maten. Tijdens de Kliminstuif leer je hoe je voetje voor voetje tegen een rotswand omhoogklimt en weer als een spin aan een draadje naar beneden komt.
Landsraderweg 13 Gulpen | 043 – 450 47 47 www.rocca.nl

959 DOOR KANONSGATEN KRUIPEN *Speelpark Klein Zwitserland*

Als je wil weten hoe de langste buisglijbaan en de hoogste schommel van Europa eruitzien, moet je naar Noord-Limburg. Daar vind je Klein Zwitserland: een park vol uitdagende speeltoestellen, maar ook een avonturenbos en een Romeins kinderzwembad. Kruip door de kanonsgaten in het binnenste van de uitkijktoren in Piratenland. Loop het zintuigenpad of daal door de mijnschacht af naar de Golf Rush, een Adventure Golf in de stijl van het Wilde Westen.

Trappistenweg 35 Tegelen | 077 – 373 15 65 www.skz.nl

960 KALKOEN GEORGE *Kasteelpark Born*

Eigenlijk is kasteelpark Born geen kasteelpark. Het kasteel is al lang een ruïne (het gebouw ging tachtig jaar geleden in vlammen op) en het park heeft meer weg van een dierentuin. Waar ooit adellijke dames een luchtje schepten, scharrelen nu nandoes en alpaca's rond. De herten in het park hebben zelfs gezelschap gekregen van roofdieren en apen. Spot wandelende takken en gifkikkertjes in het Insectarium, bewonder de ontsnapte (maar weer teruggevonden) poolvos en maak kennis met kalkoen George: een stoere kerel die mooi is van lelijkheid.

Kasteelpark 38 Born | 046 – 485 1950 / 06 – 42 70 52 10 | www.kasteelparkborn.nl

961 RIDDERS & ROVERSPAD *Kasteelse Bossen*

Vroeger waren de ridders en rovers in de Kasteelse Bossen elkaars vijanden. De rovers leefden van alles wat de natuur te bieden heeft. De ridders wilden juist dat de rust in het bos niet werd verstoord (en waren bang dat er niets meer te schieten overbleef voor de eendenjacht). Op het Ridders & Roverspad kom je niet alleen alles te weten over ridders en rovers, maar ook over de natuur in de Kasteelse Bossen en de ruïne van Kasteel ter Horst. Gemarkeerd met houten palen met dierengezichten.

Kasteellaan 1 Horst

962   WILD WATER *Kajakken op de Grensmaas*

Voor het echte 'witte schuim' moet je naar de Coloradorivier. Toch vind je ook in Nederland wild water. Bijvoorbeeld op de Grensmaas, de natuurlijke grens tussen Nederland en België. Op de rechteroever – de Belgische kant – kun je starten voor een avontuurlijke kajaktocht, zonder sluizen en ander scheepvaartverkeer. Je peddelt stroomafwaarts en doorkruist een fraai natuurgebied; met een beetje geluk kun je op de steile Maasoevers een ijsvogel zien broeden.

00 32 89 71 73 90 | www.kajakmaasland.be

963   DIEPE DUISTERNIS *De Fluweelengrot*

Halverwege de rondleiding door de Fluweelengrot doet de gids zijn zaklamp even uit. De duisternis duurt nog geen halve minuut, maar als je niet goed tegen benauwde ruimtes kan, is dat al ondraaglijk lang. Zeker als je daarvoor akelige verhalen hebt gehoord over mijnwerkers in ingestorte gangen (tip: gebruik bij paniek het schermpje van je mobieltje als licht). Des te fijner is het moment waarop de gids zijn lichtbundel weer over de wanden laat schijnen en de ondergrondse schatten belicht: indrukwekkende wandschilderingen, vreemde beeldhouwwerken en een romantische kapel uit de Franse tijd. Denk aan de fooi!

Daalhemerweg 27 Valkenburg aan de Geul
043 – 82 00 040 | www.kasteelvalkenburg.nl

964   BERGBOEMELEN *Miljoenenlijn*

Voor een treinrit door de bergen moet je algauw naar Oostenrijk of Zwitserland. Maar een ritje over de Miljoenenlijn komt aardig in de buurt. Tussen Simpelveld en Bocholtz waan je je in een buitenlandse bergstreek. Klimmend over het steile spoorlijntje reis je terug naar de tijd dat de stoker bang was dat de ketel van zijn locomotief oververhit raakte. Onderweg maak je kennis met de mooiste treinstellen die in Europa hebben rondgereden. Zoals het Pullmanrijtuig, dat ooit deel uitmaakte van de beroemde Oriënt Express.

Stationstraat 20-22 Simpelveld
045 – 544 00 18 | www.zlsm.nl

10 X SPEELBOSSEN

Hutten bouwen, de perfecte klimboom uitzoeken en ontdekken dat een spin geen zes maar acht poten heeft. In speelbossen kom je alles over de natuur te weten. De oplossing voor té schone kleren en te veel energie.

965 SPEELBOS SPARJEBIRD

Loop de greppelroute, bedwing de drie verschillende touwbruggen of klieder met water bij de waterpomp. Er is ook een echte klimboom.
Hemrik | www.staatsbosbeheer.nl

966 HET BELEVENISSENBOS

Het grootste en avontuurlijkste speelbos van Nederland.
Veldweg 98 Lelystad | www.belevenissenbos.nl

967 SPEELBOS DE ELZEN

Verstoppertje spelen in wilgentunnels, een hut bouwen of kliederen met water.
Oude Veenweg Dordrecht | www.np-debiesbosch.nl

968 SPEELBOS HET HAZENWEITJE

Speelplek midden in het bos met natuurlijke klimtoestellen, een hangbrug, een waterpomp en een insectenhotel.
Cornelis Visserpad Schiermonnikoog
www.natuurmonumenten.nl/nationaal-park-schiermonnikoog

969 SPEELBOS LIONS

Avontuurlijk speelbos met een fort, een kabelbaan en een touwbrug.
Kruising Niervaartweg / Molenvliet Klundert | www.staatsbosbeheer.nl

970 SPEELBOS SCHRIEVERSHEIDE

Met takken slepen, hutten bouwen en daarna je bouwwerk camoufleren. Direct naast de sterrenwacht.
Schaapskooiweg 95 Heerlen
www.schrieversheide.nl

971 ZUIDERZEESPEELBOS

Leef je uit op de waterspeelplek, de eilandjes, het trekpontje en een half gezonken schip.
Kemphaanpad 10 Almere | www.staatsbosbeheer.nl

972 SPEELBOS 'T LAER

Natuurlijk speelterrein met een speelkuil, klimbomen, een boomstronkenpad en een beekje. Voor ouders is er een picknicktafel.
Oude Postweg 1 Laren | www.gnr.nl

973 SPEELBOS DE KLEINE WATERLINIE

Stoer speelbos met een echt speelfort, soldaten en kanonnen. In het Lingebos.
Haarweg Vuren | www.staatsbosbeheer.nl

974 SPEELBOS ROBIN HOOD

Haags avonturenbos in Robin Hood-stijl. Met een kabelbaan, een hangbrug en een klimwand.
Bezuidenhoutseweg of Boslaan Den Haag
www.staatsbosbeheer.nl

975 ROZENDORP *Lottum*

Lottum is het rozendorp van Limburg. Maar liefst zeventig procent van alle Nederlandse rozen komt uit het Noord-Limburgse dorp. Rondom Lottum vind je uitgestrekte kassen, waar rassen als de Amber Queen en de Cheshire Requirement uit de grond schieten. Een speciale rozenfietsroute voert je 's zomers door de bloeiende velden. In de theeschenkerij van landhuis De Maashof kun je je tussen mei en september tegoed doen aan rozentaart, rozenthee of een pannenkoek met rozenjam.

Lottum | www.rozendorp.nl

976 DODENSTAD *Romeinse catacomben*

De Romeinen vonden dat je doden niet hoorde te begraven. Maar sommige Romeinse gelovigen legden in het geheim onderaardse ruimtes – catacomben – aan waar ze hun familieleden begroeven. De architect Pierre Cuypers was zo onder de indruk van de Romeinse catacomben dat hij in een mergelgroeve in de Cauberg een complete dodenstad nabouwde. Met een gids kun je afdalen in dit ondergrondse labyrint, met zijn eindeloze rijen graven, beeldhouwwerken, marmeren gedenkplaten en kapellen. Je kan er trouwens ook trouwen.

Plenkertstraat 55 Valkenburg aan de Geul
043 – 601 25 54 / 06 – 51 16 78 56
www.katakomben.nl

977 ZELF VLAAIEN BAKKEN *De Bisschopsmolen*

Bakker worden in drie uur en ook nog eens de deur uit gaan met een zelfgebakken Limburgse vlaai. Dat kan bij De Bisschopsmolen in Maastricht. Je kijkt eerst rond in de oudste nog werkende watermolen van Nederland en leert daarna de geheimen van een goede vlaai: verse ingrediënten, bakkerskunst en veel liefde.

Stenenbrug 1-3 Maastricht | 043 – 327 06 13
www.bisschopsmolen.nl

978 KETTINGBOTSING *Kinderstad*

Heb je nog nooit een klimvulkaan beklommen? Niet in een boomstam de wildwaterbaan afgedaald? Dan ben je blijkbaar nog niet in Kinderstad geweest. In dit overdekte speelparadijs vind je genoeg attracties om jezelf een dag lang te vermaken. Wurm jezelf door een doolhof vol met touwen, veroorzaak een kettingbotsing met je botsauto of roetsj van de achtbaan in het water. Handdoeken mee!

Parallelweg 4 Heerlen | 0455 – 71 72 52
http://test.kinderstad.nl

979   WALL OF FAME *De Amstel Gold Race Xperience*

Joop Zoetemelk, Erik Dekker en Michael Boogerd wonnen hem, maar ook Fränk Schleck en Philippe Gilbert kwamen er als eerste over de streep. De Amstel Gold Race is dé wielerwedstrijd van Nederland. In de Amstel Gold Race Xperience beleef je opnieuw alle hoogte- en dieptepunten van de koers. Zoals de keer dat Jan Raas een stuk zeep naar het hoofd van winnaar Bernard Hinault gooide. Je bekijkt een indrukwekkende maquette van het Limburgse Heuvelland, ziet oude filmbeelden en bewondert een wall of fame met alle Amstel Gold Racewinnaars. Inclusief Raas en Hinault.
Plenkertstraat 50 Valkenburg aan de Geul
043 – 601 82 67 | www.amstelgoldracexp.nl

980   KASTEELBOWLEN *Kasteel Limbricht*

Of je nou bij blacklight, discolicht of gewoon kunstlicht bowlt: alle bowlingbanen lijken een beetje op elkaar. Behalve de bowlingbaan van Kasteel Limbricht. Die ligt in een prachtige middeleeuwse zaal, die meteen herinneringen oproept aan ridders en jonkvrouwen. Je bindt de strijd aan op een spannend toernooiveld van zes banen en slingert je bal naar de achterwand. Gelukkig is de baan gemoderniseerd en hoef je je kegels niet meer zelf rechtop te zetten.
Allee 1 Limbricht | 046 – 451 44 44
www.kasteellimbricht.nl

981   MERGELCARVEN *Grottenatelier*

In Zuid-Limburg kun je heel wat dingen onder de grond doen. Zoals feesten, grotbiken, paintballen en... beeldhouwen. In het Grottenatelier leef je je met raspen en krabbers uit op mergel, het bouwmateriaal waarvan veel Zuid-Limburgse huizen zijn gemaakt. Dit kalkachtige steen, ontstaan uit miljoenen jaren oude schelpen, is zo zacht dat je er gemakkelijk vormen in uit kan hakken. Tijdens een kinderworkshop bij Mergel Carving leer je de kneepjes van het vak.
Grendelplein 13 Valkenburg | 045 – 524 34 01
www.mergelcarving.nl

982 ONDERGRONDSE OORLOG *Kazematten*

De kazematten van Maastricht zijn niet de vrolijkste plek die je je voor kan stellen. Toch hebben ze de stad heel wat ellende bespaard. Het netwerk van gangen en mijngalerijen diende tijdens een beleg als ondergrondse sluiproute, waardoor de Maastrichtenaren hun vijand in de rug konden aanvallen. Tijdens een rondleiding door de kazematten loop je langs koepelgewelven, kruitkamers en bomvrije ruimtes.

043 – 325 21 21
www.maastrichtunderground.nl

983 PERISCOPEN EN ZEEPBELLEN *Ithaka Science Center*

Je eigen stuwdam bouwen in de Waterwereld, een zeepbel over je heen trekken in de Bezige Bijenhoek of de kracht van het water ontdekken in De Waterval. Bij Ithaka Science Center leer je spelenderwijs alles over technologie en wetenschap. Je speelt met de lachende dolfijn, bekijkt je omgeving door een periscoop, lanceert lucht en laat de wereld rinkelen. Een vrolijke ontdekkingstocht voor kinderen en ouders.

Raadhuislaan 11 Tegelen | 077 – 321 01 01
http://myithaka.nl/ithaka

984 ZONNEBRIL MEE! *Thorn*

Het Midden-Limburgse plaatsje Thorn staat bekend als het witte stadje. 's Zomers zijn de witgekalkte gevels zo oogverblindend dat je er haast niet zonder zonnebril kan rondlopen. De witte huizen zijn het gevolg van armoede. Toen de adellijke dames, die eeuwenlang in Thorn de baas waren, door de Fransen werden verjaagd, zat het stadje ineens zonder geld. Om het dorpje geen armoedige uitstraling te geven werden alle gebouwen gewit met het goedkoopst beschikbare materiaal: witte kalk. Die gewoonte wordt tot op de dag van vandaag in ere gehouden. Het eigen legertje en de eigen munteenheid (Thorn was ooit een soort ministaatje à la Andorra) bestaan helaas niet meer.

Wijngaard 8 Thorn | 0475 – 56 10 85
www.vvvmiddenlimburg.nl

985 AARDBEIENAPOTHEEK *Aardbeienland*

In Aardbeienland heb je de zomerkoninkjes voor het grijpen. Je neust rond in de aardbeienapotheek, je ziet hoe de plukkers 's zomers de verse oogst binnenhalen of scharrelt zelf een toetje bij elkaar op de zelfplukvelden. En na een paar sappige verhalen van kabouter Senga wordt die Limburgse vlaai met verse aardbeien wel erg verleidelijk...

Kreuzelweg 3 Horst | 077 – 397 02 16
www.aardbeienland.nl

986 BOOMPJE KLIMMEN *Fun Forest*

Wordt de gemiddelde klimboom al wat te laag voor je? Dan moet je snel naar Fun Forest. In het oudste klimpark van Nederland vind je negen verschillende parcoursen met onderdelen als tokkelbanen, hangbruggen, de Wiebelbrug en de snowboardglijbaan. Het zwarte parcours, met klimwand en tweevoudige swing, is voor de échte profs.

Trappistenweg 35 Tegelen | 077 – 326 09 02
www.funforest.nl/venlo

987 SLANGEN ZOEKEN *Adriaan de Adderroute*

Ben je niet bang voor slangen? Dan moet je een keer de Adriaan de Adderroute lopen. Je gaat op pad in De Meinweg, een gebied met 'buitenlandse' hoogteverschillen. Bij vertrek krijg je een koffertje mee vol spullen en leuke opdrachten. Verzamel waterdiertjes, meet de hoogte van de bomen of kijk welke dieren in de struiken leven. Misschien zie je wel een adder... Vertrek bij bezoekerscentrum De Meinweg.

Meinweg 2 Herkenbosch | 0475 – 52 85 00
www.np-demeinweg.nl

988   LUCHTFIETSEN   *Pretpark De Valkenier*

Je kan waterglijbaan de Cobra natuurlijk links laten liggen, de rondvlucht in de Dancing Queen aan je voorbij laten gaan of zelfs helemaal niet naar binnen stappen bij Pretpark De Valkenier. Maar dan mis je wel een hoop spetterende binnen- en buitenattracties. Zoals de achtbaan, het spook-kasteel en het jazzdance-orgel. Fiets door de lucht in de Airwolf Helicopter, maak een safaririt langs wilde dieren en lach jezelf uit in de lachspiegels. Het voordeligste pretpark van Europa.

Koningswinkelstraat 53 Valkenburg
043 – 601 22 89 | www.pretpark-de-valkenier.nl

989   OP JE TENEN...   *Blotevoetenpark*

Sinds de uitvinding van de schoen zijn onze voeten helemaal niets meer gewend. Maar in het Blotevoetenpark ga je weer helemaal terug naar de natuur. Je loopt op blote voeten over een van de twee wandelroutes. Onderweg kun je niet alleen voetenspelletjes doen, maar ervaar je ook hoe verschillende soorten ondergrond onder je voeten voelen: verend mos, grillige boomschors en vette klei. Sluip over het Obelixpad, verken de Hinderniscirkel of ga op avontuur met de Nature Man. Aan het einde is een schoonspoelplek!

Ganzepool 6 Brunssum | 06 – 38 20 63 03
www.blotevoetenpark.nl

990   DOWN UNDER   *Grotten van de Sint-Pietersberg*

Napoleon en de Hertog van Alva krasten er hun namen in de wand en Rembrandts 'Nachtwacht' werd er tijdens de oorlog verstopt. De grotten van de Sint-Pietersberg vormen een geheimzinnige ondergrondse stad. Tijdens een rondleiding neemt een gids je mee naar dit ondergrondse labyrint, dat uit meer dan twintigduizend gangen bestaat! Je daalt af in een wereld waar je mobieltje geen bereik geeft en bewondert schuilplaatsen uit de Tweede Wereldoorlog en een kapel. Reserveren bij de vvv.

Luikerweg 71 | 043 – 325 21 21
www.maastrichtunderground.nl

991 METEORIET TE KOOP *Sterrenwacht Limburg*

Bij Sterrenwacht Limburg kun je niet alleen de hemel verkennen, maar ook films zien over ruimtevaart, sterrenkunde en verdwenen sterren. Bewonder schaalmodellen van raketten, kijk door een antieke telescoop naar verre nevels of neus rond tussen de bijzondere sterrenkundige spulletjes in de winkel. Zoals eclipsbrillen, plasmabollen en meteorieten.
Schaapskooiweg 95 Heerlen | 045 – 820 00 64
www.sterrenwacht.nl

992 BERGAF SKATEN *Skiken in Beek*

Vergeet skaten en skeeleren. De nieuwste schaatssport op wieltjes heet skiken. Skiken – een mix van skaten, biken en skiën – doe je op wieltjes met kleine rubberen luchtbandjes. Daardoor rol je net zo soepeltjes over onverharde veldwegen als over het asfalt. Na een kennismakingsles bij Coen Theelen Skikes weet je er alles van.
**Achter de Beek 3 Beek | 046 – 428 06 06 /
06 – 18 21 98 03 | www.skikeninbeek.nl**

993 RAADSELS ONTRAFELEN *Letterbox-party*

Een ruig verjaardagsfeestje in de natuur. Dat is de Letterbox-party bij bezoekerscentrum Brunssummerheide. Je gaat met een gps op pad en probeert onderweg het raadsel van de mysterieuze Landgraaf te ontrafelen. Maar voor die zijn geheim prijsgeeft, moet je eerst een paar pittige denk- en doepuzzels oplossen. Met de antwoorden vind je de weg naar de letterboxen: geheimzinnige bussen die in de grond zijn begraven.
Schaapskooiweg 99 Heerlen | 045 – 563 03 55
www.natuurmonumenten.nl

994 DOOR DE TRALIES *Adventure Golf*

Vanbuiten ziet het Pakhuis eruit als een gewoon restaurant. Maar op de bovenverdieping vind je een van grootste verrassingen van Roermond: Adventure Golf. In deze wonderlijke midgetgolfbaan speel je tussen kunstenaars, uitvinders en circusartiesten. Je mept je bal tussen de tralies van een leeuwenkooi, omzeilt een olifant die midden op de baan staat en betreedt een aardedonkere goochelaarsruimte. Al snel lichten de banen op in magisch blacklight...
Roersingelpassage 36 Roermond
0475 – 42 07 81 | www.adventure-golf.nl

995 ONTDEKKINGSREIS

Familiepark Mondo Verde

Een Russische datsja, een Chinees miniatuur-landschap en een Oostenrijkse klimwaterval: in Mondo Verde loop je niet alleen langs de mooiste tuinen van de wereld, maar ontmoet je ook de dieren die er leven. Je leeft je uit op 'attracties' zoals een houten touwvlot, bots-auto's en een achtbaan, bewondert kaaiman-nen en toekans of reist terug in de tijd naar het Dinofauna. Metershoge dinosauriërs staren naar je vanuit de hoogte. Het lijkt wel een beetje op Jurassic Park...

Groene Wereld 10 Landgraaf | 045 – 535 01 61
www.wereldtuinenmondoverde.nl

996 SPUITENDE WATERMUREN *Labyrint Drielandenpunt*

Bij het Drielandenpunt raken de grenzen van Nederland, België en Duitsland elkaar. Een paaltje op de top van de Vaalserberg (het hoogste punt van Nederland) geeft aan dat je elk moment het buitenland in kan lopen. Heb je dat een paar keer gedaan, dan kun je jezelf nog verder in de war brengen in het Drielandenlabyrint,

Europa's grootste doolhof. Je dwaalt rond tussen hoge hagen en passeert spontaan spuitende watermuren. Zorg dat je op tijd vertrekt: de gemiddelde bezoeker zoekt ruim dertig minuten naar het middelpunt!

Viergrenzenweg 97 Vaals | 043 – 306 52 00
www.drielandenpunt.nl

997 VOORUIT MET DE GEIT *Pipowagen-de-luxe*

Slapen in een pipowagen met de luxe van een vijfsterrenhotel. Het kan op bui-tengoed De Gaard. De pipowagen ziet er vanbuiten uit als een gewone woonwagen, maar heeft allerlei luxe snufjes aan boord. Zoals tv/dvd, elektrisch verstelbare bed-den en een houtgestookte hot-tub. Wil je je verblijf nog verder opleuken, dan kun

je kennismaken met de knuffelgeitjes van boer Frank (bekend van *Boer zoekt Vrouw*). Je krijgt een zakje ontbijt voor de geit mee, bezoekt de skybox van de nabijgelegen geitenfarm en ontdekt de tien verschillen tussen de geitjes.

Heythuysen, gemeente Leudal
www.pipowagendeluxe.nl

998   ZWART GOUD *Steenkolenmijn Valkenburg*

De steenkolenmijn van Valkenburg is alweer veertig jaar gesloten. Nou ja, niet helemaal, want je kan de vroegere mijn nog altijd bezoeken. Je reist terug naar de tijd dat mijnwerkers in het duister afdaalden en kijkt rond in mysterieuze ondergrondse ruimtes. Nadat je een film over de mijnbouw hebt gezien, neemt een ex-mijnwerker je mee in de wereld van het 'zwarte goud'. Een ondergronds avontuur voor jong en oud.

Daalhemerweg 31 Valkenburg
043 – 601 24 91 | www.steenkolenmijn.nl

999   WILD WATER *Aqua Mundo*

Gelanceerd worden vanaf de wildwater-baan. Naar de lianen staren in het koraal-bad of snorkelen tussen tropische vissen. Een bezoek aan Aqua Mundo, het zwem-paradijs van Centre Parcs Het Heijderbos, staat garant voor een spetterend dagje uit. Laat je meedeinen op de golven, leef je uit op een van de watergames en 'doe' de afda-ling van de steile waterpiste. Na afloop op adem komen in het Aqua Café.

Hommersumseweg 43 Heijen
0485 – 49 67 00 | www.dagjecenterparcs.nl

1000   RIDDERAVONTUUR *Kasteel Hoensbroek*

De meeste middeleeuwse legertjes lieten kasteel Hoensbroek lekker links liggen (als ze de metersdikke kasteelmuren zagen, lieten ze hun ideeën over een belegering meestal spontaan varen). Een bezoek aan de waterburcht voert je in recordtijd terug naar de middeleeuwen. Je schrijdt door de prachtige balzaal, beklimt de zestig meter hoge middeleeuwse uitkijk- en ver-dedigingstoren of maakt de Ridder Hoens KaSpeelTocht. Met de sleutel die je mee-krijgt, kun je onderweg alle schatkisten openmaken.

Klinkertstraat 118 Hoensbroek
045 – 522 72 72 | www.kasteelhoensbroek.nl

REGISTER

OOST
OVERIJSSEL

714 HEKS OF GEEN HEKS?
De Heksenwaag

715 PERSOONLIJKHEIDSTEST
De Wonderkamers

716 ZONDVLOEDBESTENDIG
De Ark van Noach

717 EIGEN TOETJE
XO Woerden

718 HAND- OF VOETAFDRUKKEN
Walk of Fame Star Boulevard

719 OUDER-KINDCIRCUSLESSEN
Circaso

720 EIGEN BOEKET
De Sfeerstal

721 ZEEHONDJES SPOTTEN
Zandmotor

722 BEHEERSBARE GOLVEN
Brandingkajakken

723 ZELF REGEN MAKEN
Aquarama

724 WILDE WATEREN
Dutch Water Dreams

725 IN DE WOLKEN
Euromast

726 PLAATS DES ONHEILS
Prinsenhof

727 ZEETUNNEL
Diergaarde Blijdorp

728 DE KUIP
Feyenoord Kids Tour

729 SCHNOEPWINCKEL
Museum in den Halve Maen

730 BALLENPLAFOND
Science Centre Delft

731 KRUIP-DOOR-SLUIP-DOOR-EILAND
Natuureiland Tiengemeten

732 KUNSTSTUKJES
Vliegerfestival

733 BIOS 1.0
Toveren met Licht

734 HUIS VAN HET BOEK
Museum Meermanno

735 CHOCOLADEFEEST
Villa Kabaal

736 SMURFENSNOT
De Kinderwerkplaats

737 HET RIJK VAN HEEN EN WEER
Museum voor Communicatie

738 READY FOR TAKE-OFF?
Boeing 737-800-simulator

739 WATERDEUREN
Maeslantkering

740 WATERSKIËN ZONDER BOOT
Wet 'n Wild

741 HUGO'S BOEKENKIST
Vesting3hoek

742 TE GAST OP EEN ZEILREUS
Rotterdams Welvaren

743 APPELBOOMPJE WINNEN!
Landgoed de Olmenhorst

744 GROOTMOEDERS POFFERTJES
In de Salon

745 KINDERGOLF
Swingaway Den Haag

746 KOUD KUNSTJE
Zelf ijs maken

747 STERKE VERHALEN
De Snerttram

748 ZWAAIEN MAAR
De route van de Gouden Koets

749 BALKON IN DE WOLKEN
Haagse toren

750 DURE DIEREN
Het schildpaddencentrum

751 ETEN UIT EEN SCHATKIST
Piratenrestaurant de Zwarte Zwaan

752 LORRIES EN MIJNWAGENS
Nationaal Smalspoormuseum

753 BEESTENBOEL
NAi

754 VLAGGENSTOKLICHTJES
De Vlaggenparade

755 KLEDDERNAT
Bananenboot

756 ONTDEKKINGSGROT
Avonturia

757 DEKKING!
Lasergame Rotterdam

758 JE EIGEN KUNSTWERK GOOIEN
Paint Creations

759 ONTBIJT OP HOOGTE
Overnachten op de Monte Cervino

760 HOOFD IN DE WOLKEN
Luchtsingel Rotterdam

761 WILDE BEESTEN BESLUIPEN
Ouder-kindsurvival

762 SAMPAN VAREN
De Chinese Schouw

763 UNIEKE TONG
Corpus

764 ROMEINSE MASSAGE
Archeon

765 OP ZIJN PUNT
Kubuswoning

766 GLIJBANENPARADIJS
Tikibad

767 POWERPLAY
IJshockeyworkshop

768 TIJDREIS-APP
Ridder Dooleind

769 KAMPVUREN EN TUNNELS
De Speeldernis

770 STENEN BLIKSEMSCHICHT
Naturalis

771 REISTROFEEËN
Wereldmuseum Rotterdam

772 KINDERBEVERTOCHT
Biesboschcentrum Dordrecht

773 IJSKLIMMEN
Bever Ice Wall

774 GEHEIM AGENTEN
Crash Museum 40-45

775 SCHEDELKRAKERS
Het Steen

ZUID
ZEELAND

776 HORROR EN VOETBAL Nationaal Voetbalmuseum de Voetbal Experience

777 BIKESPEAKERSTORIES
Belevend Fietsen

778 KANODUIKEN
Kanoa Buitensport en recreatie

779 WANDELEN MET EZELS
Ezelhuis het Stroodorp

780 DOKTERVISJES
Utropia

781 CARROUSEL
Fun & Games

782 HAAIENTANDEN ZOEKEN
Cadzand-Bad

783 ZEESCHEPEN AANRAKEN
Portaal van Vlaanderen

784 GROEDE PODIUM
Bunkers Atlantikwall

785 ALLES STROOMT
Panta Rhei

786 SPANNENDE NATUURPADEN
Natuuractiviteitencentrum Renesse

787 175 KILO LEGO
Blokje bij Blokje

788 TRAMNOSTALGIE
Museum RTM Ouddorp

10X MUSEA & BIJZONDERE GEBOUWEN
....

789 **MUSEUM SLOT ZUYLEN**
790 **KASTEEL DUSSEN**
791 **KASTEEL GROOT BUGGENUM**
792 **KASTEEL DOORNENBURG**
793 **KASTEEL DOORWERTH**
794 **KASTEEL AMMERSOYEN**
795 **HUIS DOORN**
796 **KASTEEL AMERONGEN**
797 **SLOT ASSUMBURG (STAYOKAY HEEMSKERK)**
798 **RUÏNE VAN TEYLINGEN**

799 OOG VAN DE LEEUW
De Victoriadoolhof

800 UITWAAIEN
Orkaanmachine

801 ZEEUWS MEISJEPORTRET
Foto Schuilwerve

802 DELTAKLIMWERK
Klimcentrum De Pijler

803 POLKABROKKEN
Wienkeltje van Wullempje

804 PLAKJE STRUISVOGELCAKE
Struisvogelboerderij Monnikenwerve

805 PAARDENTRAM
Stalhouderij Labrujère-Boone

806 ZWARTGELDWITWASMACHINE
Museumcafé Het Koekoeksnest

807 NIKS ZIELIGS AAN...
Reptielenzoo Iguana

808 DUIKSCHANS
Waterjump Brouwersdam

809 VLIEGENDE OUDJES
Flying gyrocopters

810 VIP-TREATMENT
Zeeuws planetarium

811 GROEN EN HOOG
Natuurinformatiepunt/Trampolinecentrum

812 ZONNEVLAMMEN KIJKEN
Volkssterrenwacht Philippus Lansbergen

813 DUIVELSE STREKEN
De Vliegende Hollander

814 HAAIEN AAIEN
Het Arsenaal

815 SPEEDY EN BLIKSEM
Five Star Farm

816 ALS EEN ECHTE COUREUR
Quadcrossen

817 SUBTROPISCHE VERRASSING
Fort den Haak

818 MAANTJE BLUSSEN
De Lange Jan

819 STOERE VERHALEN
Klimavontuur Middelburg

820 HEEN EN WEER...
Rondje met een pontje

821 MAMMOETMELKSLAGTANDJE
Terra Maris

822 GULDENMONUMENT
Vuurtoren van West-Schouwen

823 BUITENDIJKSE PLEKKEN
Natte Laarzentocht

824 NOODWONINGEN
Watersnoodmuseum

825 LEKKAGE
De watertoren van Oostburg

826 SLANG OM JE NEK
Berkenhof's Tropical Zoo

827 OOK VOOR ETEN!
Strand Café DOK

828 VERDEDIGINGSLINIE
Bunkerroute

829 ARME MEERMIN
De Plompe Toren

830 BOEMELEN DOOR DE ZAK
Stroomtrein Goes en Borsele

831 ZWEMMEN TUSSEN DE HAAIEN
Neeltje Jans

832 ZEELAND IN TIEN MINUTEN
MiniMundi

833 PANNENKOEKENGOURMET
Pannenkoekenmolen De Lelie

834 BRUINVISSEN BETRAPPEN
835 FLUITCONCERT
Windorgel

836 GEBOUWENGOLF
De Afslag

837 AARDEN WALLEN
Retranchement

838 SLIMME STREKEN
Het Reynaertmysterie

839 KRUIPEN EN SLUIPEN
Smokkelpad Eede

840 KANEELSTOKKEN EN PRUIMTABAK
Het Vlaemsche Erfgoed

NOORD-BRABANT
....

841 18 HOLES EXPEDITIE
Adventuregolf

842 IN DE COCKPIT
Museum voor Vluchtsimulatie

843 STOFNESTEN
Breda's Museum

844 CALIMERO
Safaripark Beekse Bergen

845 GEEN SPIJKERS EN SCHROEVEN
Eco Klimbos Helvoirt

846 SLURPEN MAG
T-huis

847 KONING KYRIË
Op zoek naar kabouters

848 KNOEIEN MAG
Villa DubbelBont

849 GEEN CHIMPANSEEPOEP
Circo Circolo

850 VINCENTS HOTSPOTS
Vincentre

851 VALSE SPOREN
Smokkelaarsroute

852 UITRUSTADRESJE
Het kasteel van Sinterklaas

853 PEDDELEN OVER DE GLIJBAAN
Rondje Boxtel

854 BOERENKLUSSEN
Stoomcursus Boer(in)

855 DE NIEUWE BRANDTOREN
Outdoorpark Reusel

856 VOLLE KRACHT VOORUIT
Picknickboot

857 KINDEROPGIETING
Sauna De Thermen

858 HAREN OVEREIND
Spooktocht

859 GROTTENSCHAATSEN
Sportiom

860 VRIJE VAL
Indoor Skydive

861 BOSWANDELING 2.0
Op stap met de Portable Boswachter

862 20 SECONDEN BEROEMD
Between You & Me

863 NATTE BOEL
Waterspeelpark Splesj

864 ANTIEK SNOEP
Kempisch Bakkerijmuseum

865 DRANKJES MIXEN
Likeur & Frismuseum

866 ONDERGRONDS LABYRINT
SterrenStrand

867 BOZE GRIET
Bastionder

868 SPIEDEN ONDER HET ZAND
Metaaldetectortocht

869 BLOTE VOETENPAD
Toon Kortooms Park

870 NOORDPOOLDECOR
Glowgolf Rucphen

871 BEDEVAARTSOORD
Michael Jacksonbeeld

872 SLAPEN IN SPROOKJESSFEER
Efteling Hotel

873 BANGE OUDERS
Familiepark Aquabest (Dippie Doe)

874 OO – ZONE
Natuurmuseum Brabant

875 BOTER, KAAS EN…
Kamelenmelk

876 KERMISATTRACTIES
De Markiezenhof

877 COOLE LIJNEN
Cartoon- en striptekenen

10X ETEN, DRINKEN & FEESTEN
••••••••••••••••••••••

878 DE IJSSALON
879 IJSSALON CAPPELLO GIALLO
880 IJSSALON CEPPO
881 DE HOOP
882 WINZO IJSFABRIEK
883 IJSSALON GARRONE
884 LUCIANO IJSSALON
885 IJSSALON FLORENCE NEDERWEERT
886 IJSSALON VANDERPOEL
887 IJSSALON FIORIN

888 KINDERSURVIVAL NR. 1
Steketee Outdoor Centrum

889 BOSSCHE BOLLEN
Bolwoningen Maasspoor

890 LUCHTVAARTNOSTALGIE
Vliegend Museum Seppe

891 HEMELAYA
BillyBird Park Hemelrijk

892 KAMPEERVLOT
Akkermans Outdoorcentre

893 FRUITFEESTJE
De Sprankenhof

894 OP ZOEK NAAR DE SCHAT
Roversbende de Witte Veer

895 IJZERTOREN
Kasteel Heeswijk

896 REUZENKEGELS
Flying Pins

897 BEGRAFENISSTOET
Tilburgse kermis

898 AARDBEIENKNIPDIPLOMA
Het Aardbeienterras

899 BELEVEN EN BALANCEREN
Beleefpad-Witrijt

900 ONDER DE GROND
Klimcentrum Neoliet Tilburg

901 PAS OP JE OUDERS
Restaurant 't Spoor

902 ONDERGRONDS
Vaartocht over de Binnendieze

903 STAD OP Z'N KOP
Oeteldonks Gemintemuzejum

904 NET ALS EINSTEIN
De Ontdekfabriek

905 ACHTERGEBLEVEN BUIT
De schat van de Bokkenrijders

906 DANSENDE GRAFSTENEN
Mini Efteling

907 CHEETAH SHELTER
Zoo Parc Overloon

908 DROGE VOETEN
Mossige Moerasexpeditie

909 RIJDENDE REGENJAS
DAF Museum

910 CARTOONS BEKIJKEN
Genneper Parken

911 IDEAAL TUSSENDOORTJE
Bosschebol

912 MAGISCHE SPEELGOEDKASTEN
Speelgoed- en Carnavalsmuseum Op Stelten

913 27 EEUWEN TERUG
IJzertijdboerderij

914 GRENSGEVAL
Baarle-Nassau

915 WAVERIDER
Speelland Beekse Bergen

916 MAÏSZWEMBAD
Speelboerderij Tiswa

917 KLIMMEN IN DE STAL
Activiteitenboerderij 't Dommeltje

918 KIJKEN, RUIKEN EN DOEN
Het Biggetjesbos

919 NIET DE ALLERSLIMSTE
De Werkplaats van Jan Klaassen

920 SPOOKACHTBAAN
De Efteling

921 ROMEINSE VONDSTEN
Het Verloren Medaillon

922 KANOSAFARI
Safaripark Beekse Bergen

923 VERSTEENDE GASBEL
De Steenarend

924 JE EIGEN ZEEPJE
Bijoux en zeep

925 OP ZOEK NAAR HET OPSTAPPUNT
GPS Kano Adventure

926 DISCO SKATEN
Skate Center Eindhoven

927 SUISBUIS
Nationaal Zwemcentrum De Tongelreep

928 STRAND BRABANT
Recreatiepark Aquabest

929 ICEKARTEN
Sneeuwattractiepark Skidôme

930 HOOGSLAPER
Vakantiepark Dierenbos

931 REIS OM DE WERELD IN DRIE UUR
Vakantiepark De Bergen

932 ZADELUITZICHT
Hoge Bi-fiets

LIMBURG

933 SPANNENDE KREKEN
Subtropisch zwemparadijs Mosaqua

934 3D-BATTLE
E-Village Nederweert

935 SUPERVLAAI
Bakker Bongers

936 HOOFDLAMPJES AAN!
Nachtsteppen

937 KUITENBIJTER
Cauberg

938 REUZENTRAP
De Meinweg

939 RODELEN EN TUBEN
Wilhelminatoren

940 DE MAGISCHE VALLEI
Toverland

941 STALEN ZENUWEN
De Spookgrot

942 DARTEN MET EEN HOOIVORK
Boerendart Geelenhoof

943 OP ZOEK NAAR DE CACHE
Geocaching Reuver

944 NIEUWE UITVINDINGEN
Continium

945 ROWWEN HÈZE
Het Limburgs Museum

946 TROSSEN LOS
Minihaven Schutterspark

947 PAS OP JE HOOFD
Grotbiken

948 CARLO EN BÈR
Natuurhistorisch Museum Maastricht

949 DINOPANORAMA
GaiaZoo

950 ZONDER VRIESMACHINE
Minli Schaatsparadijs

951 COSMIC BOWLING
AdventureWorld of Taurus

952 HONDERD METER TOKKELEN
Fun Valley Maastricht

953 HEKSENKEUKEN
Openluchttheater Valkenburg

954 GEEN MALARIAMUGGEN
Jungle Dome

955 SLUISSPEKTAKEL
Dagtocht Luik

956 WIJNVATSLAAPJE
Ezelcamping In 't Niet

957 KINDERBEELDHOUWEN
Kinderknooppunt 91

958 ALS EEN SPIN AAN EEN DRAADJE
Kliminstuif

959 DOOR KANONSGATEN KRUIPEN
Speelpark Klein Zwitserland

960 KALKOEN GEORGE
Kasteelpark Born

961 RIDDERS & ROVERSPAD
Kasteelse Bossen

962 WILD WATER
Kajakken op de Grensmaas

963 DIEPE DUISTERNIS
De Fluweelengrot

964 BERGBOEMELEN
Miljoenenlijn

10X PRETPARKEN, SPEEL & DIERENTUINEN
. . . .

965 SPEELBOS SPARJEBIRD
966 HET BELEVENISSENBOS
967 SPEELBOS DE ELZEN
968 SPEELBOS HET HAZENWEITJE
969 SPEELBOS LIONS
970 SPEELBOS SCHRIEVERSHEIDE
971 ZUIDERZEESPEELBOS
972 SPEELBOS 'T LAER
973 SPEELBOS DE KLEINE WATERLINIE
974 SPEELBOS ROBIN HOOD

975 ROZENDORP
Lottum

976 DODENSTAD
Romeinse catacomben

977 ZELF VLAAIEN BAKKEN
De Bisschopsmolen

978 KETTINGBOTSING
Kinderstad

979 WALL OF FAME
De Amstel Gold Race Xperience

980 KASTEELBOWLEN
Kasteel Limbricht

981 MERGELCARVEN
Grottenatelier

982 ONDERGRONDSE OORLOG
Kazematten

983 PERISCOPEN EN ZEEPBELLEN
Ithaka Science Center

984 ZONNEBRIL MEE!
Thorn

985 AARDBEIENAPOTHEEK
Aardbeienland

986 BOOMPJE KLIMMEN
Fun Forest

987 SLANGEN ZOEKEN
Adriaan de Adderroute

988 LUCHTFIETSEN
Pretpark De Valkenier

989 OP JE TENEN...
Blotevoetenpark

990 DOWN UNDER
Grotten van de Sint-Pietersberg

991 METEORIET TE KOOP
Sterrenwacht Limburg

992 BERGAF SKATEN
Skiken in Beek

993 RAADSELS ONTRAFELEN
Letterbox-party

994 DOOR DE TRALIES
Adventure Golf

995 ONTDEKKINGSREIS
Familiepark Mondo Verde

996 SPUITENDE WATERMUREN
Labyrint Drielandenpunt

997 VOORUIT MET DE GEIT
Pipowagen-de-luxe

998 ZWART GOUD
Steenkolenmijn Valkenburg

999 WILD WATER
Aqua Mundo

1000 RIDDERAVONTUUR
Kasteel Hoensbroek

FOTOVERANTWOORDING